Queridos niños

David Trueba

Queridos niños

EDITORIAL ANAGRAMA
BARCELONA

Ilustración: © Riki Blanco

Primera edición: septiembre 2021

Diseño de la colección: Julio Vivas y Estudio A

Pedró de la Creu, 58
08034 Barcelona

ISBN: 978-84-339-9930-6
Depósito Legal: B. 10384-2021

Printed in Spain

Romanyà Valls, S. A., Sant Joan Baptista, 35
08789, La Torre de Claramunt

Para Léo,
mayor de edad

Primera semana

And the Lord said:
I burn down your cities-how blind you must be
I take from you your children and you say how blessed are we
You must all be crazy to put your faith in me
That's why I love mankind
You really need me
That's why I love mankind.[1]

«God's Song (That's Why I Love Mankind)»,
RANDY NEWMAN, del álbum *Sail Away,* 1972

1. Zaragoza

Empezaremos por aquella mañana en Zaragoza. El salón del Gran Hotel, gélido, impersonal. La sala bajo la luz fría, más apropiada para una autopsia que para una presentación en sociedad. Nuestro paisaje, Amelia, ahora lo pienso, fueron salas de espera, salas de reuniones, salas de convenciones, salas de banquetes, salas multiusos que de querer servir para todo no sirven para nada.

Yo te observaba en Zaragoza cuando desvelaste el cartel electoral ante la prensa. Los chicos de imagen lo habían tapado con una tela azul que te llevaste en la mano y luego no sabías qué hacer con ella, con la tela azul. Y allí, delante, tu foto impresa en el papel cartón sobre el caballete, retocadas las facciones hasta hacer desaparecer cualquier arruga y por tanto cualquier rasgo. Con tanta sinceridad que hay en una cara, los diseñadores habían preferido difuminarte las facciones y aclararte el color de ojos.

Lo hacen al modo de las portadas de revista porque la gente le ha cogido miedo a mostrar cualquier imperfección. Por eso me gustaba estar gordo. Era la primera demostración de carácter. Lo de mi tripa de Buda lo dijo Carlota. Pero no era una tripa, era una personalidad. ¿A que tú supiste verlo?

–Tú, con tu tripa de Buda, Basilio.

–Ciento diecinueve kilos no se logran sin esfuerzo –os advertí, para que no se tomara mi gordura por un síntoma de abandono sino de firmeza.

Yo tuve que enfrentarme a todas las dietas, a la dictadura flaca, a los gimnasios de tortura y a las tropas trotonas. Yo me esforcé para no estar en forma, fui un insumiso a la ropa de deporte y a la vulgaridad de un mundo a régimen. 119 kilos eran mi desafío al valor ese tan supremo y memo de la salud. Pero si a todos nos van a asesinar tarde o temprano sin importar demasiado la dieta que sigamos. Decir «hasta mañana» cada noche es un síntoma de autoconfianza excesivo. En mi entierro, guarden la piedad para los porteadores del ataúd, que se quebrarán el espinazo, que se jodan por participar en ese rito infame. Los países que honran con tanta pompa fúnebre a los muertos lo hacen para lavar su culpa por el trato que dan a los vivos. Si el mundo fuera decente, iríamos a morirnos a un barranco y nos dejaríamos caer sin ceremonia.

Estar gordo es rebelarse contra el futuro flaco que nos espera. Un futuro en chándal. También llevo gafas, ahora que tantos andan operándose las dioptrías. Y no me importó quedarme algo calvo, esas entradas que me han ampliado la frente como se amplían las pistas de un aeropuerto. La última vez que volé desde Estambul el avión venía repleto de tipos con la cabeza regada de pelos recién implantados y sus calvas, que tanto les avergonzaban, cubiertas de alcohol yodado. En el futuro no habrá calvos, pensé. Estará prohibido tener defectos físicos. Ser guapo será un derecho humano que se exigirá en masivas manifestaciones frente a la sede del gobierno. ¡Todos somos guapos! *Je suis Brad Pitt!* Esa es nuestra democracia de foto retocada, de filtro embellecedor, de serie juvenil. Todos los caminos de la virtud conducen al nazismo. ¿Te dije eso alguna vez? Sí, sí, en alguna ciudad te lo dije.

–Todos los caminos de la virtud conducen al nazismo.

Y tú me respondiste, con esa media sonrisa que concedías cuando lo que escuchabas te divertía pero te asustaba al mismo tiempo:

–Me gusta tu maldad, Basilio, porque es gratuita.

Pero no era gratuita. La puse a tu disposición por un módico sueldo. Aunque al hacerme la propuesta te respondí con música. Me puse a cantar. Tú me dijiste quiero que trabajes conmigo en la campaña, y yo me puse a cantar.

–Io non voglio più servir, no, no, no, no, no, no. Io non voglio più servir!

Rompiste a reír, eso no te lo esperabas. Una carcajada entre dos personas es mucho más vinculante que un apretón de manos, que cualquier contrato. Puede que de esa carcajada naciera una afinidad, esa afinidad que percibí entre nosotros. ¿Me equivoco, Amelia? Dime si miento cuando hablo de ese vínculo natural que nos unía. Por ejemplo, la dificultad para entendernos con los jóvenes. Ya no compartíamos los referentes ni los intereses ni las ambiciones. Lo comentamos en alguna ocasión. Ese silencio en las comidas cuando comprendes que nada de lo que ellos andan diciendo te importa un comino y nada de lo que tú puedas decir les atañe a ellos. A mis cincuenta y cuatro años no es que fuera a morirme de viejo, pero uno percibe que pertenece a un mundo antiguo, a un tiempo reñido con el hoy. Y tú, con sesenta y dos, pese a la espléndida madurez que exhibías, también andabas de puntillas por el presente, como si no te correspondiera del todo estar allí. Me gustó tu prisa cuando me llamaste por teléfono para la primera cita.

–¿Podríamos vernos esta tarde? ¿Te puedo invitar a un café?

Cuando te conocí yo gozaba de la voluminosa quietud del hipopótamo. ¿Sabías que mis enemigos me llaman así? El Hipopótamo, pero más que un insulto lo he tomado siempre como un elogio. Prefiero los ratos largos en la bañera, con el agua hasta la barbilla, que ganar el pan con el sudor de mi frente. Entre mis planes no figuraba volver al trabajo, pero me dejé enredar por la adrenalina que prometía tu propuesta. Empezó todo en aquel café cuando me dijiste te quiero a mi lado. Como un cohete en Cabo Cañaveral empecé a rugir por la línea del descuento. En inglés lo llaman *count down,* la cuenta abajo. Me gusta eso. Cuenta abajo. Nosotros decimos cuenta atrás porque tenemos una visión horizontal del tiempo, pero los anglosajones son verticales en todo.

Recuerdo, pocas semanas después, la reunión donde se eligió tu foto para el cartel. Estábamos en el despacho del secretario general, en la sede de Los Cuervos. Había cinco o seis opciones. En todas tenías cara de angustia disimulada bajo una sonrisa que llaman tranquilizadora y que suele ser muy inquietante. A la foto elegida, tras retocarla a fondo, le añadieron las letras inclinadas. Lautaro nos explicó que la rotulación ladeada sugiere dinamismo. *La mujer que necesitas.* Sonreíste al decirlo en voz alta aquella primera vez. Lo volviste a repetir esa mañana en el hotel de Zaragoza.

–La mujer que necesitas... Pero no lo interpreten como un rasgo de soberbia. Mi esfuerzo va a consistir en servir a las necesidades de los demás. Yo soy una mujer que aspiro a ser necesaria. He venido a conducir la nave de mi país y de mi gente hacia una vida mejor. He venido a escuchar y a trabajar. He venido a ser la persona que España necesita.

Te preguntarás cómo era capaz de escribir tantas necedades mientras pensaba lo que pienso. Eso explica un poco mi irritación perpetua. O, como dijiste al conocerme mejor, mi estado de desánimo.

–Basilio, tú no tienes estado de ánimo, tú tienes estado de desánimo.

Toda la prensa convocada en el Gran Hotel iba a reproducir tus palabras y las cámaras capturarían tu costoso salivar mientras representabas el nuevo papel en la comedia de tu vida, el de la mujer necesaria, la mujer que necesita España. La candidata a presidir el gobierno. Tras tu aparente fortaleza, solo eras una debutante en el baile, la niña del traje largo y los primeros tacones bajo la mirada de los depredadores.

Y eso que los periodistas ya no son inquisitivos ni impertinentes, como cuando yo empecé en esa profesión. Ahora aspiran a una vida cómoda, parecida a la que se pegan sus jefes. Son jóvenes transmisores, a ratos parecen telefonistas antiguas, esas que se dedicaban a pinchar clavijas y hacer llegar voces de un lado a otro sin saber quién habla con quién.

Al acabar la presentación del cartel electoral, camino del autobús me sugeriste que teníamos que intentar ser más contundentes.

–Entiéndeme, Basilio, yo ya hablo con demasiadas vueltas y retórica, mejor que escribas más directo. Con cuchilladas.

–Caramelos. Les vamos a dar caramelos, que es lo que les gusta a mis queridos niños.

–Ay, no los llames así, odio cuando los llamas así.

Te referías a mi manía de llamarles queridos niños a ellos, a la gente, a los electores. Sí, yo los llamo mis queridos niños, te lo dije en la primera reunión, porque así no me olvido de sus caprichos infantiles, no me dejo engañar por esa incomprensible superioridad que exhiben sobre los políticos. Los políticos son todos tal, dicen, o los políticos son todos cual, como si jamás se hubieran visto representados por ellos en el espejo. Porque el espejo les miente, tú eres más guapa, tú eres mejor, les dice, y ellos se lo creen, pero son iguales. Como el perro se acaba pareciendo al amo. ¿O era al revés? El votante termina por ser igual que lo votado. ¿O era al revés?

Te habían cortado el pelo antes de la sesión de fotos. Querían un peinado más neutro, sin la melena, aunque tú dijeras que te hacía más gorda. Pero el nuevo corte tenía la virtud de situar en tu nuca entrevista el centro irradiador.

–No hay nada más triste que un político que anda preocupado por su pelo. A mis queridos niños les gusta mirar a un político, más si es mujer, y ver a alguien que no anda preocupado por su peinado. Angela Merkel, Margaret Thatcher, he ahí dos triunfadoras que no se tocaron el pelo en sus largos mandatos. Podía desplomarse la Bolsa, hundirse la flota, que el peinado de sus mandatarias les transmitía a mis queridos niños la solidez de lo eterno.

No sé si te asusté demasiado en aquella reunión inicial. Pero prefería no arrancar nuestra relación con un malentendido. Amelia, te dije, vamos a dejarnos de engaños, el juego consiste en ganar. Fue en el café Marconi. Tú me confesaste una preocupación. Sospechabas que los mensajes complejos ya no pueden llegarle a la gente. Te quedaste boquiabierta cuando te respondí:

–Ni tampoco los simples. No les llega ningún mensaje. Les llega una experiencia.

–¿Una experiencia?

–Sí. Una especie de fantasía vivida. Un reconocimiento.

–No sé. Me parece que no te entiendo.

–Imagina que cierras los ojos y papá viene a cogerte de la manita de nuevo, como cuando eras un niño a punto de cruzar la calle. Eso es lo que quieren sentir. Esa experiencia.

–¿Qué tiene esto que ver con nosotros?

–La democracia solo tiene un punto débil. Depende de la gente.

–Eso es una obviedad.

–El problema de la gente es que solo sabe guiarse por la propia experiencia. La mayoría han renunciado a toda otra construcción mental que no pase por lo vivido, por lo ya experimentado. Por eso las mejores democracias surgen tras las guerras, tras los desastres, tras los desmanes. Cuando aún está reciente el dolor, la memoria del daño. Con el paso del tiempo, olvidan el trauma y vuelven a precipitarse hacia el fuego. Entonces esperan que los salve papá y en mitad de la noche llaman a gritos a mamá.

Ahí fue la primera vez en que me miraste como si yo fuera un loco, como si yo fuera un monstruo. Sí, un monstruo. El gordo que se había puesto a cantar ópera en mitad del café Marconi era para ti un enajenado cargado de teorías hirientes.

–Mira, Basilio, yo no voy a descubrir la democracia ni a inventar nada nuevo. Lo que necesitamos es seducir a la gente y eso no es fácil. Me gusta cómo escribes, me gustan tus convicciones y tu discurso. Por eso quiero que trabajes para mí.

2. *Teruel*

Habíamos salido de Atocha en el tren de las nueve. Habíamos llegado a Zaragoza para el acto de presentación del cartel a las doce en punto de la mañana. Después, a la salida del Gran Hotel, ya nos esperaba el autobús. Conocí a Rómulo, el conductor. Me presenté.

–Soy Basilio. Trabajo en la campaña con Amelia.

–Yo soy Rómulo, mucho gusto. ¿Qué te parece? ¿Ha quedado como queríais?

En el lateral del autobús, la frase de *La mujer que necesitas* cruzaba tu cara, a la altura de la nariz. En ese autobús nos íbamos a manejar las próximas semanas en nuestra Vuelta a España, como nos gustaba llamarla. En letras más pequeñas había una aclaración, casi un pie de foto: Amelia Tomás, candidata a presidenta. Al parecer era necesaria la precisión. A Los Cuervos les aterraban las encuestas donde se especificaba que eras una completa desconocida para el 14,5 % de los electores. Catorce tipos y medio de cada cien que podían votarte ni tan siquiera sabían quién cojones eras. Pero Carlota vino en tu socorro cuando el equipo de asesores y los de la agencia de publicidad te humillaban con ello.

–Hoy por hoy, el mejor político es el político desconocido, que no te conozcan es una ventaja más que una desventaja.

Carlota sabe demasiado, ha sido adulta siempre. Pese a su edad, no más de veinticinco, nunca llegará a ser joven. Para alcanzar esa etapa de la vida es necesario atravesar todas las demás. Consumida una vida plena y satisfactoria, uno llega, si puede, a ser joven. Yo soy joven. Lo he logrado hace poco.

–¿Y el autobús es suyo? –le pregunté a Rómulo, que tenía los dientes feos a juego con su cara.

–Sí, señor. Gistaín Viajes. Yo soy Rómulo Gistaín. Mi autobús y yo somos como una familia. Luego tengo a mi mujer y mis hijos, pero en Barbastro. Los veo cuando no estoy de servicio.

–Pues es un autobús muy bonito y muy grande. –A un hombre con su aspecto físico solo podía elogiársele el autobús.

–Antes lo usaba para desplazar al Real Zaragoza. Cuando iban bien las cosas. Ahora lo acabo de usar para la gira de Conjuntivitis.

–¿Conjuntivitis?

–¿Los conoce? Es un grupo pop.

–Sí, claro. –No tenía ni idea de quiénes eran, pero siendo un grupo pop llamarse como una enfermedad ya era algo que agradecerles por sincero–. ¿Y qué tal la gira? ¿Mucha droga, mucha chica?

–Ah, yo soy una tumba. Conducir y callar. Ese es mi lema.

El tal Rómulo resultó ser conductor de una mano. Le bastaba la derecha para sujetar el volante. Con la izquierda se hurgaba en la nariz con profundo ahínco. Tú lo viste igual que yo tratar de desprenderse de un moco, como si todo aquello fuera un accidente, pero no dijiste nada.

–¿Sabes, Amelia, que este autobús se utilizaba para la gira de Conjuntivitis?

–¿Ah, sí? El dúo ese para adolescentes.

–¿En serio? ¿Los conoces? Yo ni sé quiénes son.

–Ganaron el concurso de la tele. Parecen buenos chicos.

–¿Buenos chicos? ¿Pero dónde ha quedado la sana costumbre de los músicos juveniles de aterrorizar a las madres de sus fans?

Te ibas a someter a una entrevista en ruta, así que me había acercado a tu asiento para repasar el argumentario.

–¿Algún consejo para la entrevista, Basilio?

–No me has contratado para que te dé consejos, sino para escribirte discursos.

–Bueno, tú tienes experiencia en los medios, seguro que sabes lo que me hace falta para llegar a la gente real.

–Los medios se inventaron para que la gente no pudiera conocer a la gente ya nunca de manera real.

–Eso no es cierto, Basilio. Los medios nos brindan la oportunidad de darnos a conocer entre las personas y de llegar más lejos y a más gente.

–Conocer a alguien es una cuestión de cercanía, no de acceso. En esta cuestión la cantidad tampoco equivale a la calidad, ¿no te parece? La única relación posible es cara a cara, el resto es espectáculo.

–Ya, pero no puedo aspirar a conocerlos uno a uno...

–Mira, Amelia, los medios son un colador. Si intentas pasar el teorema de Pitágoras por él, lo que llega al que escucha, como mucho, es que un triángulo tiene tres lados. Eso con suerte. Del cuadrado de la longitud de la hipotenusa equivalente a la suma de los cuadrados de las respectivas longitudes de los catetos no queda nada. Si acaso quedan los catetos, ahí fuera, haciendo como que entienden algo.

Lo hablamos en las reuniones de estrategia en la sede de Los Cuervos. El 73 % de los españoles se informa a través del teléfono móvil, en escuetos titulares redactados a la medida de su propia tendenciosidad. Trabajar en esas condiciones requiere su arte, llamémoslo habilidad.

Me hubiera encantado que conocieras a mi maestro Roy Carlton. Su especialidad no era tanto la comunicación, pero sí la política en toda su amplitud. Para él lo fundamental consistía en detectar las potencias que generan un conflicto. El mundo, decía, surgió del choque de placas tectónicas. Ese choque persiste. Puede que haya dado una geografía social provisional, pero por debajo, fuera de la vista, continúan actuando las fuerzas y el choque volverá a reproducirse. Por eso la historia se repite, como habrás oído decir, porque nunca se soluciona.[2]

La entrevista la tenías con uno de los periodistas que nos seguía en el minibús de prensa. Un agente de Los Cuervos se encargaba de pastorear y organizar hoteles y desplazamientos de los informadores en nuestra estela, siempre cerca pero suficientemente lejos. Fue Lolo Prados el que subió y se sentó a tu lado en el trayecto. Yo conocía bien a Lolo. Habíamos sido compañeros en la facultad. Su novia, luego su mujer, iba a mi clase. La llamábamos la Perfecta. Se llamaba Cristina y la llamábamos la Perfecta. Dos hijos y veintidós años después se separó de Lolo para irse a vivir con su instructor de yoga a Ibiza. Esas cosas pasan en el mundo, no son solo fantasías de revistas femeninas. Lo peor fue que el instructor se mató en un accidente de quad y Cristina ahora está deprimida y ajada por el sol, ya nadie se refiere a ella como la Perfecta y Lolo es un desgraciado completo.

A Lolo lo tuve unos meses en el cuarto de invitados de mi casa. A ese cuarto lo llamo El taller, porque por ahí pasan los desolados, los borrachos, los inadaptados y los expulsados del mundo feliz. Ese monstruo que consideras que yo soy a veces ofrece su cueva como refugio, porque todos en algún instante de nuestra vida necesitamos regresar a la caverna.

Te estudié mientras Lolo te entrevistaba. Te mostrabas correcta, algo incómoda en tu papel de protagonista y con pánico ante el periodista que tenías delante. Lolo trabajaba para *El Mal*. El periódico de todos tus miedos. Porque lo lees y te aterra lo que dicen de ti en él. Ah, si los conocieras como yo los conozco, no te darían ningún miedo. Acomodabas tus respuestas, que aún querías que fueran originales y sonaran a nuevas, misión imposible a la tercera entrevista. Él acompañaría al día siguiente tus declaraciones de una descripción detallada de ti y del autobús.[3]

Vi que en ocasiones perdías la mirada al otro lado de la ventanilla y entonces te golpeaba por dentro ese paisaje en el que entrábamos. El paisaje de tu infancia.

La idea de volver a tu pueblo natal en la jornada de presentación electoral no había sido mía sino de Lautaro. Lautaro dirigía la agencia de medios que llevaría la campaña y lo conocí en la segunda reunión en la sede de Los Cuervos. Te divertía que yo para referirme al partido lo llamara Los Cuervos, por el carácter, por el logo, por la esencia, quién sabe. A la agencia de Lautaro la llamaba Los Blanditos. Porque estaban especializados en anuncios de grandes marcas rebozados en ternurismo y cursilería. Inventaron aquel de la mamá que llora cuando su niño decide deshacerse del chupete y cae en la cuenta de que el tiempo pasa irremediablemente. Tanta trascendencia filosófica para vender pañales. Con ese anuncio han ganado todos los concursos del mundo. Los Blanditos eran un comando de chicas jovencísimas, modernísimas, y luego Lautaro, sabio, sabihondo publicitario muy pomposo, pero que conocía el corazón de mis queridos niños mejor que su cardiólogo. Calvo de esos con melena trasera, Lautaro, que era uruguayo, nos trajo un aluvión de ideas que él mismo definió como putas ideas copiadas de las campañas norteamericanas, que son los que saben de esto.

Los Cuervos y Los Blanditos estaban sobrados de ideas brillantes y planes de campaña que aplicar sobre tu asustada figura de inmaculada candidata. Lo que les faltaba era sustancia. Ahí entraba yo, según tú.

–Quiero que tú pongas pensamiento y forma a mis discursos.

–¿Sabes cómo llamaban antes al chorizo, al morcillo, al hueso, a la pieza de carne que se echaba en los caldos de un guiso? El incremento.

–Pues eso quiero, Basilio. Que tú pongas el incremento.

En la primera reunión en la sede, la voz de mando la llevaba Carlota y un equipo siniestrillo de asesores, militantes juveniles, chicos listos y por supuesto Cándido, el secretario general. Todo el mundo allí se llamaba Bosco, Alonso, Pelayo y Borja, pero nunca supe quién era quién y Cándido me invitó a llamarlos la cantera. Así los llamaba él.

–La cantera, son nuestra cantera.

Y así los llamé yo para no tener que aprenderme sus nombres. En esa primera reunión conocí a la gerente, Pili Cañamero. Todos se referían a ella así, con el diminutivo antes del apellido. Era una extraña forma de familiaridad y distancia. Tenía los dientes saltones, con aire de excavadora, por eso decidí apodarla Caterpili Cañamero. Esa mujer era una dolencia en sí misma. Si tus ojos coincidían con los de ella, te dolía la tripa.

En la segunda reunión apareció Lautaro y todo se relajó un poco. Tenía fama de genio de la mercadotecnia y un hablar meloso. Había puesto nombre a preservativos jugando con la idea de dureza, a una píldora estimulante con la mención al vigor, a unas pastillas anticatarrales al mezclar moco y sano en una sola palabra. Para ahorrarse su salario, Los Cuervos recurrieron a un alto cargo en la gerencia comercial de Correos que le encargó la nueva campaña de la empresa, para la que se sacó de la chistera el exitoso lema de «Lo que nos une». En ese pago inflado con dinero público se incluyó el dinero que cobraría por tu campaña electoral. Él fue quien dio con aquello de «La mujer que necesitas». Un genio.

Mientras terminabas la entrevista con Lolo, en la zona del fondo del autobús departíamos los que tú considerabas el equipo íntimo.

–Quiero que seáis mi equipo íntimo.

Carlota, con ese aire de universitaria recién duchada, que parece llevar siempre la carpeta de apuntes apretada contra el pecho aunque no lleve nada en las manos. Era su forma de protección. O a lo mejor eso protegía a los demás de la radiante ambición que desbordaba. También Albert, al que todos llamábamos Arroba, que llevaba las cuentas en redes, los nuevos medios, comoquiera que haya que llamarlos. Pese a su afable campechanía de experto mediático, su dominio de las redes sociales, sus gafas de pasta y su simpatía de botarate, yo decidí tratarle con distancia, displicencia y desprecio, las fundamentales tres D que aplico a quien me place. Me tenía miedo, y eso me gustaba, tú lo detectaste rápido, Amelia.

–¿Por qué no eres más amable con Arroba?

–Para ser amable hay que amar.

Arroba rendía cuentas a un engreído y cerebral tipejo apellidado Junco. Era el director de campaña digital, según la rimbombancia del reparto de cargos. Antes de cumplir los treinta Junco había llevado el tráfico en redes sociales de varios concursos de telerrealidad. De tanto sacudir al país con las peripecias convivenciales de sus concursantes desinhibidos, cazurros y hormonados, había llegado a conocer el cerebro nacional con una precisión que asustaba. Era el mago del segundo círculo donde se desarrollaría nuestra Vuelta a España, la comunicación en redes.

La tercera integrante de tu núcleo íntimo era Tania. Dulce treintañera nacida en Maracaibo, exiliada venezolana que era un ángel eficaz y te llevaba la agenda de prensa, la agenda personal, la agenda de enlace con el partido, las múltiples agendas, como quien pasea a seis perros a la vez. Tenía un acento meloso, una forma de ser ensayada para gustar y una risa que invitaba a reír. Me gustaba además que le sobraran diez kilos. Me sobran diez kilos, repetía ella a cada instante. Y cuando la hacíamos reír vibraban esos diez kilos, que yo me habría zampado como diez kilos de merengue. En el campo de batalla de una campaña electoral ella era un oasis de playa caribeña.

Carlota, Arroba, Tania y yo, tu equipo íntimo, te mirábamos desde la trasera del autobús mientras braceabas para acabar la entrevista con Lolo, reportero de *El Mal,* y enfilábamos la carretera hacia el pueblo que te vio nacer. Fueron Los Blanditos quienes propusieron arrancar la campaña allí. Arroba, para entrar en asunto, había colgado en redes una foto tuya con doce años, en la escuela del pueblo, en blanco y negro y con una frase: «Esta niña quiere ser Presidenta del Gobierno». Ya en tu cara de niña encontré el mismo interrogante que la primera vez que me detuve a estudiar tu cara de adulta. ¿Quién eres tú? ¿Quién eres tú de verdad?

También estaba Cuca. A ella la incluiste en el equipo íntimo, pero yo la saco. Como también dejo fuera a Pacheco, Zunzu y Koldo, que se turnaban para velar por nosotros como empleados de seguridad, en la cercanía o desde un coche de apoyo. A todos ellos había que sumarles los constantes enviados del partido, a veces de cada provincia, a veces llegados de la sede, que parecían los numerarios de una secta, siempre al acecho, siempre sonrientes y solícitos.

Cuca rozaba los setenta años, era la decana de este juego cada vez más juvenil, pero hablaba en diminutivos para hacerse la moderna. El mayor diminutivo era su propio cerebro, llamémosle la neuronita feliz que le quedaba en activo. Se me presentó de una manera tétrica.

–Yo soy la de la ropita y los polvitos.

Quería decir, ella hablaba así, que te maquillaba y te vestía. Tenía voz de grulla, cuando abría la boca creías estar en Doñana. Se había apropiado de una zona final del autobús, con cortinilla separadora, donde te probaba faldas, camisas sedosas y chaquetas seriotas, todas en la paleta conservadora, porque los colores son semáforos que ayudan a que circulen los pensamientos en las cabecitas de mis queridos niños.

Entre Lechago y Navarrete, los dos pueblos mayores, por una carretera de piedras y polvo, entre los restos de algunos torreones mozárabes de un tiempo de esplendor no ya perdido y remoto, sino inimaginable, nos esperaba tu pueblo, sostenido en alfileres, casi desierto. Coágulo, Teruel. Ni feo del todo ni hermoso apenas, el pueblo típico del que procede media España entre orgullosos y avergonzados. Tu madre había preparado una bandeja de jamón correoso y pastas almendradas deliciosas. No pensé que vendríais tantos, dijo al ver la manada de buses. A Coágulo no había llegado nunca una excursión así y la cara de pasmo de tus padres era notable. Carlota al bajar del autobús dijo algo exacto:

–Esto va a dar muy bien por la tele.

La calle era de gravilla y al pisarla me tocó Lolo el hombro.

–Veo que has vuelto a vender tu pluma al mejor postor.

Para él yo siempre fui un escritor frustrado, como si pudiera existir un escritor no frustrado después de Cervantes y Shakespeare. La Perfecta solía decir, cuando estábamos en la facultad, que yo llegaría lejos, pero Lolo se burlaba de mi último destino. Escritor de discursos en campaña para la candidata más frágil del trío de favoritos.

–No lo puedo evitar. Cuando le oigo decir algo brillante siempre pienso que se lo has escrito tú. Te oigo a ti, Basilio.

–Gracias, pero no creas. Esta mujer piensa por sí misma.

–¿La mujer que necesitas? ¿De verdad que no habéis encontrado un eslogan mejor?

–Solo alguien tan cansino y previsible como tú, Lolo, podría usar esa palabra: eslogan. Se dice lema. Lema de campaña.

El pueblo tenía 36 habitantes. No habíamos optado por un acto masivo para arrancar, no. Las cámaras te grababan junto a tus padres a la puerta de la casa. Ellos eran dos ancianos que podrían tener ochenta y tres años o mil trescientos. Parecían más dos parras centenarias, de las que persisten sin cuidados ni agua, brotadas de la tierra dura. Tenía razón Carlota, esto iba a dar muy bien en la tele.

Lo que más deslucía la postal era tu hermano. Le llamaremos Zoquete. Un tarugo que había funcionado como vaso comunicante contigo. Tú te quedaste los estudios, el talento, el esfuerzo y la gracia y él se quedó las cejas de toda la familia y la labor en la finca. En Coágulo se le asentó la bruticie rural contemporánea. Mientras la sabiduría ancestral del campo asomaba destilada en la mirada de tus padres, en la mollera de tu hermano solo se presumían horas de tele y fútbol, labor subvencionada, partida en el bar y seguramente pajas con alguna fantasía agropecuaria.

Mi primera misión consistió en redactar una nota de prensa sobre tu vida para que la conocieran mis queridos niños. Lo hice manipulando la verdad, como requiere el oficio, para establecer una cronología lógica y asequible para todos. Lo dimos a conocer a través de periodistas, que lo pusieron a circular en sus perfiles y reportajes.

Amelia Tomás, nacida en Coágulo, Teruel, hace sesenta y dos años.[4] Fuiste la chica más lista del pueblo. Leías ya a los tres años. Aprendiste solo con mirar los titulares del periódico por encima del hombro del abuelo Abdón. Destacaste tanto en la escuela que te mandaron a la Laboral de Cheste, donde trabajabas en la Biblioteca en las horas perdidas y llevabas un club de debate con las alumnas, los sábados por la tarde. De allí a Zaragoza para estudiar Historia. Te licenciaste ya en Madrid para completar tus estudios con Ciencias Políticas y el mejor expediente académico de tu promoción. Tus compañeros no recuerdan demasiado de ti, te pasabas todo el día estudiando. Y cuando estabas en la edad para salir con chicos, te uniste a él, a tu profesor de Historia del Pensamiento Político, con el que te casaste poco después de acabar la carrera. Maduraste de golpe por vía marital. Cumpliste veintidós y al año siguiente cuarenta y tres. La vida a veces es así.

Aún tienes los ojos de lista que enseñas en la foto de cría. Solo usas gafas para leer y por eso te brillan las pupilas. A mí se me apagaron los ojos porque desde los doce años tengo la vista cansada, cansada de ver tanta estupidez alrededor. Para que te brille la mirada hay que ser o muy buena persona o muy inteligente. O, como en tu caso, una tipa interesada en el ser humano como sujeto de estudio. A mí no me pasa ninguna de esas tres cosas, mis ojos delatan el hastío.

Tú fuiste la hija espabilada de los Tomás. Y ahí estábamos para corroborar la historia de España en minúsculas, a la puerta de la casa en Coágulo, adonde habías vuelto como candidata a la presidencia del gobierno porque, según decías, te beneficiaste de un país en el que el esfuerzo personal y el sacrificio familiar bastaban para progresar.

Recitaste la frase de carrerilla tal y como la escribí, pero aquel país de tu infancia era otro mundo. Hoy es más difícil. La sociedad ya no es permeable, está compuesta en burbujas. Pero nosotros queremos que los electores se acuerden de aquel país. ¿Lo harán? Seguro que sí, ¿verdad, queridos niños? ¿Verdad que os acordáis de aquel tiempo y lo echáis de menos?

Mis queridos niños carecen de imaginación, el único futuro que conciben es idéntico al pasado.

Los periodistas grababan sus totales para los noticiarios y me escapé con tu padre a ver la casa. Los cuartuchos oscuros, persianas cerradas, habitaciones de los cinco hermanos. Aparte del Zoquete y tú hay tres por ahí desperdigados, no tan brillantes me imagino. Tu padre me llevó con orgullo a sus posesiones, al otro lado del patio, una conejera y tres jaulas de gallinas. Metí la mano en una de ellas y saqué un huevo caliente y moreno. ¿Puedo? Le clavé el dedo y lo sorbí con el gusto que da tragarse un huevo recién puesto. Tu padre me miraba con agrado. Yo sí sé reconocer los placeres de este mundo, vine a decirle. Y me comí otro.

–A mi hija eso le da asco, nunca le gustó el campo. Le gustaban más los libros.

Así tu padre me resumió el orgullo y la frustración que causa todo hijo.

Tu madre era distinta. Tenía el aspecto de tantas mujeres de aquella generación. En sus casas reinaron con destreza mientras el mundo les seguía vetado. Claro que sí, lo vamos a usar en esta campaña, vamos a hablar mucho de tu madre, de lo que algunas mujeres hicieron en su hogar y con sus familias, algo que ningún puñetero político ha sido capaz de hacer en el país, fabricar libertad, generar sueños, levantar los andamios. Sin aspavientos, en silencio, como se progresa de verdad. Es en la intimidad donde se fabrican las cosas importantes. En escenarios sin relumbrón como el de tu casa en Coágulo. Te iba a escribir con esas piezas de tu infancia muchas frases para los fragores mitineros que tanto te espantaban.

–Soy una niña de pueblo que hoy aspira a presidenta. A mí nadie me puede decir que los cuentos de hadas son mentira. Ese es el país que quiero, un lugar donde se pueda soñar.

Tu madre tiene tus pestañas. Que me sorprendieron la primera vez que me citaste en el café Marconi. Esas pestañas largas, frondosas, en cada parpadeo desataban una corriente de aire. Eran las pestañas que nuestro país necesita.

3. Castellón

Salimos de Coágulo convencidos de que la estampa había merecido el viaje. La candidata del pueblo, literalmente. La campaña consiste en ocuparlo todo, como un magma invasivo. Eso es estar en campaña, pringarlo todo de una lava ardiente llamada como tú. Si quieres ser la primera mujer que presida este país, mis queridos niños tienen que soñar contigo, discutir sobre ti, confiarse a ti, llamarte a gritos en mitad de la noche. Consiste en poner al frente de tu candidatura cualidades que nuestros queridos niños atrapan para completar su muñeco electoral. Ese muñeco con el que juegan a la democracia, al que revestimos de ilusiones y promesas, y que concita algo de cariño y algo de vudú. De ese vudú con el que mis queridos niños desahogan su bilis.

Recuerdo las disputas sobre el lema en las reuniones

de estrategia. Cándido estaba empeñado en que apareciera la palabra *claro* en algún lugar. Lo que fuera, pero *claro.* Junco estaba de acuerdo. No sé por qué tenían ese empeño. Claro, claro, todo claro, las cosas claras, quizá porque eran turbios.

–Me da igual el lema, pero que incluya Claro. Alto y Claro; España en Claro; Las ideas claras.

Se nos adelantó otro partido situado a la derecha de nuestra derecha cuya frase electoral era: «Claro que sí». Ellos encarnaban un conservadurismo reaccionario y nada moderado. Su grito de afirmación era un chantaje emocional a la bravura de mis queridos niños. «Por cojones», hubiera sido una frase más próxima a sus fantasías. Se complementaba con otro partido en el ala extrema de la izquierda. Era habitual esa retroalimentación en nuestro país, hasta teníamos una misma empresa de televisión propietaria de un canal de derechas y otro de izquierdas, que manejaba como un asador de dos parrillas para caldear el espíritu de sus audiencias. Estos dos partidos en los extremos, de tan incompatibles, terminaban por estar completamente hermanados. Se prodigaban en mensajes directos contra los políticos. Gastan mucho, se comen el presupuesto, son inútiles. Se presentaban al combate electoral como futbolistas que salieran a pinchar la pelota durante el partido. Les bastaba agitar el asco, pero nosotros lo teníamos más difícil, queríamos jugar al juego. En esto aún hay algo de honestidad, lo otro es una impostura.

Lautaro defendía su idea, centrar el mensaje en la mujer, hablar de las necesidades del país, invocar un futuro mejor y repetir de manera incansable un discurso de seguridad, orden y firmeza. Todo envuelto en la cursilería que aplicaba a los anuncios de cerveza cuando se acerca el Mundial. Yo lo único que sugerí fue una pillería.

–Gestionemos un encargo falso en alguna empresa que no sea amiga de la casa y que filtre el cartel y el lema a los partidos rivales.

Era algo que había oído decir que se hacía en campaña. A Cándido le convenció. Hablaron con una imprenta y le pasaron un modelo de cartel que habíamos desechado. «Amelia Tomás Habla Claro». El truco funcionó, los rivales que recibieron el soplo se dejaron llevar por el entusiasmo. La cartelería de Los Lobos, nuestro eterno rival, apareció con un lema que creía respondernos: «Menos palabras, más acción». También presentaban una candidata mujer. Más joven que tú pero no demasiado dotada para la retórica. Las palabras de más de dos sílabas se le atragantaban. Tanto era así que acabaron por reducir el lema inicial a un «Acción!», incluida la exclamación final, con lo que parecían más bien un reclamo de escuela para estudiantes de cine.

Entre Segorbe y la Vall d'Uxó dormité un rato. Habíamos comido en bandejitas de pinchos traídas por Zunzu, el de seguridad. Cometí el error de sentarme cerca del conductor, pues aún no me sentía del todo pieza integrante de la cohorte política. Rómulo me señalaba cada sitio de la sierra de Espadán y comprendí que era el tipo de chófer que ejerce de excursionista jefe si te dejas.

–Aquí mismo vivieron los dinosaurios del Jurásico, ¿a que da impresión?

Lo dijo como si él ya en el Pleistoceno condujera su autobús por esas rutas. A mí el paisaje no me impresiona. Me emociona más un whisky denso entre los hielos que la mejor puesta de sol. Carmona, el marido de Gloria, mi agente literaria, si alguien le señala un paisaje hermoso siempre dice:

–Lástima la urbanización de chalets que podría levantarse ahí.

Es su manera de entender los negocios. Por eso le confié siempre la gestión de mis proyectos empresariales. Huele el dinero como los perros truferos. Y maneja esa provocación frente a los amantes del esplendor de la naturaleza.

–Lo mejor que le puede pasar a un árbol es que alguien haga una buena mesa con él.

Soltaste una conferencia de pequeño formato en el auditorio de la Caja de Ahorros de Castellón. Los asistentes ponían cara de azulejo plano al escuchar tus frases. Aún andábamos con la humildad y esas patrañas metidas con calzador en el discurso. No podíamos montar actos electorales pues la campaña no empezaría de manera oficial hasta dentro de una semana, así que llamábamos a esos encuentros una toma de contacto con la población, con esa palabrería insustancial de la política. El discurso no era mío, tan solo algunas frases destacadas, los *highlights,* como los llamaba Carlota en su jerga.

Mis celos se habían disparado cuando en la segunda reunión en el partido me presentaron a Silvia Parada. Ella se encargaría de tejer los discursos desde Madrid, junto al equipo de Los Cuervos, y yo estaría más a pie de gira durante la Vuelta a España, para dotarte de réplicas urgentes, reacciones a las frases rivales. Yo sería tu capacidad improvisadora. Protesté, pero Carlota me dijo que Silvia y yo no nos pisaríamos la faena.

–Hay tarea para los dos.

¿De dónde salió la idea de recurrir a aquella mujer? Yo creo que fue a propuesta tuya, como lo de llamarme a mí, pero prefiero no confirmarlo. Ese empeño de construir las campañas con gente de fuera de la casa se debe a que no se fían ni ellos de su cuadrilla propia, porque solo saben relacionarse a cuchilladas. Todos dentro de los partidos quieren escalar, es un microclima criminal. Silvia Parada era periodista bregada, pero sin el menor brillo. La había visto en tertulias y su participación era equivalente a sentar un ladrillo sobremaquillado en la mesa de debate. Me enteré por Carlota de que había escrito tu autobiografía, que presentarías en esta semana previa a la campaña. Un aderezo con el único interés de alimentar la propaganda en los escaparates de librerías y centros comerciales. Más madera.

Su apellido me lo ponía fácil, así que empecé a referirme a ella como la Paradita. Cuando vi el texto que había preparado para Castellón te reté de manera abierta:

–¿Vas a leer lo que te ha escrito la Paradita o me dejas meterle un poco de gasolina?

Partías situada tercera en las encuestas y nos beneficiaba, según Arroba, ese perfil modesto de quien ha llegado por accidente a la campaña. Lo malo era que necesitabas a la prensa más que ellos a ti, en especial en esa semana previa del despegue. Y por eso fuimos esa noche a la pecera de una radio para que te entrevistaran desde Barcelona. Como no podías jugar con las pestañas desde tu conexión a distancia te mostraste más listilla que inteligente con el entrevistador. Te lo dije al salir.

–La diferencia entre listo e inteligente es bien sencilla. Al listo se le nota el esfuerzo.

–Detesto ese tono perdonavidas del locutor.

–Que el periodista sea gilipollas no es excusa para ponerte al nivel.

–¿Y qué tengo que hacer, según tú?

–Yo no soy especialista en el asunto. Para eso has tenido tus cursillos con esa pareja de caraduras que te enseñaron a mover las manos y levantar la barbilla, hablar mirando a cámara y no parpadear durante la respuesta.

–No los llames caraduras, Bosco y Pelayo me enseñaron mucho de telegenia.

–Yo solo te voy a decir una cosa. Tener a un gilipollas de interlocutor es una gran oportunidad para no serlo. Cada vez que te pongan frente a un imbécil, disfruta de ofrecer el contraste a quienes estén mirando. No entres a su juego. Imitar no es seducir. Los lameculos imitan. La gente con personalidad invita a subir un escaloncito a su interlocutor, a ir un poquitín más arriba del nivel en el que estaba, pero sin pasarse de listo.

Habías establecido un límite invisible de hasta dónde me estaba permitido llegar en la crítica. No buscabas un papá, ni un maestro del arte de la retórica, tan solo un colaborador leal y eficaz. Pero apreciabas mi sinceridad.

–Es una tortura oírte decir las memeces que te escribe la Paradita desde su mesa camilla mental.

–Basilio, no seas malo.

–Tengo que justificar mi sueldo, solo quiero ganarme el jornal, lo juro.

Sueldo, por cierto, que la gerente Pili Cañamero consideró excesivo. Si llegamos a un acuerdo fue por sus trampas contables que nunca te conté, pero que sirvieron para ponerme a tu servicio. Tuve claro entonces que aquella mujer, esa pieza tan importante de Los Cuervos, no pensaba ni por un segundo que tú ibas a ganar las elecciones. Su cálculo les daba para una coalición donde ellos serían imprescindibles en la suma, y en esas negociaciones quizá tú serías la sacrificada, quién sabe.

¿Se siente Amelia Tomás como un parche antes que como un fichaje? Cuando el periodista radiofónico tan escuchado, el presentador del espacio *Relamidos en la madrugada,* te hizo esa pregunta, te vi temblar, porque lo había adivinado, tú te sentías como un parche más que como un fichaje. Y aunque lleváramos dos semanas con ensayos para responder a golpes similares, pestañeaste tres veces entre dudas antes de sonreír. Mal hecho. En campaña no se admiten dudas. Hasta si te preguntan por la raíz cuadrada de 3.757 uno responde de inmediato: escúcheme bien lo que le voy a decir. Es un lenguaje, es una actitud. No está permitido dudar. No está permitido decir la verdad. No está permitido rectificar. ¿No fue Cándido el que nos explicó los tres mandamientos del candidato en campaña?

Ganar lo justifica todo.

Ganar lo disculpa todo.

Ganar lo hace olvidar todo.

Tras la entrevista, un coche nos llevaba por la calle más fea del mundo hacia el auditorio más feo del mundo y bajaste la cabeza humillada por mi crítica. Lo que te pasa es que estás verde, te expliqué. O te pones profesoral, que es peor.

Carlota también te riñó desde el asiento delantero.

–Basilio tiene razón. Ya lo hablamos. No te pongas profesoral. Nadie quiere de presidente a un profesor, prefieren al capitán del equipo, al valiente, al líder, al guía de la excursión.

Cuando te llegó el turno de ser entrevistada en una radio de Madrid algunos días después, te escribí algo más contundente.

–Yo soy una candidata accidental, no lo niego, no era ni mi plan ni mi idea, pero escúcheme bien lo que le voy a decir: voy a ser el accidente que todos los españoles estaban deseando que sucediera de una maldita vez en alguna campaña electoral de este país.

Ese fue nuestro éxito, si es que hemos tenido algún éxito. Convencerte a ti, antes que a nadie, de que podrías ganar sin dejar de ser tú misma.

En Castellón, los gerifaltes locales tenían sus planes de cena, pero yo me retiré al hotel Voramar, donde dormíamos.

Prefería compartir la noche con quisquillas, sepia y las chirivías de la olleta antes que con los fieles en su covacha. Cuando os vi entrar en el hotel ya estaba en el postre y me empeñé en que diéramos un paseo hasta la playa. Descalzas en la arena, las personas son menos maquinales. Tania aceptó con entusiasmo, Carlota también, y tú arrastraste a Cuca y hasta a Arroba, que escondió su móvil en el bolsillo a salvo del salitre corrosivo. Era la noche de nuestro primer día de viaje juntos. Arroba, con su ojo profesional, hizo que nos cogiéramos todos de las manos y nos fotografió enredados como hacen los equipos antes de salir a competir. Colgó la foto para esa eternidad brevísima de las redes y suspiró satisfecho.

–Este es el tipo de imágenes que nos va a distinguir de los demás.

Me pareció un comentario tan cretino que preferí no rebatirlo. Tú y yo nos acercamos al filo de las olas y apenas hablábamos porque no teníamos nada que decir, qué bendición por un momento. Tantas palabras en campaña que guardo un recuerdo gratísimo de los silencios, ¿a ti no te pasa?

4. Cuenca

Rómulo había puesto la misa del domingo en la radio del bus. Hacía años, desde que la beatería de mi abuelo se desató sin freno, que no escuchaba ese soniquete. A mi abuelo lo acompañaba a misa a cambio de un pastel de chocolate y merengue llamado negrito que me compraba de premio al volver a casa. La fe me hizo obeso, ya ves, Amelia.

Rómulo fue al primero al que busqué por la mañana, al dejar el hotel. Había sobornado al camarero del restaurante para que me tuvieran lista una caja de botellas de Johnnie Walker etiqueta azul y la cargué en el compartimento de maletas. No me gusta beber en público, soy un borracho discreto, pero aquel cargamento me iba a ser necesario para cumplir con el encargo. Rómulo consideró que esconder para mí aquella caja nos convertía ya en amigos íntimos. No fui capaz de sacarle del error.

Esa confianza me sirvió para acercarme en medio de la ruta y exigirle que cambiara el dial. Me di cuenta de que la elección no respondía a un gusto personal, sino a agradar al cliente. Como éramos un partido democristiano, había supuesto que la misa en la radio era una obligación de ese domingo.

–El que paga manda –me explicó.

–Ah, no, tranquilo, Rómulo, no hace falta sobreactuar.

–Vale, vale.

–Los fieles a las esencias de los partidos son sus votantes, no sus integrantes.

Una cosa era pedir el voto por unos motivos y otra muy distinta convertir esos motivos en tu pensamiento íntimo. Eso lo tuvimos claro desde el principio en nuestro acuerdo entre tú y yo, ¿verdad, Amelia?

Yo quería trabajar, concentrarme, pero el autobús no iba a ser la oficina productiva que soñaba. Me fijé en Carlota. Acababa de recibir un mensaje urgente en su móvil y el enfado asomaba en su bonita frente fruncida. Tardé en desentrañar los motivos de su disgusto. En *La Mano Amiga,* que era nuestro periódico más cercano, te habían preparado un perfil en profundidad, amable y favorecedor hasta en la caricatura. Hasta ahí todo bien, pero una de tus alumnas recordaba las clases que dabas y añadía que tú eras especialmente crítica con los Borbones.

–No han hecho otra cosa que arruinar España, eso es lo que Amelia Tomás nos repetía en las clases de Historia.

El locutor de la mañana repasaba el perfil publicado en la prensa con una inocencia fingida y preguntaba con retórica y unas eses líquidas que alargaba hasta el día siguiente:

–¿Y pensáis que essshas afirmaciones tan controvertidas son la opinión personal de la candidata sobre nuestros reyes?

–Bueno, bueno, a muchos de sus votantes no creo que les guste oír eso.

Y se escuchaban risas de sus colaboradores que atizaban la discordia. El asunto de la Corona estaba vetado en nuestra campaña. Servía de arma para otros partidos que tiraban del hilo de la fortuna grosera del rey Juan Carlos y los detalles más escabrosos de su vida íntima. Nosotros teníamos la consigna de defender la institución monárquica por encima de cualquier desliz. Eso nos convertía en taciturnos cómplices, pero nuestra estrategia era no perturbar las fantasías de mis queridos niños.

Carlota estaba histérica. Tenemos que hacer algo, esto nos hunde. Traté de tranquilizarte.

–Los Miserables solo hacen su trabajo.

Sí, llamo Los Miserables a la prensa. Es una manera de entendernos. Tienes Miserables de tres a siete y luego estás libre dos horas. También digo: Los Cuervos están preocupados por lo que publican hoy Los Miserables sobre ti, pero Los Blanditos dicen que no le demos tanta importancia. Carlota odia que hable así. Y que ponga motes a todo el mundo. Dice que es machista y abusivo. Yo hablo con motes, lo aprendí en la escuela. El mote desacraliza, amenaza y humilla, las tres cosas que uno necesita en un colegio. Y la vida es un colegio. Nada es sagrado, tienes que amenazar para que no te amedrenten y hay que humillar para que te dejen avanzar. Ahí tienes la norma de mi vida. Que a Carlota no le gusta.

Yo sé que Carlota está en el principio de todo. Que Carlota fue la razón de que acabaras donde estás. Carlota Pons era tu alumna. Ni siquiera la más brillante, pero sí la más tenaz. Tú me constaste que divides en cada curso a tus alumnos entre ambiciosos, estudiosos y distraídos. Me vale. Carlota pasó de ser lo tercero a lo segundo cuando descubrió que estaba llena de lo primero. Supongo que, como a todos, te ganó con esa carita de ángel que corona un cuello de cisne, ese cuerpecito de fragilidad de acero, esa hechura de princesa de ensueño.

Pero a mí bórrame de entre sus admiradores rendidos. A mí bórrame, yo ya no sueño, dejé de soñar a los diez años. Y no me interesan las mujeres que quieren que te enamores de ellas. Carlota quiere enamorar. Carlota está hecha del material del que están hechos los sueños de los hombres, si me permites la fantochada. Le das un centímetro y cuando te quieres dar cuenta ha plantado allí su fábrica de excitar fantasías. Nació para ganar. No me preguntes en qué, nada más verla el primer día lo pensé, esta te gana a lo que juegues. Hasta en la cama la imagino al mando y cuando pierde la cabeza, sencillamente es porque finge que pierde la cabeza sin perderla en absoluto. Por eso jamás competí con ella. Yo era el gordo matracoso, anticuado y redicho, frente a la nena moderna, hábil y brillante.

Para tu información, yo me separé con cuarenta años después de doce junto a Beatriz. Pero ahora, con mis cincuenta y cuatro puñetazos, es cuando he logrado al fin ser un adolescente. Yo fui siempre el gordo glotón que va a lo suyo y bajo el desprecio general se pone las botas con las sobras de la felicidad de los demás, las sobras de la felicidad que dejan tiradas por ahí los que quieren más, las sobras de la felicidad que asoman rotas y gastadas en los contenedores de la calle, las que tira la gente cuando la felicidad se le ha roto. No aspiré a mucho, ya lo sabes, por eso fui rico, como se hacen a veces ricos ciertos chatarreros especulando con lo que a otros no les vale. Como no tengo sueños no me doy de bruces con la realidad. Que funcione un semáforo ya me parece el colmo de los logros humanos.

Carlota sí sueña. Quiso que la orientaras en su tesis, aunque huías de ella por los pasillos. Nada detesta más un profesor que al alumno que le corteja. Organizaba actos, era obsesiva con los estudios, dirigía varios clubs de lectura y la página web de los estudiantes. Era la versión social y luminosa de la termita esforzada y oscura que fuiste tú en tus años de alumna. Un día te dijo que el presidente quería asistir a una charla con los estudiantes.

–¿Qué presidente?

–Jolín, ¿quién va a ser?, pues el presidente del gobierno.

Te imagino entre turbada y angustiada cuando se empeñó en que tú tenías que ser la maestra de ceremonias. Aún no te había contado Carlota con todo detalle por qué conocía al presidente. Luego supiste que ella era la sobrina de un juez asesinado por ETA en los años más sangrientos y la familia conservaba línea directa con el poder. Tú conoces a Carlota mejor que yo pero siempre te negaste a aclarar cuánto hay de impostura, arribismo y oportunismo en ella y cuánto de ambición honesta y de vocación sincera en toda esa tela de araña que ha trenzado desde el motorcito de sus pechitos bajo la carpeta escolar. Decías siempre: si estoy en esto, es por Carlota. Y tanto que era verdad. En esto estás por Carlota.

Como todos, fuiste vencida por los halagos. Carlota te convenció de que eras la persona ideal para supervisar su tesis. También te convenció para presentar la conferencia del presidente en la facultad. Había que ver al presidente entonces. No parecía el fantoche quebrado que dimitió en espantada unos meses después. Como a todos los vacuos, el poder lo revestía de solidez. Le consideraban infalible y dotado, tiene baraka, decían unos, tiene cuajo, decían otros. Los mismos que luego se desdijeron. Se desdijeron con la forma habitual de desdecirse que tienen los analistas, que consiste en decir ya lo decía yo.

En esos días en que Carlota te trajo al presidente a la facultad, ya empezaba a saberse que una empresa vinculada a su familia cobraba unas consultorías a precio de oro a las mismas empresas constructoras que desde el gobierno se premiaban con obra pública. Era el típico dinero indirecto que acababa en cuentas de Panamá bajo siglas difusas y bufetes de apellidos encadenados. El testaferro de la empresa pantalla de la familia del presidente se llamaba Dudley Ramsey y resultó ser un galés bocazas y borrachuzo que se llevó por delante su carrera. Pero la dimisión del presidente sucedería meses después de vuestra charla conjunta en la universidad.

La mañana en que el presidente se bajó del coche oficial para entrar en la facultad le esperaba un piquete de alumnos. Eran esos grupúsculos sectarios que cursan la diplomatura en Revolución Burguesa y luego un máster en Protesta Popular con la aspiración de colocarse en la grada correcta de la Historia, de la que ya no se bajan nunca. En el Aula Magna se habían colado entre el resto de los estudiantes y reventaron el acto antes de que comenzara, con la abusadora exigencia de impedir hablar a quien venía a hablar.

El presidente, ese ser inane, parecía encantado con su protagonismo. Ya en su Burgos natal venía ocupando cargos públicos desde los veintitrés años. Pasó del portabebés al coche oficial, se podría decir de él. Pertenecía a ese rango de carreristas que ocupan tanto tiempo un sillón oficial que la gente se pregunta qué fue antes si el sillón o la persona, que es la versión política del acertijo del huevo y la gallina.

Tú lo votabas, Amelia, y por esa grieta te cazó Carlota, esa afrodita fiera. Conocía tu corazón conservador, porque nadie es más transparente que un profesor para su alumno. Puede que tu filiación surgiera de la noble certeza de que el mundo te parecía más saludable al margen de aventuras. Conocías demasiado bien la historia de la humanidad para apostar por los cambios bruscos. Tu vida era lenta, tu tradición británica y tu virtud favorita la moderación. Querías que la sociedad funcionara igual, al paso sin sobresaltos de la tortuga.

Recuerdo que la primera vez que te vi fue en el resumen de noticias de esa noche. Te habías enfrentado, metálica y dura, al piquete estudiantil que irrumpió en el Aula Magna y habías reclamado el derecho a la palabra para el presidente. Dijiste que la universidad era la casa de las diferencias y la palabra, pero antes de terminar tu alegato, entre el griterío, una joven estudiante con media cabeza rapada te roció con spray rojo. La cara, tu traje de chaqueta, tus manos a la defensiva, el pelo. Quedaste hecha un cromo, como una señorona agredida al salir de la peletería por una manada punk.

Al ataque con spray contra tu persona se le concedieron los cinco minutos de gloria mediática que le correspondían. La atacante resultó ser la némesis de Carlota Pons. Se llamaba Cristina Quintero, pero ella lo escribía Kris Kintero. Pues KK te dejó hecha un mural reivindicativo. Pasada la indignación, se pusieron en circulación chistes sobre ti, tu vídeo pintarrajeada en rojo era un rulo sin fin en todos los programas de esa catarata de noticiarios con chistes que hay en la tele. Y tu agresora ocupó el interés desmedido de quienes querían saber de dónde sale tanto odio y tanta intransigencia ideológica. Fui yo en uno de mis artículos el que, según me dijiste después, alcanzó a no usarte en su propio beneficio, sino a reivindicarte por lo que eras. En él encumbraba tu dignidad de docente.[5] No eras un chiste ni un accidente, ni un símbolo ni un icono. Eras una gris profesora decente, algo así escribí.

Tú no pertenecías entonces a la política, como el presidente, cuya teta materna fue el erario público. Kris Kintero, tu agresora, y hasta Carlota Pons y sus intereses de trepa también ambicionaban carrera política. Pero tú no. Tú encarnabas la modesta institución profesoral. Aquella raya de spray que te humilló en público resultó ser la primera ficha de un dominó imparable del que ya no fuiste dueña.

Solo dos semanas después, un presidente cada día más frágil renovó las carteras ministeriales para ver si un nuevo gobierno le salvaba del desgaste de las sospechas sobre él. Fue él quien te llamó y te ofreció la cartera de Educación, Cultura y Deportes. Miento, porque me dijiste que no te telefoneó él en persona sino Cándido Pozo, su entonces jefe de gabinete y que ahora domina el nido de Los Cuervos. En política quien te protege te domina, ya lo sabes tú bien. Le pediste tiempo a Cándido para pensártelo, pero te dijo que no había tiempo. La política, me confesaste uno de los primeros días tras conocernos, es como la maternidad, si lo piensas no lo haces. Así que no lo pensaste. Y dijiste que sí.

El día en que pasé por tu despachito en la sede, cuando ya había aceptado tu propuesta de trabajo y resuelto los flecos económicos con la arpía de Pili Cañamero, te mostraste encantada. Pero recordarás que yo te pregunté:

–¿Y tú?

–¿Y yo qué?

–¿Por qué has aceptado tú?

Era demasiado pronto para que me contestaras algo sincero. Pero yo te recordé cómo Neocles, el padre de Temístocles, cuando su hijo le confesó que iba a dedicarse a la política, le llevó hasta la playa y le enseñó los trirremes y las barcazas de batalla viejas, abandonadas y devoradas por el salitre. Así también se acaba en la vida pública, le dijo, cuando dejas de ser útil. Me miraste con una sonrisa, con esa belleza que no podrá tener nunca una jovencita porque es fruto de la madurez, el poso y la buena cabeza, y te limitaste a responder:

–Ay, Basilio, qué bien me lo voy a pasar con alguien culto a mi lado en esta campaña. Pensé que todo iba a ser mercadotecnia y colocación de producto.

En realidad dijiste *product placement,* seguramente contagiada por la manera de hablar de Carlota, aprendida en esa cloaca educativa llamada máster.

Rómulo subió el volumen de la radio y comprobamos que no dejaban de entrar en antena oyentes indignados por la polémica de tus clases universitarias. A mis queridos niños no les gusta que les toquen sus símbolos patrióticos. Son nuestros votantes, gritaba Carlota, cada vez que un oyente enfadado exigía explicaciones. Poco menos que consideraban haber sido estafados si su candidata de orden resultaba una antisistema. Tú estabas acurrucada en tu asiento. Tania y Carlota se pusieron en marcha, tendrías que entrar en directo en la radio para aclarar esa estupidez. Desde el mismo autobús. Antes de que la bola de nieve se haga más grande.

–Es domingo, no tienen nada de lo que hablar, van a convertir esto en el asunto de la jornada y nos harán polvo.

Yo había seguido con cierto interés tu desempeño durante los seis meses de ministra de Educación, Cultura y

Deportes. Colaboraba entonces en los restos de prensa escrita que quedaban hechos jirones en los pocos kioscos disponibles. Dos artículos a la semana en *Pis&Caca* me daban para pagar mis gastos menores. Sí, ya sé que odiabas mi manera de llamar a los periódicos. *El Mal, La Mano Amiga* y *Pis&Caca,* donde había terminado por escribir yo. Allí practicábamos un periodismo de corte y confección. Poco leídos, pero agitadores de la actualidad tan ramplona. Salíamos a kilo y medio de escándalo por día. Aunque sin excesos, por algo me echaron cuando traspasé una raya de las que no se traspasan.

El gobierno del que formabas parte se caía a pedazos desde el día en que el testaferro del presidente se vio sometido a una investigación del Parlamento británico. Fue ese fuego lejano el que acabó con él. No es lo mismo si te señalan una falta en el *Pis&Caca* o en *El Mal,* algo que mis queridos niños entienden como fruto de una inquina nacional, que si lo hacen en el *Financial Times* o en *The Economist.* Diez días antes de que cumplieras seis meses en el cargo, el presidente dimitió y fue sucedido por su vicepresidente, Mario Nieto. Tú ya le conocías de los consejos de ministros y sabías, como luego supimos todos, que su mote era Marioneto. Mario Nieto o Marioneto soñó durante unas semanas con ser el líder futuro de Los Cuervos malheridos, pero la ola le iba en contra.

Por esos accidentes de la vida, tu figura de atacada por el spray rojo de la intransigencia de KKK, como yo llamaba en mis artículos a Kris Kintero, y tu talento para surfear en el cargo con mucha más cabeza que tus compañeros de gobierno, te convirtieron en la imagen misma de la decencia y la calma. El partido se vio afectado por la lava de la corrupción que se había llevado por delante a su jefe. Marioneto confiaba en sobrevivir, tenía un mando sólido en la casa, así que convocó primarias internas para ratificar su posición. También había robado a mansalva, el muy cochino. Su problema es que había robado con la complicidad de Cándido, un experto en manejarse en las sombras. Fue Cándido quien se fijó en ti y cortó los hilos que sujetaban a Marioneto y lo dejó caer como un pelele. Cándido, al mismo tiempo que vendía a mis queridos niños una idea de renovación e independencia dentro de Los Cuervos, fabricaba una nueva marioneta. Sí, Amelia, esa eras tú.

De nuevo Carlota fue el músculo de tu ascensión. Le habías pedido que trabajara para ti en el ministerio como jefa de gabinete y se puso a tu servicio para la competición de primarias. En aquel momento sí te dieron un par de días para pensarlo. Lo consultaste con la almohada, me imagino. Lo que quiere decir que tu marido estuvo en la decisión. Él te dijo que no tuvieras miedo de lanzarte a esa campaña de primarias. Te enfrentaste al vicepresidente Mario Nieto, que se aferraba a los grumos de su poder pasado. Fue en ese momento cuando Cándido agitó un escandalete de esos que gustan a mis queridos niños. Marioneto tenía un jugoso sueldo paralelo, al parecer cobraba una comisión por lograr que en la tele pública se comprara y recomprara el mismo catálogo de películas cada año. Se emitían las mismas una y otra vez, hasta que se desveló que la razón de tal insistencia era una comisión que se repartían entre varios directivos y el propio Marioneto. Alguien escribió un artículo de prensa en el que bromeaba sobre el escándalo. Decía que la carrera de Mario Nieto había acabado fulminada por un comando formado por Paco Martínez Soria, Manolo Escobar y Lina Morgan.[6] Aunque nunca se consiguió dar con la cuenta cifrada en Suiza que se rumoreaba que tenía Marioneto, aquella sombra bastó para hacerle perder las primarias.

Cándido y Carlota idearon un perfume a tu alrededor que vendía solidez, compromiso, independencia y novedad. Me dijiste que Cándido te propuso lo de ser candidata a las primarias con un telefonazo informal. Te soltó que su sueño sería que alguien como tú diera el paso adelante y salvara al partido. Tampoco te arrugaste cuando los opositores inventaron un tercer candidato con la intención de dispersar el voto. Tras una campaña que tuvo mucho de guerra civil con sonrisas, los militantes del partido, esa mezcla de ilusos y malvados, te dieron un apoyo rotundo y, como en un accidente a cámara lenta en el que tu cara se estrella contra el parabrisas y te partes el esternón contra el volante, así llegaste tú a ser candidata a presidenta del gobierno por Los Cuervos.

A Cándido ahora le llamas Candi. Carlota también lo hace. No es tanto porque confiéis en él, sino para lograr que él confíe en vosotras. Maneja la maquinaria del partido con lubricante apropiado, provincia a provincia. Pero él sabe y tú sabes que sin poder un partido se vacía de fondos y por tanto de motivo. Esa máquina de crear empleos para los cercanos si no funciona a pleno gas machaca al líder, por culpable y responsable máximo del lucro cesante. Si no ganas las elecciones, Amelia, durarás un parpadeo al frente. Así que esta campaña era tu principio y tu final. Por eso acepté el encargo. Me gusta trabajar para gente que se debate entre la vida y la muerte, sentirme un cirujano en faena.

Entraste por teléfono desde el autobús. Así lo presentó el locutor, feliz de haber forzado tu irrupción en las ondas.

–Muy buenos días, señora candidata, el micrófono es todo sssshuyo.

–Malos alumnos y que no se enteran de nada, por desgracia, han tenido todos los profesores en España. Pero creo que conviene aclarar algo. Por supuesto que he criticado en mis clases a los Borbones, pero yo soy especialista en el siglo XIX español, el siglo trágico, del que aún pagamos tantos desastres. Y era a aquellos Borbones, especialmente a Carlos IV, Fernando VII e Isabel, a quienes me refería. No esperaba que criticar a un rey de hace doscientos años sirviera para confundir a los oyentes de hoy, engañar sobre mi persona y contaminar mi imagen. Pero supongo que a esto se dedican mis rivales, ya que no encuentran cosas peores en mi pasado.

Carlota sonreía. La crisis estaba superada y podíamos concentrarnos en el mitincito en Cuenca.

Era una conferencia política para afiliados y medios, pero también se permitió la entrada a vecinos y curiosos. Me infiltré entre ellos y les pregunté con afabilidad qué sabían de ti, qué pensaban de ti. Para algunos eras la ministra que le dio dos trofeos a Rafa Nadal, es decir, que estuviste a su lado en una foto oficial. Te conocen porque fuiste asidua medio año en partidos de fútbol y baloncesto gracias al esplendor deportivo de nuestro país. La verdadera República Deportiva de España, única versión del país que funciona, quizá junto al Reino de Cañas y Tapas. Te dio más gloria el Deporte que la pobre tristura de Educación y Cultura, aunque fuiste a la ceremonia del Oscar con Almodóvar y hasta te pusiste un vestido lila de Sybilla que jamás soñaste, ni de niña, que lucirías en público.

Deja que te confirme tus peores sospechas. Este no es país para la esencia, sino para la anécdota. Los actos públicos engordan la nada y la mayoría de los que hablaron conmigo en esa salita de Cuenca se acordaban de ti por lo que pasó en la final de Copa que ganó el Rayo Vallecano. El portero suplente te pegó dos besos muy cerca de la boca mientras tú solo ofrecías la mano a los campeones que iban desfilando por el palco. Fue muy comentada esa escena y hasta controvertida, porque tuviste que desmentir que, molesta, hubieras exigido que el jugador se disculpara por ese beso algo descarado, como sostenían algunos medios. «El morreo de la polémica», publicó en portada un diario deportivo con la foto del beso espontáneo.

Lo inventaron para dañarte, me dijiste, y tú saliste a negarlo y explicaste que el entusiasmo del chaval te había conmovido y que su beso fue amable y respetuoso. Es más, afirmaste: desde que me dedico a la política nadie me había dado un beso tan sincero.

Fue ese punto de humor antipomposo el que me sedujo de ti. Creo que volví a escribir un artículo en el que elogiaba tu papel en la controversia. Muy poco tiempo después fui despedido de *Pis&Caca* con los tambores destemplados del soldado degradado. Pero quizá ese artículo tras la final de Copa también te invitó a pensar en mí como un colaborador posible en tu campaña. Quien no se rinde a un elogio se rinde a dos.

Puede que esa misma confianza en mi criterio fuera la que te urgió a recurrir a mí para que redactara tus discursos con cierta armonía. Yo te observaba en esos primeros parlamentos públicos, como el del acto de Cuenca. Eras incapaz de hablar en público y no hacerlo con elegancia, con el verbo sano de la inteligencia cultivada.

Tus dos rivales directos son más incorrectos que tú. Se calientan en la trifulca. Te disputa el voto conservador un mastuerzo populachero que alienta ideas novedosas para lograr lo de siempre. Ya había salido esa mañana a decir que debías pedir perdón a la Corona o dimitir por indigna y poco patriótica. No ha estudiado, como has hecho tú, la historia del país, así que su aparente nobleza se sustentaba en la ignorancia. Nadie que conozca el papelón que han jugado las élites en nuestro atraso puede ir por ahí defendiéndolas a voces, por muy honesto que sea su patriotismo. El Mastuerzo es un rival duro, pero le pierden sus excesos juveniles. Tiene solo treinta y seis años, un bebé en política, pero como al resto de su generación se le transparenta el deseo de llegar a ser famoso mientras boquea asfixiado en esos trajes de chaqueta tan ajustados que luce.

En el flanco enorme que se sitúa a tu izquierda, la que más posibilidades tiene de ganarte es una esforzada cachorra de la socialdemocracia que presentan Los Lobos. La Cachorra a ratos se ve acosada por otro partido surgido a la izquierda de la izquierda y que dirige un avispado inspector de Hacienda que ha derivado en líder antisistema a los cincuenta y seis años. Yo le llamo el Santo. La Cachorra y el Santo son demasiado inquisidores para no perecer en su propia caldera, pero entre los dos capitalizan esa superioridad moral que caracteriza a sus votantes. Esos que no votan por salvaguardar su dinero, sino que solo lo hacen por el bien del planeta y la salvación de las almas. A mis queridos niños que se consideran de izquierda lo más práctico es desanimarlos, convencerlos de que en vista de la bondad que guardan en su interior aún no ha nacido el partido que les represente. Ese desánimo es nuestra gasolina, y nuestra misión es destrozar a cada Mesías que fabrican a la medida de sus ilusiones, pues la pureza es incompatible con la sobreinformación. Jesucristo hoy no duraría dos tertulias ni resistiría el escrutinio de sus andanzas por Galilea. En el departamento de la credulidad infinita de la izquierda llevan tiempo sin dar con un líder que los enardezca. Dan pena. El mundo se ha puesto muy complicado para ir de fraile sin tacha por los caminos.

Las encuestas, con las que nos agreden a diario desde el despacho de análisis de Los Cuervos para alimentar la calculitis entusiasta de Arroba, dicen que vas tercera, por detrás del Mastuerzo y la Cachorra, y por delante del Santo. Pero todos esos datos te servían de poco ante el auditorio de Cuenca. Te costaba hacerlos vibrar. El talento para dominar los actos públicos aún te era algo ajeno. Pero ¿qué esperabas, un sendero fácil?

Acabaste pronto, recogiste los folios y nos dijiste al equipo íntimo que mejor picar algo en el hotel y partir hacia la siguiente estación. Pero yo a eso me negué. Aliado con la dulce venezolana glotona de Tania propuse el privado de un restaurante con vistas a la obligatoria postal de las casas colgantes.

–Hay que dejarse ver –dijo Arroba, con la mente en esas fotos del móvil con que regaba las redes.

–Lo que hay es que tomar el morteruelo y el ajo-pringue –dije yo.

Cuca se opuso, como hacía automáticamente con cualquier sugerencia que yo osara dar sobre tu vestuario.

–Mejor picotear alguna cosita, ¿no? Menudos platitos quieres pedir, son de digestión complicada.

–En nuestro mundo ya no se hace la digestión, va todo demasiado deprisa –insistí.

–Lo que tú digas, Amelia, tú decides. –Carlota quedó a la espera de tu respuesta.

–Bueno, venga, comamos algo donde dice Basilio.

No había ajo-pringue pero sí zarajos y mojé pan en el guiso de verduras y caracoles. Había pedido las migas, pese a que os mostrasteis remolones. Yo quiero a mi país por el estómago, os dije. Y luego me gustó oírte discutir de los planes de campaña con Carlota, mientras yo miraba con discreción las tetas de Tania, la dulce venezolana, que al masticar se le agitaban un poquitito. Las tallas grandes es lo que tienen, son un permanente goce.

–Tienes buen saque, a ver si aceptaste el trabajo pensando que esto va a ser una ruta gastronómica –dijo Carlota al verme disfrutar de los manjares.

Ella nunca vio claro que yo fuera tan necesario como tú te habías empeñado en sostener. Aunque sabía por su adorado Vargas Llosa que la política es el arte supremo del mentir, Carlota no acababa de creer en la potencia de la retórica. Tu apuesta personal por mí era una apuesta por la palabra dicha. No querías ponerte únicamente en manos de una nueva generación que valora los impactos mediáticos, la promoción superficial, el ruido y la cháchara. Querías también proteína. Si se planteaba una campaña de pildoritas, eslóganes y posaditos cómodos, yo iba a esforzarme para meterle el incremento al guiso, ¿no es eso lo que me pediste?

Te hicieron levantar de la mesa para atender una llamada de Candi, desde el control de mando de la sede de Los Cuervos en Madrid. Y los demás aprovechamos para hablar de ti. Que si no habías estado muy segura en la radio, que si sonabas algo desalentada en los actos, que si el auditorio parecía un público pintado como dicen en el teatro y que si lo de tus padres visto a través de los periódicos del día había quedado como una escena algo ruralota sin más.

–Pues el traje de ayer le quedaba fenomenal –te defendió Cuca–. Solo hay que darle un tiempito a que saque el potencial que lleva dentro.

Le llevé la contraria. Me caía mal esa mujer.

–Tiempo es lo que no tenemos, no sirve que saque su potencial dentro de medio año. La campaña dura un suspiro.

–Lo único que me preocupa de Amelia es que es muy culona, hay que tratar de disimularle ese defectillo.

–Amelia tiene el culo que España necesita –dije.

Tania se reía con mis bromas, Cuca no. Carlota se volvió hacia mí y me miró con sus ojazos castaños, desde la barrera de su belleza de primera de la clase.

–Amelia te necesita en forma, tienes que darle lo mejor que hay en ti.

–Tranquila, sé lo que tengo que hacer.

Así hablábamos cuando aún no existía la enorme confianza que luego ganamos en el contacto de campaña. La confianza que surgiría gracias a instantes como el que provoqué al terminar de comer, cuando os invité a todos a salir del privado del restaurante y entrar a saludar a las mujeres de la cocina, alegres y vivarachas. Una de ellas dijo que ya era hora de que tuviéramos una mujer presidenta en España, y le pedí a Arroba que te hiciera una foto con ella y colgara la frase como titular. Esta es la mejor publicidad, tenemos que estar atentos a detalles así, le expliqué mientras regresábamos al autobús. Le entregué a Rómulo una tarterita con restos de la comida. El conductor se lo tomó como una declaración de afecto. Su agradecimiento fue algo pringoso.

Cuando llegué al asiento al fondo del bus me tiré un pedo silencioso pero dominante que Cuca identificó por el remitente. Eres un cerdo, me gritó, y salió corriendo hacia la parte delantera agitando las manitas. Abra las ventanas, Rómulo, abra las ventanas, pero el autobús de campaña tenía cristales herméticos cegados además por las pegatinas de tu cartel electoral. Era un pedo de lo tomas o lo dejas que tardó su largo cuarto de hora en diluirse en la atmósfera del bus y darle su puntito de metano al aire que respirábamos.

En plena carretera tomamos un desvío por la comarcal. El plan consistía en fotografiarte al lado de la laguna contaminada por la fuga de una petroquímica. Cuando llegamos, la peste era notable y eso me quitó un poco de culpa por mis excesos anteriores. Arroba te obligaba a acercarte a la orilla y señalar los rincones más vomitivos para obtener la foto más elocuente. Nos había recibido una comitiva local del partido. Traían envases de botella vacíos. La idea genial era que llenáramos los botellines de esa agua contaminada que habían etiquetado como Agua de Albacete. Ibas a mostrarlo en las cámaras algo después, para afrentar al gobierno local, presidido por un joven líder de Los Lobos con vitola ecologista.

Era sencillo explicarse por qué la administración había pasado a manos rivales tras décadas de dominio de Los Cuervos. No había más que ver ese personal repeinado y risueño que acompañaba a nuestro candidato en la provincia mientras rellenaba las botellitas de agua con aún mayor torpeza que tú. Se estaba haciendo muy conocido entre otras cosas por su estúpido nombre. Martín Martín Martín, que era la conjunción del accidente de que sus padres fueran primos carnales y hubieran tenido además la deliciosa idea de ponerle también de nombre de pila Martín para triplicar la coincidencia. Él lo usaba como marca publicitaria Martín^3. Entre tú y yo, si a algún cubo pertenecía Martín^3, era al cubo de la basura.

Yo conocía a su padre. Fue un peso político de relativa importancia en la capital. Sebastián Martín, se llamaba, pero todos le llamábamos Sebas. Llegó a ser presidente de junta de distrito en un barrio central de Madrid y dominar las concesiones de licencia de locales. Gracias a él me convertí en empresario.

Fue por accidente. Yo nunca quise ser empresario, pero el dinero que podías ganar por opinar en los medios iba mermando. De los sueldos jugosos de un tiempo anterior, pasamos a miserias casi indecentes. Por entonces Sebas dedicaba todos sus esfuerzos a atacar al alcalde de la ciudad, un fogoso representante de Los Lobos. Necesitaba de los servicios de algunos periodistas arrojados. Le sugerí montar un periódico de distrito, gratuito pero ágil, que diera mucha leña a sus rivales.

–Si tú pones el talento, yo pongo el dinero –me dijo con decisión.

Así que me entregué a la tarea. Carmona montó la estructura legal y yo fabriqué mis primeras exclusivas. El reto era dañar la reputación del alcalde bondadoso y ternurista de la ciudad. Los escándalos morales son los más fáciles de provocar. La moralina con moralina se mata. La izquierda, desde que asumió la representación del puritanismo, se lo puso muy fácil a sus rivales. Ellos mismos meten la cabeza en la boca de un león que los devora, porque nadie es capaz de sostener esa moralidad impostada que predican.

Gracias a Sebas me convertí durante dos años en el editor y redactor jefe de *Nuestra Ciudad,* una publicación amañada y grotesca que la gente adoraba por su gratuidad. Se repartía en montones a la puerta de comercios y locales y dejábamos ejemplares de lectura por los bares de la ciudad, verdaderos templos de la opinión pública. Eran doce páginas baratas impresas en papel indigno hasta para limpiarte el culo con él, pero el alcalde no era capaz de soportar nuestro escrutinio semanal y Sebas ascendió de jefe de distrito a candidato a alcalde. Ay, Amelia, qué poco sabes de tu partido.

Fatigado del ámbito reducido de *Nuestra Ciudad,* le propuse crecer y convertirnos en publicación estatal. Le convenía para sus ambiciones. Sebas me pidió un modelo de negocio y cuando le planteé los términos de lo que luego fue *La Causa Popular* se interesó en ello. Tendríamos repercusión en todo el país, en todos los ámbitos, ya no seríamos una página local de maldades vecinales, le dije. Según todos los analistas el papel era ya un soporte sin futuro mediático a partir del cierre paulatino de los kioscos físicos, pero tendríamos la tentacular presencia en la red. Solo necesitábamos dinero para sostenernos hasta lograr sitio como altavoz informativo.

A Sebas le serviríamos de órgano de intoxicación y alabanza para ganar poder. Él me puso en contacto con una pareja de empresarios, los hermanos Tremebundos. No se llamaban así, pero el apelativo les cuadraba de maravilla. Estos tipos, ahora ya te sonará la historia, llevaban entre otras lindezas el blanqueo de dinero de los negocios chinos de surtido ilegal a mayoristas. Sobre todo ropa, complementos, mobiliario sencillo y bastante herramienta que filtraban por la aduana gracias a que sobornaban a varios funcionarios encargados de supervisar las importaciones. La mayoría del material se repartía en un polígono industrial a las afueras de Fuenlabrada, un Chinatown sin ley donde trabajan más de diez mil personas. Los hermanos Tremebundos inyectaron una cantidad suculenta para fundar *La Causa Popular*. Yo logré con mis contactos que pasáramos a ser citados y comentados en los medios tradicionales.

La redacción la instalé en la planta baja de mi casa. Se la acababa de comprar a mi propia familia porque mi padre se quería deshacer de ella al morir mi madre. Reformé el salón con una patrulla de chapuceros polacos para dar cabida a los seis ordenadores que manejábamos a destajo y las mesas corridas, los archivadores y el cuarto para ventilar los motores. Era una redacción hogareña, me gustaba decir, y a veces bajé a trabajar en batín desde mi dormitorio en la planta alta. En ocasiones se quedaban a dormir los más esforzados o los más despojados de obligaciones familiares y ocupaban la habitación llamada El taller.

La empresa editora pagaba un alquiler generoso que cubría las cuotas hipotecarias para la compra de la casa. Mi trabajo lo reconvertía en acciones, mis beneficios eran notables. Carmona había montado un andamio sencillo para amasar ganancias. Fueron años de bonanza. Nunca le tuve aprecio al dinero. La mayoría de los ricos que he conocido son esclavos de su avaricia. Para mí la riqueza es lo contrario, que el dinero pase a ser la menor de tus preocupaciones.

Al destaparse uno de los nudos de la trama de blanqueo de dinero chino, a raíz de ciertas detenciones en Barajas, Sebas corrió a romper sus relaciones con los hermanos Tremebundos. Necesitaba aplicar un cortafuegos para que no salpicara a su prometedora carrera política, pero ellos se sintieron insultados. La gente del hampa no tolera la deslealtad. Sebas fue incapaz de movilizar al partido en defensa de los hermanos Tremebundos, ni echó mano de las influencias de las que tanto presumía. Así que los hermanos dirigieron contra él lo que se llama fuego amigo y destrozaron su carrera política. No les resultó difícil, a Sebas le gustaban demasiado la cocaína, las putas y el exhibicionismo. Un día Sebas me citó en su despacho y me enseñó las grabaciones de vídeo con las que los hermanos querían hundir su imagen. ¿Qué puedo hacer contra este chantaje?, me preguntó. Y le di uno de mis buenos consejos. Sebas, creo que hay momentos en la vida en que uno ha de saber renunciar a la exposición pública y tratar de ser feliz en el sector privado.

Así que regresó a Albacete, puso a resguardo su dinero y supo ser paciente y esperar a que llegara el turno de ver triunfar en política a su hijo Martín^3, a quien estreché la mano cuando nos acompañó al interior del autobús.

–¿Qué tal está Sebas? Dale muchos recuerdos de mi parte, de parte de Basilio, le dices a tu padre, él me conoce.

–¿Ah, le conoces? Anda pachucho, los años no perdonan, pero es un tipo duro.

–Sí, un tipo duro y con mucha suerte.

Su hijo Martín triple no captó la broma, pero me refería a que era habitual ganador de sorteos de lotería. Varias veces me pagó con boletos premiados, que yo ingresaba en el banco y se transformaban en miles de euros. Obviamente era un mecanismo para blanquear dinero chino. Pero a juzgar por la cantidad de veces que le tocó el gordo de la lotería o ganó la quiniela y la bonoloto, jamás hubo hombre con mayor suerte sobre el planeta.

En la plaza del Altozano habían montado un puestecillo publicitario en el que se vendían cincuenta botellas de agua repugnante embotellada bajo la etiqueta hiriente de Agua de Albacete. Tú tenías que hacer el amago de vender alguna botella, pero lo importante era la imagen chocante que quedaba registrada por las cámaras. Arroba no paraba de hacer fotos, como si repartieras refrescos isotónicos.

Lo de usar la laguna contaminada para contrarrestar el discurso ecologista del rival había sido idea de Martín^3 y su equipo de asesores. Así se elegían las etapas de la campaña. Íbamos a una ciudad y, si estaba en nuestras manos, elogiábamos la gestión intachable. Si estaba en manos rivales, cargábamos contra el abandono y la decadencia.

En contra era más divertido, te lo confieso. Los feudos rivales disparaban mi ingenio. Ya me pasaba en la época en que ejercí de crítico televisivo. Nada es más plácido que despellejar. El elogio es blando. En cambio, desacreditar es cortar con navaja, tiene algo físicamente agradable. Y a mis queridos niños, además, les parece siempre más verdad el insulto que la caricia. A la caricia le encuentran complicidades turbias. En cambio el insulto lo ven como un signo de valentía, de riesgo, de coraje. Así es fácil vivir entre ellos, basta con que tengas, como yo, vocación de solitario, que no vayas al mundo mediático a hacer amigos sino a hacerlos trizas. Eso me dio fama de no callarme lo que pienso. Ay, si supieran cuánto me callo, no querría asustar en serio a mis queridos niños.

Cuando llegamos al hotel y nos reunimos para repasar el discurso de esa noche, tuvimos un rato de confidencias. Te hablé de Sebas y su turbia carrera y me mirabas escandalizada. Tu inocencia me asombró.

–Supongo que sabes que te han puesto al mando de una cueva de ladrones.

–Para conducir un Ferrari ya me imagino que sobran los pilotos, no me iban a llamar a mí.

En realidad sí estabas sentada en un Ferrari, en un bólido fabricado para ganar elecciones. Quizá habían pasado una temporada con el motor gripado, pero en aquella provincia, de los cuatro diputados en liza, según los datos de Arroba, teníamos uno asegurado y lucharíamos por el segundo. Martín Martín Martín estaba convencido de poder lograr un tercer diputado, lo cual sería una heroicidad. Tendremos tres diputados por Albacete, nos había asegurado, yo todo lo hago por partida triple. En el rato que estuvimos con él solo pudimos ratificar esa afirmación en lo que respectaba a la estupidez y el engreimiento.

–Te voy a confesar una cosa, Amelia. Yo, durante años, estuve convencido de lo mismo que todo el mundo. Que la política corrompe a la gente. Sin embargo, tras conocerla desde dentro, he comprendido que sucede al revés. Es la gente corrupta la que encuentra en la política un campo por explotar y les atrae ese sector para progresar en su maldad.

–Mira, Basilio, no hay nadie más alérgico a la corrupción que esta mujer que tienes delante. Yo no soy así, ni lo voy a permitir en mi equipo.

–No lo dudo. Quizá seas la excepción que confirma una regla.

–¿Cómo puedes ser tan cínico? Estoy segura de que en la política hay el mismo número de corruptos que en el periodismo o en la abogacía.

–No tengas la menor duda.

–Incluso el mismo número de corruptos que en la medicina o la fontanería.

Vi cómo te disgustaba mi sonrisa sarcástica, tenías la necesidad de mostrarme tu firmeza contra la corrupción. Podrías haberte guardado los esfuerzos para convencer a los electores, pero algo te impulsaba a convencerme a mí.

–¿Y tú vas a ser capaz de dominar a tu partido? ¿Tú sola contra todos?

–Si llego al gobierno, no lo dudes. Me voy a matar por ello.

Para el acto final de aquella tarde te vistieron con un traje azul tan espantoso que cuando te vi en la antesala al mitin me volví hacia Tania y le hice ver que vestida así podrías llegar a bedel de un ministerio pero no a presidenta del gobierno. Ella se encogió de hombros y señaló hacia Cuca. Tu estilista parecía orgullosa, con ese rictus suyo más de araña que de persona. Arroba presumía en las redes del lleno en el acto de Albacete.

–Pero si lo hemos llenado nosotros con autobuses de toda la provincia.

–Eso da igual. Pero está lleno. Mira la foto.

Una de las características llamativas de Arroba era su

carencia de sentido del humor. Lo cual completaba con ese aire de cenutrio pagado de sí mismo. Me rogó que diera con una frase para acompañar las fotos. Solo me salían chistes zafios. Hasta que me acordé de un amigo del colegio que era de allí y solía contarnos que el nombre de Albacete procedía del árabe Al Basit o algo así y significaba El Llano. Así que contamos que habíamos elegido el llano para comenzar la ascensión en las encuestas. A un cretino sin imaginación como Arroba aquello le pareció suficiente y colgó un fotomontaje con la metáfora ciclista. Del llano a la cima. Luego levanté la mirada hacia ti para oírte defender lo que habíamos redactado juntos una hora antes.

–Cuando me ofrecieron entrar en política, un amigo íntimo de la universidad me dijo que la política estaba llena de gente corrupta. Que a la política se acercan los que quieren medrar y robar. Él me lo dijo, como buen amigo, para retarme. Pues acepto el reto. No soy ingenua. Vengo a luchar. Vengo a resistir. Vengo a oponerme. Vengo a cambiar todo esto. Vengo a hacer las cosas de otra manera. Vengo a ser la mujer que necesita este país.

Miré hacia los gerifaltes locales, para apreciar si se preocupaban al oírte, si salían en estampida aterrados, si se echaban mano a la cartera y corrían a resguardar sus bolsas. Pero nada los alteraba. Aplaudían a rabiar. Martín Martín Martín, que ya era la segunda generación en el latrocinio continuado, te aplaudía más estruendosamente que nadie. Puede que en esa seguridad caciquil por seguir metiendo mano en la caja residiera el pulso entre tú y ellos. O puede que ya lo tuvieras todo perdido de antemano. ¿Quién sabe?

6. Valencia

Llegamos por la mañana y la prensa quería grabar unas declaraciones tuyas en la salita del hotel. Se había muerto uno de los redactores de la Constitución de 1978 y querían canutazos para los noticiarios. Teníamos que aprovechar cada oportunidad de salir en los medios, y relacionarse con la Sagrada Transición era vestirse con una capa de santidad. Los rivales más jóvenes desdeñaban aquellos pactos, pero sabíamos que los votantes de cierta edad guardaban ese periodo entre los mejores recuerdos de su vida. Me entretuve mirando unos telares inmensos que festejaban episodios nacionales. Me debatía en una mezcla de sueño y mala leche. La noche antes había salido con Lolo y tres colegas de la prensa a tomar copas por Albacete. Es la ciudad con el mejor ambiente nocturno del país, pues sin caer en modas fatuas sabe cómo divertir al personal. La cogorza que nos agarramos fue de dimensiones colosales. Tanto que al volver al hotel canturreábamos los himnos de los partidos entre burlas.

Éramos los cinco víctimas de un proceso de degradación similar. Lolo trabajaba en *El Mal,* Antonio Correa, al que llamábamos Correoso, era fijo de *La Mano Amiga.* Los otros dos, Willy y Fresitas, más jóvenes, se habían hecho un hueco en publicaciones digitales. Pero para todos ellos las ilusiones de antaño eran hoy mera supervivencia profesional.

–¿Cómo has aceptado este empleo, Basilio? –me preguntó Fresitas, que trabajó algunos meses conmigo en *La Causa Popular* cuando comenzaba en el oficio.

–Porque me pone cachondo este teatro. La otra opción era estar de vuestro lado, y eso ya me aburre demasiado.

Fresitas recordó los tiempos en que fundé la revista digital. A Fresitas le llamábamos así porque tomó cariño a la casa y se empeñó en revitalizar el viejo huerto de mi padre y plantó fresas. Cuando brotaron de la flor, allá por junio, eran cuatro micromierdas coloradas que no sabían a nada. De ahí que ya para siempre le llamáramos Fresitas. Primero se frustró como horticultor, luego como periodista.

Como todos mis becarios, él también pasó por la redacción con la intención de comerse el mundo. Pero apenas unos meses después ya eran acomodaticios y renuentes y el mundo se los había merendado a ellos. No querían ganarse enemigos y se fugaban hacia medios más amigables, donde se podía hacer periodismo para esos lectores que solo buscan reafirmarse en lo que piensan. En mi discurso de bienvenida, cuando los contrataba por un sueldo mísero y con horarios intensivos, les repetía que teníamos que ser unos *rompiballe,* como se conocía en italiano a esa especialidad del periodismo tocapelotas.

La Causa Popular duró cinco años, creo que ya lo sabes. No pasó a la historia del periodismo nacional. Pero acuérdate de que éramos capaces de meter en problemas a los miembros más manirrotos de la Casa Real y nos cargamos a dos ministros por amaños fiscales. Éramos un buzón para socios resentidos que nos largaban todos los marrones contables de su antiguo negocio. La otra inyección de contenido venía de policía y juzgados, nada nuevo. No fue una empresa heroica, lo sé, pero el periodismo no es virtuoso sino afanoso, no es un pez que goza en las aguas cristalinas, sino una medusa que lanza sus esporas. Con mi amigo Carlos Leal había aprendido, años atrás, la mejor lección sobre el asunto:

–Tú no le pides a la escobilla del váter que sea ergonómica, cuidada y hermosa como un cepillo de dientes, solo le pides que cumpla con su tarea oscura e imprescindible de modo eficaz.

Le recordé a Fresitas los días en que me ayudó a encarar el juicio de los hermanos Tremebundos por blanqueo. Ahí nos jugábamos el futuro de la empresa, pues perdido el padrino político que fue Sebas no podíamos perder también a los padrinos económicos que eran ellos. A Fresitas lo mandé al Parador de Oropesa y se hizo pasar por camarero para recoger pistas incontestables de la doble vida del juez que se encargaba del caso. A los hombres de honda fe católica no se les perdona una carnalidad desatada como la que aquel magistrado dedicaba a su escolta, un efebo con peinado de futbolista de moda. Los hermanos Tremebundos me agradecieron el archivo de su causa con dos años más de financiación de la revista.

–Todo lo malo del periodismo lo aprendí a tu lado, Basilio.

–Eso no lo puedes negar, Fresitas.

–¿Y quién te ha visto y quién te ve? Ahora escribiéndole discursos a una candidata que parece más pánfila que otra cosa.

Suspiré, sonreí y levanté mi copa para brindar con él y con Lolo, Willy y Correoso por los viejos tiempos. Cualquier excusa era buena para emborracharse, ya lo dijo Baudelaire. Y entre amigos es un hábito obligatorio.

Pero a la mañana siguiente me despertó la alarma del teléfono. Me esperabais ya todos en recepción. Yo no compartía vuestra febrilidad. En Valencia teníamos un programa comprimido. Arroba nos recordó lo importante que era esa ciudad. Nada menos que le correspondían quince diputados, era la cuarta ciudad del país, y si sumabas sus escaños con los de Alicante empataban a Madrid en representantes.

–Quien vence en Valencia, Alicante y Madrid casi tiene ganado el gobierno de la nación, hay que ser muy conscientes de eso.

Yo bostecé ruidosamente.

Valencia nos deparaba un clásico de campaña. Fuimos a recorrer el mercado de la ciudad, una preciosa joya humana cargada de olores y colores. Allí, pese a tu aureola de frigorífico con piernas, tenías que darte lo que Carlota llamó en el autobús un baño de masas. Les diste la mano a polleros y verduleras con una gracia inédita. Una periodista de televisión te preguntó a traición por el precio del kilo de tomates y tú afinaste el disparo porque se ve que has hecho la compra durante años para tu marido y para tu hija. También un pescadero te recriminó detrás de las lubinas de estero que los políticos solo se interesaban por la gente cuando estaban en campaña. Para responder a esa monserga idiota, como si los políticos no fueran otra cosa que pescaderos vendiendo su propio género, teníamos respuesta preparada en mis fichitas de tópicos ocasionales.

–Mire, amigo, yo he sido gente normal hasta hace cuatro días, así que no me compare con los políticos que ha conocido, yo vengo a llevar la calle al Parlamento.

Carlota sabía que tu procedencia universitaria, tu voluntario apartamiento de la política durante la mayor parte de la vida, era una ventaja que jugar fuerte. Arroba lanzaba cada día un mensaje en las redes que tenía que ver con tu extrañamiento.

#Yo soy una marciana en esto,

#no sé nada de campañas,

#descubriendo lo que tiene que hacer un político.

Y tenían un éxito increíble entre mis queridos niños. El Mastuerzo y la Cachorra, tus rivales directos, ocupan cargos en sus partidos desde que siendo adolescentes se emplearon en pegar cartelería electoral y ascendieron por la agrupación local hasta convertirse en primeros espadas. Pero su dedicación precoz provocaba en el espectador cierto desprecio. Esa ventaja la explotábamos a conciencia contra ellos, tú al fin y al cabo habías vivido de tu carrera toda la vida, y solo rivalizabas con el Santo, un inspector de Hacienda contestatario que había publicado un par de manuales sobre la corrupción nacional bien documentados pero cargados de beatería revolucionaria. Él era un inquisidor radical, tú una continuista de ruptura.

Cuando regresamos al autobús, que estaba rodeado de curiosos que pedían globitos y pegatinas, comentaste que te olía la mano a acelga y pimentón. Un carnicero brutote te había roto las articulaciones, me dio un apretón de aúpa, dijiste con esa expresión tan caduca e inocente que me hizo reír por dentro. Tenías también que atender a una entrevista por teléfono, así que me senté junto a Arroba en el fondo del autobús. Me mostraba su manera de enviar los espasmos virtuales, me hablaba de la relevancia de dos idioteces que había colgado en redes y de lo viral que se estaba haciendo tu respuesta al pescadero.

–Eso necesitamos, que haya tráfico alusivo, que corran escenas llamativas por la red. Un *feedback* constante de *blink & link.*

Su idiotez me aburría, así que miré por la ventanilla y me fijé en las calles de la ciudad. Todas se parecen, porque el comercio global les ha robado el encanto, la misma imagen en todas partes de un país desarrollado sin demasiado gusto. El progreso es inevitablemente feo y el futuro contiene el mismo número de aparatos descacharrados y chapuzas que el mundo ha lucido siempre. Me había comprado una saca de pistachos y solo Tania quiso unirse al vicio. Estaba nerviosa por el retraso y urgía a Rómulo a pisar el acelerador. Yo la tranquilicé.

–Vamos, Tania, sin nosotros no pueden empezar.

Habíamos preparado tu participación en un foro de empresarios del Corredor Mediterráneo, la protuberante asociación de dinero regional. Tus oyentes dormitaban mientras les hablabas de futuro, algunos entraban y salían para fumar a las puertas o contestar al móvil, que es otro fumar. Se trataba de que dieras pistas ciertas de un plan económico, con argumentaciones que venían elaboradas por Los Cuervos y a las que yo me había limitado a dar alguna forma literaria. La reputación de buenos gestores se asocia con partidos conservadores de manera automática. Años y años de robar de la misma manera no podían confundir al personal, que sabía lo que había que hacer para formar parte de la rueda. Venimos a hacer lo de siempre, ese era tu discurso. El que no riega al partido no mama de los contratos públicos. Y con esa feliz seguridad te atendía el empresariado, parapetados tras corbatas de dos colores inconfundibles, como pinturas de guerra pistacho y azul celeste. La guerra contemporánea se disputa también entre uniformados y apaches.

Carlota, con buen criterio, apenas me dejó meterle mano a tu parlamento. Sabía que yo era demasiado salvaje para ese foro. Tan solo me esmeré en dejarte planchada la frasecita ingeniosa: el dinero solo busca una casa apacible.

–Y yo voy a trabajar para que el dinero pueda dormir tranquilo en España.

En las reuniones previas con Lautaro y los analistas en la sede de Los Cuervos se fijó la idea de que el país añora un ama de casa prudente al mando de las cuentas. Tras la crisis sanitaria el agujero contable era inmenso y tú podías representar ese regreso al rigor casero, esa formalidad contable tan del agrado de mis queridos niños, que sueñan con la mamá que lleva con esmero los ahorros de casa. A Merkel los alemanes la apodaban *Mutti,* por ese mismo rigor candoroso y maternal. Para quienes reclamaban un atractivo más técnico, les presentábamos al número dos de la candidatura. Allá en Valencia había tomado la palabra antes que tú.

Era un personaje siniestro que apuntaba para ministro de Economía si alcanzabas el gobierno. Un empresario muy veterano de enorme éxito, que salía de las entrañas ultracatólicas del partido y cuya fortuna provenía de un padre ministro franquista de la era opusina. No lo conocí en persona hasta ese día, pero era habitual en las tertulias de radio y televisión, con su batahola de datos y una experiencia financiera poblada de triunfos y libros sobre cómo triunfar llenos de recetas morales. El tipo había dirigido la mayor petrolera del país, luego la línea aérea nacional, también el Instituto de Industria y una empresa del automóvil. No había que ser un genio para ganar dinero en esos empeños.

Había sido idea de Cándido resucitar a Lázaro Abad y que él se ocupara del diseño económico de la candidatura. Sostenía que alguien con su imagen daba solidez contable a una pobre muchacha de Letras como tú. Abad creía en las apariciones de la Virgen, todos recordábamos sus lágrimas el día en que el papa Juan Pablo II le recibió en audiencia y cómo le agarraba la mano y no le dejaba partir de la salita de recepciones. Había comprado en subasta por miles de dólares un dedo incorrupto de San Casiano que guardaba en su escritorio para protegerle de Lucifer y sus tentaciones. Era un imbécil indomable, rodeado de siete hijos con quienes coescribía algunos de sus libros de autoayuda mema para emprendedores. Le envidiaba la pelambrera gris que aún lucía, pero no sus treinta nietos con los que posó para varios reportajes promocionales que a mis queridos niños les encantaron por la pureza que conceden a las familias numerosas.

Pensarás que soy demasiado duro con tu número dos, pero jamás me sedujeron los valores que idolatran mis queridos niños. Ya por mi aspecto nunca fui normal ni pude aspirar a la normalidad. Los estudios, como a ti, me salvaron por un tiempo la vida. Era aplicado y trabajador. Si afuera el mundo era hostil, encerrado en los libros podía evadirme. Terminé la carrera con buenas perspectivas para eternizarme en el pasillerío universitario. Pero algo se torció. Mi protector, el catedrático al que había dorado la píldora y servido como un criado solícito, se enfrentó en intrigas variadas a sus compañeros de facultad. Entonces la socialdemocracia era una apisonadora en el país, copaba todos los frentes y yo fui la víctima, cuando vi cerrado mi acceso por esas inquinas de tribu.

Me asqueaba el mundo. Te confesaré que también se mezclaban motivos más íntimos. A mi hermano lo había asesinado una mujer celosa que se benefició de todos los atenuantes imaginables en un juicio deplorable y deprimente. Ya comenzaba la ley a torcerse a manos de la moralina. Decidí probar suerte en universidades lejanas. Podía acceder a becas y recurrí a todas las que acerté a enlazar. Con veinticinco años me largué de España. Te acordarás del año, 1992. No sabes el placer que significaba alejarse del hervor del dinero fácil, la falsa celebración de la entrada al primer mundo, de la corrupción insoportable, donde todo era un efecto óptico como la flecha que encendió el pebetero al inaugurar los Juegos Olímpicos de Barcelona.

Acabé en la Universidad de Georgetown con un doctorado en CULP, sugerente nombre que solo respondía a las siglas de Culture & Politics. Luego cursé una especialidad en periodismo y empecé a escribir en prensa española, un poco a modo de vertedero mental. Ganaba dinero para mantenerme lejos, compartía piso con dos estudiantes coreanos que son los más limpios y estudiosos y seguía acudiendo de oyente a la Walsh School of Foreign Policy. Poco a poco rompí los lazos que me unían a mi país y a mi gente. En Washington sufrí mi desgajamiento emocional. Ya no fui nunca de ningún sitio y hasta con mis hermanos y mis padres se estableció una distancia higiénica. Sufría menos, eso también. Esa es la parte buena de desentenderte de todos.

Entonces conocí a Roy Carlton. Asistía a sus conferencias en el Institute of Ethics. Leí sus libros y establecí una relación personal. Me cambió la manera de pensar. Yo venía de un país con ideas fijas, la Europa sobreprotegida y con la sublimación del Estado del bienestar. Aprendí mucho de la intemperie norteamericana. Roy era un ultraliberal, marginado por la progresía intelectual, fue dejándose querer por la derecha reformista y su libro, que era un milagro conceptual, *La era del conflicto,* se convirtió también en mi Biblia.[7] Él había colaborado en la increíblemente exitosa campaña de Nixon en 1972. Ganaron en 49 estados, en todos menos en Massachusetts, aplastaron a McGovern con el doble de votos de ventaja. Una genial estrategia electoral en plenas protestas contra la Guerra de Vietnam. Allí Roy Carlton concibió su teoría de los conflictos y la aplicó con éxito, hasta que Nixon lo tiró todo a la basura con sus paranoias y la acción imprudente de los toscos fontaneros. Roy volvió a la universidad y ya no salió de allí, salvo para dar alguna conferencia muy bien pagada y recibir las más grandes distinciones del país.

Mientras vivía en Estados Unidos yo seguía las noticias de España, de la falta de reacción civil ante los escándalos de corrupción y la podredumbre en todos los ámbitos. Desde lejos asistía al derrumbe de las ilusiones fabricadas al terminar la dictadura franquista, rendidas al dinero, la zoquetería y la más grosera vulgaridad televisada. Intentaba encontrar empleos que justificaran mi regreso, pero chocaba contra las barreras, las falsedades, el amiguismo. Todo junto me inclinó hacia la sabiduría de Roy. Si estudias a fondo la civilización, comienzas a deconstruirla, me explicó. Si le quitas las pátinas falsas, descubres el óxido. Si conoces al ser humano, dejas de amar al ser humano de manera ciega y complaciente.

Tendrías que haber visto sus clases. Era maravilloso. Su capacidad analítica se asemejaba a la de un arquitecto que fuera capaz de borrar el edificio que tienes delante para dejarlo solo en pilares, vigas y contrafuertes. Y era divertido. Capaz de recitar la letra de «Imagine» de Lennon verso a verso y mofarse de un intocable. Imagínate un mundo sin posesiones y luego añadía la lista de propiedades inmobiliarias de Lennon. En sus días de buen humor entraba cantando a clase el «Honesty» de Billy Joel:

I don't want some pretty face
To tell me pretty lies
All I want is someone to believe,[8]

que según él era la mejor definición de democracia y que atemperaba la desolación de saber que honestidad es una palabra solitaria.

Una tarde nos leyó un cuento maravilloso de Cheever, «La quimera», para que comprendiéramos el valor del anhelo en los seres humanos. Hablaba del deseo, del capricho, del odio como motores ocultos, pero lo hacía sin convencionalismos. Se enfrentaba a las ideas comunes con un afilado cuchillo en los dientes. No daba nada por sabido y al final nos hacía ver lo oculto. La violenta oposición de fuerzas que latía en el corazón de la civilización. La guerra entre unos y otros, la perpetua guerra.

Cuando regresé a España tenía ya treinta y tres años y la distancia me había provocado un amor hermoso por mi tierra y un odio férreo a quienes la regían. Detestaba lo universitario por paralítico y abotargado, así que me lancé a escribir, la piedra fundacional de la Iglesia de un solitario. Mi primer libro cobró fortuna gracias a un malentendido, como todos los éxitos. Se llamaba *La grandeza de España* y por el título lo tomaron como una canción de amor a la patria.[9]

Lo era en cierta medida. Para cuando llegué a la vigésima tercera edición, aupado por la tara nacional de amar lo propio como hacía el viejo soldado Chauvin, me di cuenta de que mi negocio ya no tenía remedio. Sería para siempre un escritor conservador pues ese fue el nicho que me abrió los brazos, primero en revistas de modelado ideológico, luego en la radio y finalmente en la prensa escrita. Era lo opuesto a la manada de escritores progres que abundan tanto en los cotos mediáticos. Hay codazos entre ellos por ver quién ama más a los animales, a los emigrantes, a los marginados. Yo no era de derechas, pero tampoco de izquierdas, así que no me fue difícil arrimarme al árbol que mejor cobijaba, pues la prensa conservadora y los foros conservadores pagan mucho mejor las piezas y las conferencias. A la izquierda hay demasiado asociacionismo, misionerismo y el autoengaño de aborrecer el afán de lucro, al menos de boquilla. Si me hubieras pedido entonces una definición quizá te habría dicho que era un libertario conservador. Hoy ya no me engaño a mí mismo con las etiquetas. No soy Chesterton ni Mencken, ni siquiera Raymond Aron o un Russell Kirk. Aprendí que nadie es nada de lo que dice o piensa. Somos solo lo que hacemos, el fruto de la acción.

Tuve la suerte de caer en manos de mi agente, Gloria, la gloriosa. Su maquinaria para hacerme ganar dinero y de paso ganarlo ella me pareció más honesta que todos los discursitos morales al uso. Fui invitado a tertulias y conferencias, y en todas mostraba un conocimiento prolijo de la historia de España presto a ser aplicado sobre el presente. Eso me convirtió en alguien imprescindible en algunas de las discusiones más idiotas del país.

Endilgué dos libros más en la misma línea. En España el éxito es repetirse. El tercero de los libros se llamó *Cómo la izquierda ha dañado a España* y tuvo tanto éxito que cuando les quedó vacante la plaza de ganador del Premio Planeta, Gloria, en su gloriosidad, logró que me lo ofrecieran por si quería probar en la ficción. Escribí en dos meses la novela sentida sobre Ana de Austria y su llegada a Francia. La casaron con quince años con un impotente Luis XIII y se aplicó a la tarea casi imposible de quedarse embarazada y darle un heredero. Tras cinco abortos, caídas en desgracia, intrigas palaciegas y un gran tesón, logró dar a luz nada menos que al Rey Sol. Mi engendro de novela histórica, que aún luce en las estanterías de las casas de tantísimos de mis queridos niños, llevó el título de *La madre del Sol.*

–¿Sabes que leí en su día tu novela aquella sobre Ana de Austria? –me dijiste.

–Todos tenemos un pasado.

–No, no, recuerdo que me gustó, estaba muy bien documentada. Se nota que conoces la Historia y que te gusta.

No te voy a engañar. Lo que me gustaba era el dinero. Y la novela histórica nunca pasa de moda, que le pregunten a Homero. Los lectores se lo pasan pipa mientras completan las lagunas inmensas de sus estudios. Me compraron los derechos para hacer una serie en la tele pública, creo que la viste.

Gracias a la serie conocí a un productor canario muy divertido llamado Caco Laguna. Si piensas que caco también quiere decir ladrón, sabrás que acertaron de pleno en su bautismo. Me hice amigo íntimo suyo y me gustaba su plan de negocio. Colaboré en el armazón histórico de dos seriales más que supo situar en las cadenas apropiadas gracias a sus contactos. En España los negocios se hacen por relaciones. Me planteé muy en serio que un ciudadano solo puede ser libre cuando tiene un millón de euros en el banco y no paré hasta lograrlo. Lo conseguí exactamente el día que cumplí cuarenta años.

Compré mi libertad, pero cuando la tuve solo la quería para emborracharme y no obedecer a nadie. Salvo por mi santa esposa, que tenía plaza de analista de laboratorio en un hospital y gozaba de la tranquilidad funcionarial, nada en mi vida era estable.

Habíamos tenido un hijo, Nicolás, que ella se empeña en llamar Nico. A ella misma yo era el único que la llamaba Beatriz, frente a todos los que la llaman Bea. Mi hijo ahora tiene veinte años y conserva el estúpido diminutivo. Piensa que su padre es un monstruo, como lo piensas tú. Cuando me separé de su madre dejé de verlo, salvo en las ocasiones insalvables que todo el mundo conoce. Esa puñetera dictadura de la familia española, que es un crimen festivo.

Un día viniste a casa durante las reuniones preparatorias y te sorprendió verme en el chalet. Te pareció un castillo en ruinas. El jardín no lo cuido, pero ofrece la espontánea verdad de la naturaleza y en ocasiones Erlinda dedica sus esfuerzos a domesticar dos rosales que a su antojo dan piezas de orfebrería con un olor delicioso.

–Ya no quedan casas así en Madrid. Tienes suerte.

–Es verdad, esta ciudad se ha ido sometiendo a la fealdad de los constructores, que son como Dios, solo saben hacer cosas a su imagen y semejanza.

–El barrio es bonito.

–Era mucho más bonito antes, cuando no había llegado el dinero a corromperlo todo.

–Ay, Basilio, eres como un emperador decadente que lo maldice todo desde su fortaleza.

–No, no creas. Esta casa, más que mi castillo, es mi cárcel. Pero es una prisión voluntaria, porque no quiero saber nada de nadie.

–Menudo colaborador me he buscado. Vaya pareja que hacemos –respondiste tras las risas–. Yo, que no he tenido ambiciones jamás, y tú, que has renunciado a todas.

Te echaste a temblar cuando el moderador del acto en Valencia comenzó a leer los tarjetones donde los invitados habían escrito algunas preguntas. ¿Acaso toda una vida de profesora de universidad sin ninguna experiencia de gestión no arroja dudas sobre su capacidad para dirigir un país? Empezaste a responder a tientas, con el recuerdo de tu gran éxito al frente del ministerio, donde lograste subir el presupuesto en un 7 %. Pero hasta tú sabes que eso es una ridiculez.

–No se olviden de que dirigir un país no es solo cuadrar sus cuentas, tiene también que ver con la empatía con los ciudadanos, la conformación de su futuro, la capacidad para hacer reales muchos de sus sueños. A veces le hemos dado al tecnicismo contable demasiada importancia y tendré mis expertos para ello, pero cuenten conmigo para darle un sentido al conjunto de la acción de gobierno.

7. Alicante

Carlota se había aventurado a programar la visita a una zona de casas afectadas por aluminosis en Colonia Requena. Construcciones penosas de la era del desarrollismo que ahora acogían a familias inmigrantes bajo toldos alicaídos, hormigón y ladrillo visto. En dos décadas, los llegados del extranjero habían pasado de ser una presencia exótica a significar el 50 % de la población del barrio, mientras los nacionales habían volado a otros lugares al sur de la ciudad.

Era un lugar plomizo, bajo un sol envuelto en calima. A la gente en la calle, mujeres y niños, le importaba un carajo tu presencia. Yo creo que ni sabían quién eras, pero te dejaste grabar con los presidentes de asociaciones vecinales. «La España abandonada», lo habíamos titulado, para referirnos a los cientos de miles de ciudadanos dejados en el desamparo. Se acercaron al olor de la paella comunal o mejor dicho descomunal, pues se sirvieron mil raciones en ambiente festivo. Me gustó ver cómo Tania era capaz de sujetar su plato, su vaso, una servilleta, la agenda, el móvil y el bolso gracias a que sus manos buscaban el soporte de sus dos tetas en cada emergencia. Resultaba erótico verla manejar la situación. Me acerqué a ella en son de broma.

–Prueba la paella, seguramente es la peor que vas a comer en tu vida.

Ella la probó, estaba fría, el arroz duro y mal acompañado de pedruscos que un día fueron garrofones. Memorable, dijo mientras me sonreía.

Los edificios eran un desordenado muestrario de materiales malos, reformas atroces y balcones miserables. Los cables de luz y teléfono se acumulaban de múltiples averías y enganches ilegales y concedían a los postes y muros el valor de reto a la farsa de las nuevas tecnologías. A mí me encantan esos paisajes afrentosos, ese escupitajo en el ojo de las esperanzas del siglo XXI, porque esconden un corazón y en su calle desapacible se cría la gente que dominará el futuro. Dijiste allí frases hechas y topicazos sobre la solidaridad y las reformas estructurales ante la prensa entretenida en el arroz. No fui capaz de darte una sola frase digna y noté la mirada herida de Carlota y Arroba. Para esto te traemos, gordo de mierda. Pero nuestro plan de gobierno más bien consistía en dejar tirada a esa gente, en apostar por algo más fotogénico. Al ver a unos niños jugando a la pelota te atreviste a preguntar: ¿estos chicos no tendrían que estar en el colegio? Pero ellos mismos se encogieron de hombros y te miraron como a una aguafiestas. Qué poco sabes, Amelia, de nuestra vida.

La siguiente visita fue aún más estrafalaria. Habíamos conocido el caso de una familia con una hija parapléjica en Sant Vicent del Raspeig que carecía de una vivienda adaptada. Al parecer la muchacha no podía salir a la calle y a duras penas la asomaban al balcón en las mañanas soleadas. Fue Lautaro el que detectó el potencial de este caso por un recorte de prensa y lo trajo a la reunión de planificación. Los Blanditos pensaban que, para compensar tu imagen algo fría, era bueno asociarte a historias de valor emocional.

Nos presentamos en el piso como una caravana de benefactores. Dedicaste abrazos y preguntas prácticas a los padres, luego te retrataste con la parapléjica asomadas las dos al balconcillo. Arroba disfrutaba con sus imágenes. Tania soltó una lágrima, había conocido a alguien en esa situación antes de dejar su país. Algo así me explicó haciendo pucheritos mientras tú hablabas con la chica.

–Casos como este son los que el gobierno de la nación no puede tolerar, hay que acercarse a la gente y sus problemas reales. No podemos estar metidos en una burbuja parlamentaria en Madrid.

Mientras lo decías, Carlota te hacía gestos para que te dieras prisa. Íbamos con el horario justo y teníamos que ponernos de nuevo en marcha. Aceleraste el discurso con paralímpica destreza. Dejamos a la familia en la intimidad en la que la habíamos encontrado. Si llegabas al gobierno, tu primera acción sería trasladarla a un piso adaptado y con ascensor. Las promesas son el carburante de una campaña. Aunque Los Cuervos habían mandado en la alcaldía durante veinte años intentaste que sonara sincera. Los años de bonanza no habían servido para mucho en estos estratos. Recuerdo que Cándido nos explicó en su despacho la historia práctica de la democracia española. Fue en la segunda reunión, cargado de optimismo.

–La izquierda –dijo– es necesaria en el poder en momentos puntuales. La reconversión, la crisis, la protesta necesitan de su gobierno para ser aplacadas. El resto del tiempo, España es un país conservador y de orden, orgulloso de su hogareña paz callada. Si perdemos las elecciones es por culpa nuestra o porque alguien en la izquierda es tan inteligente que se convierte en una derecha más pragmática. Hay que ser burros para no aprovechar la ventaja que nos concede este país.

En el autobús te sorprendiste al ver a pie de carretera quince clubs de putas alineados casi en fila. Aún no habían empezado la actividad, que sería intensa unas horas después en aquellos contornos. Para sacarte de la ignorancia, Rómulo te explicó uno de sus chascarrillos.

–A esta zona, los cachondos del lugar la llaman la Milla Verde. Está lleno de burdeles...

Luego preguntaste si teníamos alguna posición fijada en el programa sobre la prostitución. Carlota te respondió que asuntos así eran la piedra en el zapato de la izquierda, que debatía entre legalización y prohibición.

–Es mejor dejar que ellos se metan en ese fango, nosotros no vamos a sacar nada bueno de ahí. No es nuestra guerra.

La Cachorra, que competía con planes ambiciosos de protección de la mujer, había prometido prohibir la prostitución. Pero nadie se acababa de creer algo que consideraban tan vaporoso como prohibir la tos. El Santo había acaparado todos los titulares de ese día porque había planteado un recorte en las herencias. Proponía que se limitara el máximo que pasa de padres a hijos. Lo razonaba con una explicación sobre el reparto patrimonial y la eternización de las desigualdades. Muchos comentaristas lo pasaron a cuchillo, pero su propuesta le servía para adelantar a la Cachorra por el lado izquierdo de la autopista del voto. Cada cual se maneja en sus márgenes de juego electoral. Arroba estaba preocupado porque el ritmo de captación de seguidores en tu cuenta personal era lento. Nos faltaban golpes de efecto, según él.

–Lo de la parapléjica ha pasado sin pena ni gloria frente a la polémica de las herencias.

–Ya le dije a Lautaro que esas cosas ya no funcionan. A la gente se le ha agotado la solidaridad con los demás.

–Pero las historias de valor humano son fundamentales.

–El mundo de los humanos ha dejado de ser humano... Quizá se ha abusado tanto de los buenos sentimientos que se han acabado, como pasó con el carbón.

Esa frase molestó a Carlota. No le gustaba oírme en ese registro tan contundente, quizá porque temía que mi ascendente sobre ti, Amelia, se hiciera demasiado poderoso. Ella quería mandar sobre tus ideas y tu agenda, sobre tu programa y tu personalidad, y rechazaba las interferencias. Quizá por eso me pidió con malos modos que pensara una réplica para oponer a la propuesta del Santo sobre la limitación de herencias.

–Es muy sencillo –propuse–, basta con decir que defendemos que los pobres se hagan ricos, pero sin hacer pobres a los ricos.

Tú habías incluido entre tus líneas maestras aquella inmarchitable frase de Tocqueville en la que afirma que la democracia consiste en alcanzar la igualdad dentro de la libertad mientras que el socialismo pretende esa igualdad bajo la coacción y la servidumbre. Se lo repetí a Carlota, por si ese día faltó a clase.

Me sonreíste en la distancia, mientras discutías con Tania los pormenores de la agenda. Ella negociaba tu presencia en los programas de más audiencia de radio y televisión. Carlota defendía que era más rentable pasearte por los platós donde te hicieran preguntas sosas sin el menor espíritu crítico, ponerte a jugar en programitas inanes y acercarte a los espectadores más pasivos, que someterte a interrogatorios más profesionales y complicados. Así que trazaban un calendario donde acudirías a programas de entretenimiento y rechazarías las peticiones más afiladas con la excusa de la agenda sobrecargada.

8. Murcia

El acto de la noche en Murcia empezó con tensión. En el autobús te enteraste de que tu discurso iba a ir precedido del de un general en la reserva al que Cándido tentaba para ser ministro de Defensa. Te molestó que nadie te hubiera consultado. Carlota trató de calmarte.

–No ha dicho que sí, solo lo estamos sondeando.

–Tengo la sensación de que se fabrica un gobierno sin consultar conmigo.

–Oh, vamos, Amelia, no seas susceptible. Tenemos que sumar, solos no ganamos.

Arroba terció en la conversación para recordar que nos había salido un competidor en la derecha extrema que cobraba mayor relevancia de la que habíamos pronosticado. Ese partido presentaba a un general como cabeza de lista y nos obligaba a hacer un guiño de cercanía con las sensibilidades militares que siempre gozan de popularidad. Además, el general del partido rival era cojo de una pierna.

–Eso le da mucho caché.

Aunque el general que nos resultaba tan amenazante había perdido la movilidad del pie al dar indicaciones de marcha atrás a un camión de material al que estaba ayudando a aparcar en uno de los acuartelamientos de Mostar, el cartel de herido de guerra impresionaba. Su pregonar de los valores inmarchitables de la patria nos mordía electorado. Por eso Candi había dado la consigna de reafirmar nuestro pedigrí conservador en las regiones más inclinadas a favor. Leí el discurso que había perpetrado la Paradita desde Madrid. Si hubieras pronunciado en público aquellas soflamas te habrías retratado como una palurda en pánico que teme que los rivales le han robado la patria de nacimiento. Pedí que me prestaran un despacho en aquel centro polivalente, que se usaba de club de tenis y recinto cultural. De hecho, nuestro acto lo habíamos podido encajar entre una muestra de teatro interprovincial y la semifinal de la Copa Davis. Me fue difícil rebajar el tufo que transmitían las líneas escritas por esa inepta. Por muy devotos que nuestros simpatizantes fueran de Fray Ladrillo, San Cemento y la Hermandad de la Santa Hormigonera, tu discurso tenía que ofrecer perspectivas modernizadoras.

–En los buenos tiempos hemos llegado a tener cinco o seis diputados aquí. Hay que dirigirse a los defraudados, a los que se bajaron del autobús –me explicó Arroba.

–Lo más complicado del mundo es engañar a quien ya ha sido engañado.

–Pues es tu misión, Basilio. Aunque donde nos jugamos el cuello va a ser en los dos debates televisados.

En esta campaña se recuperaba el contacto con la gente después de la temporada larga de distancia social y prevenciones al contagio vírico. Ahora incluso se percibía ese deseo de borrar el recuerdo, de pasar página. La capacidad para olvidar de los humanos es inseparable de su inmensa adaptación al medio. En cierta manera, nosotros mismos apelábamos a ese olvido para presentar tu candidatura tras una temporada larga de escándalos de corrupción en el partido.

Me consiguieron un despacho y me senté a escribir en la mesa llena de fotos familiares de quien narices dispusiera a diario de ese lugar. Alguien desconocido para mí, pero que podía presumir de tener los hijos más feos de la galaxia. Traté de concentrarme y me dejé llevar por la euforia mitinera.

–Yo no he venido a ganar para hacer lo mismo de siempre, para dormirme satisfecha con tener el poder. Yo estoy aquí para usar el poder como esa varita mágica que concede a los ciudadanos el deseo de crecer, de consolidarse, de progresar, pero no progresar con esa cantinela de los progres para repartir y sostener a los vagos, sino progresar como me enseñaron mis padres en mi pequeño pueblo de Teruel. Progresar sin renunciar a las cosas en las que creo, porque mis valores no se negocian. Me lo dijo mi padre cuando le comenté mi intención de presentarme: no cambies, hija, no cambies nunca, yo te eduqué para que estuvieras orgullosa de lo que eres.

Y mierdas así que enlacé con anécdotas inventadas y fraseología de graderío. Tania me interrumpió para presentarme al militar que hablaría antes de tu discurso.

–Este es el general Cariño. –Nos dimos la mano como

los ciervos chocan la cornamenta–. Basilio nos ayuda con los discursos de Amelia.

–Ah, sí, claro, te conozco de la tele, de alguna tertulia –me saludó el general con desprecio.

Había pasado a la reserva cinco años atrás, pero, además de mostrar una forma física envidiable, para el partido era una especie de héroe en las tinieblas. Tras la explosión accidental de un acuartelamiento en una lejana misión humanitaria, se había encargado de cerrar el caso y adormecer la investigación. Le había salvado el pellejo al presidente en aquella ocasión porque organizó un entierro militar y patriótico tan rápido que no dejó espacio para que creciera la ira de los familiares. Estos servicios se suelen pagar con un retiro plácido y algún hijo bien colocado en la empresa pública, pero el general Cariño tenía hambre de trinchera. No era moderado en sus formas, pero representaba unos valores que queríamos encarnar, y más si el general Cojo empezaba a cobrar protagonismo. Mis queridos niños nunca comprenden que en los estamentos que aparentan honestidad y virtud se esconden los mismos secretos sucios que tantas veces saltan a la luz en la política. Pareciera que solo guardan un infantil resentimiento hacia sus representantes públicos porque una vez los votaron, creyeron en ellos, se dejaron seducir. No hay peor encono que el del despechado.

En la tribuna, el general Cariño arengó a los congregados. Su cajetón torácico amenazaba con hacer jirones la camisa. No puso a los asistentes a desfilar por poco. Era un gran fichaje, aquel hombretón nos traería un manojo de votos. Tú le sonreías desde la silla, a la espera de que llegara tu turno. Tenía un nombre singular, José Andrés Cariño Vizuete, y bromeó con el hecho de que su comandante en jefe ahora iba a ser una mujer.

–Me encanta presentar a Amelia Tomás. Me encanta que una mujer nos vaya a liderar. Me gustan las mujeres con personalidad. Me gustan las mujeres con lo que hay que tener. Démosle un fuerte aplauso, un aplauso español.

Nunca hubiera pensado que existiera un aplauso español, pero al oírlo resonar comprendí que era cierto. Soportaste el paternalismo grosero del general Cariño incluso cuando te ayudó a trepar por las escaleras hasta el escenario. Pero eras biológicamente incapaz de superar su arenga. Tu tono sonaba decaído por contraste con lo anterior. Eras una tímida cantautora actuando después de que un grupo heavy te hubiera hecho de telonero.

Arrancaste con un parlamento sobre lo bien que se comía en Murcia.

–Para comer mal en Murcia hay que esforzarse mucho porque tiene una huerta deliciosa, un mar cercano. Sin embargo, al recorrer en autobús las calles me he topado con demasiados locales de comida rápida, con franquicias extranjeras. ¿Acaso nuestro país está perdiendo su identidad?

Desde los estudios iniciales habíamos planeado un lento despegar del discurso patriótico con menciones recurrentes a símbolos compartidos.

–No debemos perder nuestra idiosincrasia. Yo vengo a reivindicar lo auténtico, a mí me gustaría murcianizar Bruselas y no al revés, como pasa ahora.

La frase hizo fortuna en las redes. Diversos usuarios comenzaron a burlarse de ti en sus cuentas con el asunto de murcianizar el mundo. El más ingenioso se preguntaba cómo sería murcianizar Japón. Otro había plantado una ñora en la Luna y ese pimiento rojo refulgía en la superficie árida. Pero Arroba estaba feliz. Esos comentarios te favorecían y te daban visibilidad. Rebajaban tu carga excesiva de lo intelectual para convertirte en algo que adoraban mis queridos niños, los seres enamorados del producto de la tierra. Al fin y al cabo, se consideran ellos mismos el producto más importante de la tierra.

Anunciaste el proyecto de reducir el número de funcionarios del Estado.

–Tenemos que ser como Alemania, no como Italia.

Italia y Alemania juegan en el cerebro de mis queridos niños el papel de los hermanos opuestos. El caótico y el organizado. El vago y el esforzado. Siempre que los ponemos en la balanza es para alejarnos de nuestro parecido con Italia, una especie de complejo de inferioridad nacional que nunca acabamos de asumir. No me extrañaría que en Italia hicieran lo mismo con respecto a España.

Después del acto nos fuimos a cenar con el general Cariño y sus valedores en el partido. Arroba había recibido nuevas encuestas que saldrían al día siguiente en periódicos nacionales y pasamos el rato estudiando las quinielas. Andabas aún por detrás del Mastuerzo y la Cachorra, pero la curva del general Cojo era ascendente. En conocimiento popular seguías demasiado baja. Te dolía la espalda y Tania te dijo que cuando volviéramos a Madrid te mandaría a un amigo fisioterapeuta que hacía maravillas. Pero volver a Madrid nos parecía una promesa lejana. Me sentí un náufrago entonces, durante esa cena en la que apenas hablé. Rechacé el vino con esfuerzo enorme para contradecir a mi naturaleza. Ya no bebía en público, porque me causaba un desgaste reputacional enorme. Tomé la costumbre de emborracharme dos veces al día, una antes de la hora de la siesta y otra antes de irme a dormir, pero siempre en el retiro privado de mi casa. Trabajar para ti me obligaba a fingirme abstemio.

El general Cariño se empeñó en presentarte a una gloria local, un ciclista que dos años antes había ganado el premio de la regularidad en el Tour de Francia. Al parecer, Cándido estaba convencido de que podías venderlo como un futuro secretario de Estado de Deportes. Tenía el rostro curtido y la musculatura recia de los drogadictos. Cuando sonreía parecía que la cara le iba a crujir como una vasija al romperse. Ahora mismo ocupaba un cargo de florero en el gobierno regional. Te vi fuera de lugar, convencida de que casi todo a tu alrededor escapaba a tu control. Hiciste vanos intentos por sostener una conversación con él, pero aquello era un combate nulo. Habitabais dimensiones lejanísimas. Mi marido es muy aficionado al ciclismo, le dijiste, y él podría haberte contestado y mi hija también va al colegio. Había algo forzado en tu intento de ser simpática, aunque noté que tus pestañas también abrumaban al ciclista. Yo aproveché un aparte con él para preguntarle por mis almorranas, que fue un tema mucho más productivo, pues estuvimos diez minutos intercambiando dolores y remedios.

–El mal de los ciclistas es un mal extendido entre los escritores sedentarios como yo.

–En vez de tanta crema de farmacia, prueba cada noche antes de dormir a darte friegas de agua hervida con una cabeza de ajos.

Por mucho que el general Cariño hubiera mencionado aquel periodo en que yo me dedicaba a las apariciones televisivas, hacía tiempo que no acudía a esos llamados. Sí lo hacía en la época en que necesitaba promocionar *La Causa Popular.* Acudía a los platós y las radios a desvelar mis exclusivas y mis filtraciones recauchutadas como periodismo de investigación. Pero al deshacerme del negocio recobré la pausa y la soledad.

Tras la separación me había volcado en *La Causa Popular,* pero más tarde me convertí en un submarino anclado que levantaba el periscopio para ver cómo andaba la cosa y seguir a resguardo. Aquel chalet familiar era demasiado grande para un hombre solo, así que tuve que agrandarme. Ya no fui gordo, sino gordísimo. Hipopotámico.

La revista se la vendí a un memo por tanto dinero que ya no tendría que preocuparme jamás por el precio del pan y el whisky, mis dos alimentos fundamentales. Carmona me lo trajo a una comida donde el llamémoslo emprendedor me explicó que quería ganar influencia, eso dijo, pero toda la influencia me la quedé yo en mi casa junto a la Dehesa de la Villa. La revista no duró ni cinco meses viva, mientras que yo paseaba a mis dos perros y sostenía mi retiro de hipopótamo con artículos y alguna presencia pública, hasta que tú me viniste a buscar. Para entonces la persona con la que tenía la relación más profunda era Erlinda, mi empleada filipina. No sé si contártelo. Esto lo vas a odiar.

Cuando llegó a mi vida venía de casa de unos ancianitos vecinos del barrio que se mudaban a su pueblo natal para morir como elefantes. Ellos me contaron que nadie era más servicial que su criada filipina. Erlinda había vivido con ellos desde los catorce años con los que llegó a España. Tras atenderles varias décadas, cuando pasó a mi servicio apenas modifiqué sus condiciones laborales. Ella era una persona sin edad, detenida en un tiempo ingrávido. Cuidaría de los dos perrazos, Neville y Tono, recogería sus cagarros enormes del jardín, mantendría la casa reluciente, prepararía todas las mañanas el zumito de naranja y el kiwi en dos mitades, la tostada de pan con tomate y una anchoa. El café americano siempre tendría que estar listo a cualquier hora en la cocina. Todo ello sin obligarme a hacer sonar una campanita, como era el hábito de sus antiguos señores.

Ya lleva siete años conmigo en mi soledad de separado, de monarca en el exilio. Corría el primer año de nuestra convivencia y una noche me excedí con mi dosis de alcohol. Me desmayé en el porche, entre la mesita y las dos sillas metálicas. Aterrada, Erlinda salió a socorrerme y me llevó hasta mi dormitorio por la escalera. Mi borrachera pesaba como un saco de cemento sobre mi espalda y cuando me desnudó sobre la cama, tras la subida a trompicones, cayó en la cuenta de mi erección de perro sin collar. Si me calmó con una dócil masturbación fue en prolongación natural de sus cuidados domésticos. Después de aquello, si trasnocho y alcanzo la borrachera erotizada, bajo a buscarla a su cuarto y le ruego esas guarradas tan rápidas y amigables que jamás me ha reprochado a la mañana siguiente. Nos cruzamos en la cocina y ninguno de los dos actúa como si hubiera habido un intenso pajote en la madrugada anterior. Es lo más parecido a una pareja que he llegado a tener después de que mi esposa Beatriz me resultara insoportable, convertida en demasiados momentos en una Bea Constrictor. Ella y yo nos separamos amigablemente, no creas. Echo de menos su bondad y su conocimiento de mí, pero el precio a pagar por la convivencia me resultaba demasiado alto. Cuando nos separamos mi hijo tenía ocho años y a esa edad los niños incordian. De hecho incordian siempre, no deja de hacerlo con veinte, pero tenerlo fuera de casa ayuda a soportarlo mejor.

Mucha gente me ha dicho que estoy loco o que estoy enfermo, que viene a ser lo mismo. Y tienen razón. Pero mis pocos cercanos son gente plácida a la que no doy el coñazo y me sacan a celebrar el milagro de estar vivo o se refugian en la habitación taller de mi casa cuando comprenden que el mundo es hostil. Mi borrachera además no es pesada ni violenta, es íntima y discreta. No me enemisto con nadie ni me parto la cara a bofetadas con un desconocido ni acabo yéndome de putas, como el borracho al uso. Ese negocio desolador me deprimió las veces que lo probé. Erlinda sacia mis deseos puntuales, cada vez más escasos, porque, a partir de los cincuenta, a los hombres obesos ya no nos gusta follar ni ese aeróbic genital que otros adoran, sino solo corrernos. Ella es muy religiosa y eso ayuda a lavar nuestras culpas, porque sin el cristianismo no sé qué sería de este mundo, es fundamental para engrasar las bielas de pecado y redención.

Tendría que haberte contado estas cosas de mi vida en confidencia cuando me citaste en el café Marconi la primera vez. Habrías huido espantada. Me convenciste para trabajar contigo pero nunca supe lo que pensabas de mí. Recuerdo que me dijiste que jamás habías imaginado que te presentarías a unas elecciones presidenciales, y que seguro que yo jamás había pensado en escribirle los discursos a un candidato, y que eso nos convertía en aventureros a una edad en la que se viven pocas aventuras. No podía despreciarse algo así.

Cuando me hablaste de mis artículos, de mi libertad, de lo que tú creías que era decencia de pensamiento, yo sabía que te referías más a la virtud del deslenguado que a otra cosa. No sé por qué me importaste tú cuando no me importaba ya nadie. Quizá haya sido también el reto, por qué no confesarlo. Hay un reto en todo esto que me estimula. Poder seducir a mis queridos niños, a los que siempre he temido un poco, porque son caprichosos e imprevisibles, pese a ser transparentes en la mayoría de las ocasiones. Y tú me caíste bien, Amelia, ya nadie habla como tú en la política, entre soflamas, lemas, titulares y píldoras. Tú propinas lecciones de maestrita bien educada. Eres una mujer de otro tiempo. ¿Y sabes qué? Es lo que necesita nuestro tiempo, recuperar otro tiempo. Hemos convertido el presente en algo de lo que huir a toda prisa, aunque sea hacia el pasado.

La cena en Murcia se prolongó y tuvimos que soportar a los delegados del partido en la zona. Yo cortejaba a Tania sin demasiado tino. Le hablé de las tres ocasiones en que había visitado Venezuela, la última para que no me fuera permitida la entrada por las autoridades izquierdistas del chavismo, lo que me valió un triunfo entre los acólitos de casa. Ella había visto cómo los negocios de su familia fueron destruidos por el gobierno bolivariano y eso le había incitado a implicarse en política.

Tras algunos años de formación en España, instalada en Canarias, había entrado a trabajar para Los Cuervos de secretaria del vicepresidente Mario Nieto. Según contaba, el tipo era de manos largas y de vez en cuando se atrevía a toquetearla en el despacho de la sede.

–Era un salido, como dicen ustedes acá.

–Así que la marioneta movía sus propias manitas cuando quería –le dije.

–No sabes, era un cerdo. Le cogí tanta manía que cuando Amelia se presentó contra él en las primarias yo le pasaba información por debajo a Cándido.

–¿Hiciste de agente doble?

–Sí, señor, eso lo aprendí de los comités vecinales revolucionarios. Crecer en el comunismo tiene sus ventajas. Y luego Cándido se portó muy bien conmigo, me ofreció trabajar con Amelia y aquí estoy.

–Gracias a Dios que estás tú. –Y miré hacia la posición de Cuca y Arroba en la mesa con un gesto cómico de horror.

–A ti la primera vez que te vi fue cuando te retuvieron en el aeropuerto Maiquetía con los dos diputados aquellos que iban para la conferencia...

–Sí, claro, fue mi escena de héroe democrático.

–Me encantaste ahí sudoroso y gritón. Todo muy Latinoamérica. Pero fuiste valiente, porque aquí hay mucha gente que todavía mira con buenos ojos la dictadura.

–Sabes, Tania, supongo que conoces España. Aquí a veces la izquierda se lo pone tan fácil a la derecha que les resulta un paseo ganar. Apoyan a grotescos totalitarismos por afinidades dogmáticas y regalan el papel de tolerantes, de defensores de las libertades básicas, de la gestión económica al rival. Para Los Cuervos es un chollo.

–¿Los Cuervos? ¿Llamas al partido Los Cuervos? Ay, que me parto, aunque suena fatal.

–Ya te acostumbrarás.

Tania me preguntó por mi vida personal y yo interpreté que ahí se abría un camino de interés hasta sus muslos. Le conté mi separación de Beatriz y fingí preocupación por el futuro de mi hijo.

–Quiere ser diseñador gráfico, pero por más que le he pagado las mejores plazas en los mejores centros, a las dos semanas se deprime, se desengancha. Es un puto vago.

En un rapto de optimismo, cuando *La Causa Popular* funcionaba a pleno rendimiento, traté de involucrarlo para que llevara la paginación y el diseño, pues mostraba curiosidad por esas disciplinas. Pero lo único que conseguí fue frustrarme una vez más ante su falta de carácter. Podía ser una cuestión generacional. Mi hijo, como tantos jóvenes nacidos entre los dos siglos, lo tuvo demasiado fácil desde niño. Qué distinto a la birria de vida que mis padres podían ofrecernos a mí y a mis hermanos y que nos hizo ser creativos y luchadores.

Sé que es duro para un padre darse cuenta de lo trágico de haber engendrado a un bobo. Su madre no me perdonó jamás la clarividencia asentimental. Es verdad que no me esforcé demasiado con él cuando era niño, estaba ocupado en levantar mi propio monumento. Lo acepto. Pero yo también me crié en una familia sin espacio ni atenciones de mis padres, demasiado ocupados, y mis hermanos y yo salimos valiosos y listos. Ellos tienen el problema de la progresía inoculada en vena porque son incapaces de sentarse a pensar sin prejuicios. Siempre han detestado las ideas de gente como Roy Carlton porque si alguien se enfrenta con las causas nobles se convierte en su enemigo. Cada vez que nos vemos logramos el milagro de no discutir porque nos adoramos. A mis hermanos les pareció un gesto de nobleza por mi parte que yo comprara la casa familiar, aunque jamás me visitan y no quieren asomarse a mi vida personal porque se asustarían y lo saben. A Tania, me tendrás que perdonar, le toqué un poquito las fibras sensibles, a la espera de tocarle otras fibras más carnales, cuando le hablé de cómo murió el otro de mis hermanos con dieciocho años. Era mi cómplice, mi amigo, mi cercano, nos llevábamos solo quince meses, y como me pasa siempre se me inundaron los ojos de lágrimas al rememorarlo. Todo vale para follar, eso también lo confieso.

Había observado que Tania bebía más de diez cafés al día y esos excesos apuntalaban mis posibilidades. Yo también soy un impenitente cafetero. Quien abusa de algo abusa de todo. Con algunas indirectas no demasiado afinadas, le sugerí si quería subir a mi cuarto a tomar una última copa. Aunque Tania tuviera la turgencia de los treinta años recién cumplidos y yo ya presentara credenciales de degradado no pensaba renunciar sin pelea al placer de acariciarla. Me dijo que no con una sonrisa tan tintineante que me quedé contento. Ya en la habitación, procedí a beberme la botella de whisky que había sacado de la despensa del autobús sin que os dierais cuenta. Me gusta beber con el rito adecuado: un sorbo de agua helada antes de cada trago. Ducha escocesa en la garganta.

9. Almería

Volví a desayunar a la carrera, cosa que odio, en un picoteo urgente camino del autobús. Nada más subir protesté ante Carlota por la mala calidad de los hoteles, la ausencia de lujos y cuidados. Nuestra gira iba a resultar agotadora y algo de buen trato sería de agradecer. Carlota se ofendió.

–Eso lo hablas con Cañamero, nuestro presupuesto de viaje es el que es. Y no te quejes, que tú al menos estás en el grupo principal.

Lo sabía. El equipo íntimo compartíamos hotel contigo, también las cenas y las comidas. Pero había algunos otros en el cortejo que eran distribuidos por hostales. El glamour del viaje, me temo, se acababa en tus pestañas de Shirley MacLaine.

Hasta alcanzar Almería nos esperaba una larga carretera. Te escuché quejarte con amargura de los insultos y las chanzas que colgaban sobre ti en las redes y que Arroba tenía la crueldad de mostrarte. Ignoraba que el virus de las malas noticias contagia a quien las trae. Esa mañana habían manipulado una entrevista contigo para aparentar que tu recorte de gasto público iba a concentrarse en reducir profesores y sanitarios. Que se despida a sí misma, clamaba un mensaje enfurecido contra ti. Otros te llamaban traidora, funcionaria durmiente y obesa.

–No sé si voy a poder con todo esto.

–Vamos, Amelia, no exageres. Acuérdate de que la

maledicencia desde tiempos inmemoriales es una estrategia cotidiana, no hemos cambiado tanto desde Cicerón.

–Sí, pero ahora la maledicencia corre a la velocidad de la luz y no a pequeños saltos de oreja como antes.

–Y me lo dices tú, que pretendes recorrer el país en tres semanas, como si ese tipo de viaje tuviera hoy algún sentido práctico.

–Hay que estar cerca de la gente, Basilio, precisamente para pelear contra esta civilización de la distancia en que nos ha tocado vivir.

–Vaya, no pensé que esta gira tenía como misión salvar a la humanidad, creía que solo aspirábamos a ganar las elecciones. Si me lo hubieras dicho, me habría quedado en casa. Odio trabajar en balde.

–No te pongas estupendo conmigo...

Fuimos a dar entre las obras de un complejo hotelero. La ley hace años que se corrigió para impedir que los políticos pudierais inaugurar obra pública cerca del periodo electoral, así que se busca en el sector privado algo que provoque el mismo efecto. Al parecer aquel complejo en la zona protegida del Cabo de Gata daría trabajo a población local y cabida a más turistas, lo que resultaba siempre una propaganda bien amada por mis queridos niños. Nos sirvió para atacar a la Cachorra, que había dicho en días recientes que el modelo turístico español debía someterse a revisión y se había opuesto a conceder licencia al complejo hotelero en ese lugar virgen.

–Aspiro a recuperar los ochenta millones de turistas que nos visitaban cada año antes de la crisis. No quiero que se busquen otro sitio para pasar sus vacaciones, esa imbecilidad dañina se la dejo a mi rival. A mí me encanta España y entiendo a los que les encanta España. Somos tan atractivos como destino que tenemos que gestionar bien las entradas de extranjeros. No se olviden de que los inmigrantes nos eligen como el octavo país favorito para venir a instalarse. El octavo en todo el planeta.

Y pusiste mucho énfasis en esa reiteración final. Los electores votaban ilusión. Denunciamos que para fundar una empresa se necesitan mil días de trámites, que aquí hay más gente para sellarte una solicitud que para atender un parto, que aquí la administración te manda a resolver tus asuntos por correo electrónico mientras los funcionarios se hartan de cafés con leche, que aquí los cuerpos policiales pasan más rato de su jornada rellenando papeleo que vigilando las calles. Es bien fácil atacar al sistema incapaz en el que nos movemos. Me lo tomaba como un juego. Llevaba años haciéndolo con mis artículos. A Carlota y a ti os encantaba que introdujera en los discursos una serie de datos demoledores. Cada día hay un millón de españoles que dicen que no pueden ir a su puesto de trabajo porque se encuentran indispuestos. Tenemos más liberados sindicales que trabajadores de verdad. Las empresas públicas tienen un 25 % de directivos más que las privadas. Esas eran las líneas que te hacían salivar cuando las incorporaba a tus parlamentos.

Luego sufrimos el incidente aquel cuando el levante comenzó a soplar y derribó una parte del tenderete que habían montado los de la constructora para el acto. Por desgracia, uno de los fotógrafos presentes captó el momento en que una pieza de cartón te golpeaba en la cabeza sin daños mayores. Era un edificio futuro que se precipitó sobre tu nuca. La foto, claro, fue portada de *Pis&Caca* a las pocas horas con un titular feo que venía a decir que era tu campaña la que se estaba viniendo abajo. Las alarmas se encendieron en la sede de Los Cuervos. Candi se dedicó a llamar a todos los teléfonos de la caravana.

–Tenemos que reaccionar, eso del bajo perfil nos está perjudicando.

Carlota había defendido en las reuniones previas que mantener un bajo perfil facilitaba la defensa frente a los latrocinios del partido en las épocas anteriores, que era el flanco por el que te atizaban los rivales. En la televisión te empezaron a llamar la Candidata Quién? porque salían a preguntar por la calle y nadie te conocía. Junco era partidario de salir al ataque. Le había molestado un vídeo que había hecho circular Juan Veloz, el asesor digital del Santo, en el que sobre tu imagen como ministra se repetían las causas abiertas en los juzgados a otros miembros del último gobierno de tu partido. La frase final decía: Ella ya estaba allí.

–Hay que contrarrestar esta campaña, hay que sacar el lanzallamas, si salimos a luchar con prudencia por taparnos las vergüenzas nos derrotarán sin pelea.

Con ese argumento de ataque, Junco había logrado convencer a Candi y a Pili Cañamero para recortar de otras partidas de la campaña y primar la inversión en publicidad digital y dirigirla por una diana de intereses. A mí me pidió que trabajara en reforzar a la candidata. De hecho me mandó un mensaje de móvil escrito en letras mayúsculas que decía: REFORZAR, REFORZAR, REFORZAR. Era así de pueril todo. En su departamento habían creado perfiles públicos de personas inexistentes que hablaban bien de ti, que mostraban simpatía por tu candidatura. En uno de los vídeos, una joven sostenía que eras la profesora que había cambiado su vida, otro hablaba de la importancia de tu paso por el ministerio y otro hasta se congratulaba de tu preparación intelectual. Me temo que esas cosas poco iban a hacer en tu favor.

10. Granada

No es habitual que sueñe por las noches. Me acuesto demasiado tarde para llegar a tiempo a esa fase desinhibida y caprichosa. Duermo por necesidad. Mi fase REM es la de un delfín. Pero la noche anterior en Murcia había soñado con extremada claridad algo que me desazonaba. Yo era tú. Me presentaba en un mitin electoral en el Camp Nou de Barcelona. El estadio estaba abarrotado. Tú, aunque en el sueño en realidad eras yo, te veías empujada a salir a hablar, pero la gente no te esperaba, sino que había acudido para ver un partido de fútbol. Las gradas a rebosar me insultaban, te insultaban porque eran insultos a ti aunque los recibiera yo, te lanzaban desprecios hirientes, pero entre el griterío los organizadores me empujaban hacia al micrófono posado en el círculo central y no me quedaba otro remedio que comenzar a hablar. Al despertar recordaba solo una frase de mi discurso. La política es el aceite de la convivencia.

Brillaste en el acto universitario en Granada. Puede que ahí residiera el malentendido de tu candidatura. Todo comenzó aquella mañana en que te humillaron pintándote de rojo spray. Ahora eras tú la estrella de un circo que te superaba. Los alumnos te hicieron preguntas idiotas que respondiste con idiotez pareja, lo cual produjo un encantamiento general. Yo te había escrito una bienintencionada parrafada.

–Durante mis años de profesora siempre he oído a la gente criticar a los jóvenes, que si cada vez saben menos, que si cada vez son menos esforzados, tienen menos criterio, menos educación. Pero yo conozco la verdad, sois lo mejor del país, sois la esperanza de mejora y voy a apostar fuerte por vosotros. Yo no necesito ir a una casa de juego a ver si acierto y gano una fortuna, yo sé que la fortuna de este país reside en apostar por vosotros.

Gustó. A mis queridos niños, incluso en la edad más crítica, nada les parece tan adecuado como ser adulados. La clientela exige tener la razón. Lo extraño es lo que sucedió a continuación. Tomaste un poco de impulso y dijiste fuerte y claro algo que me sorprendió.

–La política es el aceite de la convivencia.

¿Acaso entrábamos en un cuento gótico de identidades compartidas? Yo no te había comentado nada del sueño. Te lo confieso ahora. Supongo que te hará reír, pero me perturbó mucho.

Arroba estaba decepcionado por el acto.

–No tenemos nada que rascar en la universidad y menos en la privada católica. Es un territorio que ya es favorable a Amelia. Y ni siquiera tiene interés visitar esta provincia. Los siete diputados ya están decididos en esta circunscripción.

–A mí qué me cuentas, yo no he planificado la campaña.

El acto estaba organizado en un centro clerical y era un pago a la jefatura cardenalicia a cambio de su nada sutil apoyo electoral. Los obispos habían hecho público un manifiesto en el que pedían el voto para los partidos que defendieran el derecho a la vida y la tradición católica. No hacía falta recordar a nuestros queridos niños que nosotros éramos un partido de orden y que el dios católico estaba de nuestra parte, pero el general Cojo participaba en la celebración de la toma de Granada que se festejaba en recuerdo de la Reconquista y solía decir que el momento más brillante de nuestro país coincidía con el reinado de los Reyes Católicos. Formaba parte de una estrategia internacional de partidos reaccionarios, reivindicar algún momento glorioso de su nación para contrastarlo con la penuria actual. Mis queridos niños se tragan camelos así sin cuestionarlos. Pero nosotros no podíamos permitir que nos saquearan votos en esa demarcación. Remachaste tu filiación de creyente y la defensa de la familia española por encima de cualquier otra opción, como si los españoles pudieran liberarse de la familia española como se libran los norteamericanos de su familia norteamericana en cuanto llegan a los dieciocho. Fue muy comentada una foto durante tus meses de ministra, cuando saliste con velo y mantilla en una procesión y elogiaste el valor cultural de esos eventos. Aún no te conocía en persona, pero no puedo negar que vestida de esa guisa despertaste un erotismo perverso en mí.

Hablaste con la ciudad a tu espalda, parecía un posado de campaña de turismo. Pero el goce duró poco, porque al minuto Carlota recibió una llamada de Cándido desde Madrid y noté cómo se le torcían sus facciones de niña mona. No he visto nada, no he visto nada, repetía pillada en falta.

Nos refugiamos en un café para que nos informara. Teníamos un problema. *El Mal* contaba en un avance digital que Amelia Tomás era propietaria de un piso en Madrid que alquilaba ilegalmente. Sin contrato, el inquilino pagaba las mensualidades en dinero negro. Lo cual no era un delito demasiado grave, pero enfangaba la imagen de ajena a la corruptela de tu partido sobre la que se propulsaba tu candidatura. El Mastuerzo se había visto en apuros por haber tenido una empleada de hogar sin contrato varios años atrás y la prensa hurgaba en cualquier doblez de vuestro pasado.

Aprecié tu cara de espanto. No pensabas que Los Miserables escarbarían hasta tal detalle en los registros. No les culpo. A mí nadie me daría nunca el Pulitzer, pero había sacado más información de registros de la propiedad, administración de sociedades y liquidaciones paralelas de la agencia tributaria que de cualquier garganta profunda. Aquí durante años la corrupción era tan impune que se ejecutaba con facturas numeradas y transferencias bancarias. Miré palidecer tu cara fatigada y cómo Carlota se alzaba sobre ti con una sombra de águila. Estaba en peligro tu estampa limpia, la que habían elegido en el partido porque no encontraban ya a nadie que no estuviera manchado de corruptelas. La idea de Cándido, bien lo sabes, era usarte como la pequeña modificación que permite dejarlo todo igual.

Eso no es así, comenzaste a balbucear. Costó entenderlo del todo. Aquel era tu piso de soltera en Madrid, que compraste con la ayuda de tus padres siglos atrás. Cuando te casaste con el momio, después de la laboriosa anulación de su matrimonio anterior, terminasteis por comprar un piso más grande y céntrico y desde entonces alquilabas tu piso original cerca de Reina Victoria. Jamás lo hiciste de manera legal, pero hace años lo pasó a ocupar tu propia hija. Ahora vivía en él una amiga de tu hija. Pero ante las preguntas inquisitivas de Carlota reconociste que la chica te giraba una cantidad mensual sin contrato de por medio.

Te miramos todos como si fueras idiota profunda. Especialmente Carlota. Te preguntó por qué jamás lo habías comentado cuando los abogados del partido te habían sometido al control radiactivo, esa entrevista donde te ofrecen la oportunidad de contarles todo aquello de lo que te avergüenzas en tu vida y que quizá puede ser usado contra ti al entrar en campaña. Me hubiera gustado estar en ese secreto de confesión, preguntarte si en tantos años de casada atesorabas infidelidades o perversiones. Lo dudo. Había algo en ti de serenidad beatífica.

–No pensé que fuera algo importante, como mi hija es la que lo gestionó... –te justificaste.

Sonia es tu hija. Me hablaste de ella el primer día, estudia una especialidad incomprensible de la Física Cuántica en Boston.

–Tenemos que contactar con ella de inmediato –ordenó Carlota, y aquello te asustó. Ya sospechaba que la distancia entre tu hija y tú no era solo geográfica.

–Nos basta con que tu hija diga que el piso es el que ocupa cuando viene a España, pero que se lo ha cedido a una amiga mientras está en Boston.

–Lleva tres años en Boston. Ella no sabe nada. –Preferías que Carlota dejara al margen a tu hija.

–Da igual. Vendrá en vacaciones, en Navidades, ¿no? Es el piso de tu hija y punto.

–El problema es que la otra chica te paga con una transferencia bancaria cada mes, ¿no? –Ahora era Tania la que afrontaba las dificultades para justificarlo.

–¿Una transferencia? ¡No me jodas, Amelia!

Carlota enfadada daba miedo. Era otra Carlota. Era una Carlota de efectos especiales, porque de los ojos salían chispas y sus mejillas adquirían un color rojo vivo.

–Lo primero es decirle a esa tipa que cancele la transferencia. Tania, vamos a hablar con el banco, que no se les ocurra dar ninguna información. ¿Qué banco es?

Nombraste uno de los grandes bancos. Hasta en eso eras previsible, no ibas a guardar los ahorros en alguna entidad furtiva o minoritaria. Era tu forma de vivir en la seguridad. Tenías el don inmarchitable de la previsibilidad.

Carlota se tranquilizó, tenían línea directa con los directivos del banco, algo podría hacerse. Quería saber si tu hija tenía confianza con su amiga, la actual inquilina.

–No sé –acertaste a contestar.

Hubiera sido mejor que te preguntara si tú tenías confianza en tu propia hija. Me temo que habrías contestado con idéntica imprecisión.

–Dame su número, deja que hable yo con ella, tranquila, yo me encargo.

–Pero está en Boston, Carlota, su horario allí es distinto. Habla con mi marido, que la llame él.

–Su horario allí ahora no importa demasiado, Amelia. Y esto hay que afrontarlo ya. ¿No te das cuenta?

Todos vimos algo sombrío apoderarse de tus ojos brillantes, las pestañas te pesaban el doble. Estabas herida. Siempre es feo mostrar la vida privada al ojo público.

Ay, Amelia, hasta los más desinformados saben que la política es para los políticos, porque ellos tienen la piel dura y el corazón de amianto. Aceptan el castigo. El escrutinio no les aterra como a los demás mortales. Me dio pena verte allí sin querer revisar la información actualizada del periódico en tu teléfono. Como si no leer lo que publicaba *El Mal* fuera a hacerlo desaparecer. Carlota se reivindicó como imprescindible. A partir de ese instante, el asunto quedaba en sus manos.

–Hay que irse a Málaga cuanto antes, ya.

Ni los obispos ni las vistas ni los siete diputados por Granada importaban en ese instante un carajo. Saltamos al autobús como un grupo de excursionistas tras una riña.

11. Málaga

Antes de entrar en la ciudad nos desviamos hacia los estudios de la televisión andaluza para que participaras en un programa de tarde que era descerebrado y relajado. Todo era lúdico y te permitía mostrar un perfil cordial. La presentadora, que era guineana y bellísima, aunque hablaba como una pija adorable, te preguntó por tu matrimonio desigual. Me hizo gracia oírte.

–Tu marido te saca veinticuatro años. Casi una vida. Y además fue tu profesor.

Sí, un veterano catedrático de Historia al que conociste con veinte recién cumplidos y con el que te casaste antes de terminar la carrera. Hoy también algo así sería considerado amoral. El mundo está en manos de censores, y hay que proteger a mis queridos niños de los traumas de la verdad carnal.

–¿Cómo se lleva una pareja con esa diferencia de edad?

–Ninguna pareja es perfecta, a veces las diferencias ayudan, porque no se viven las crisis de manera simultánea. No sé si me explico. Mi marido ha enriquecido mi vida desde el día en que lo conocí, es alguien tranquilo, sabio, decente...

Apenas te pregunté por tu marido y lo que contabas de él sonaba a monólogo recitado de memoria. Luego supe que en la época en que empezaste a salir con él recibiste una serie de cartas anónimas insultantes. Siempre tuviste la sospecha de que procedían de un oscuro pretendiente dolido por tu traición. Pero esos insultos quizá hicieron más sólido tu compromiso con el que sería tu marido. El momio me resultó aburrido y engreído cuando lo conocí en tu casa. Es un petulante que cita a Jovellanos como si viniera de cenar con él y habla de Velázquez como si le hubiera sostenido los pinceles. En la primera ocasión en que se nos unió en una comida de trabajo, nos quiso seducir a todos con su erudición. Puede que lo lograra con Carlota y los más jóvenes, pero yo me he zampado catedráticos así desde que entré a estudiar. Tiene ahora ochenta y seis años y lo que resulta inexplicable es verte vivir con tu abuelo, por buen aspecto que tenga.

Debió de ser guapo y elegante, pero ahora es un señor gagá casado con una tipa como tú que aún destila ganas de vivir y que se ha quitado el lastre de las exigencias de encima como hacen algunas mujeres al cumplir los sesenta y no ceder a las presiones de lo competitivo. No es goce ni ganas de gozar lo que transmites, porque, te lo confieso, tu erotismo está embridado, das la sensación de tener orgasmos de flauta travesera, tan leves como metálicos. ¿Miento acaso? Con ese tipo de marido, me temo que tus grandes pasiones han sido intelectuales. Que vuestros éxtasis han sucedido en exposiciones y museos, en aulas y conferencias, que cuando llegáis a los hoteles donde os alojan para asistir a cursillos el mayor vicio que os permitís es gozar del champú gratis. Pero lo grave es que el momio actual no te aporta nada y hasta Arroba, que es idiota, cuando le echó un ojo nos advirtió que mejor guardarlo de los medios, era un poco deprimente como consorte. Puede que te otorgara una imagen de mujer ordenada, pero decidimos no pasearlo demasiado porque más que un marido parecía un paragüero forjado pasado de moda que conservas porque era de tus bisabuelos.

No me quiero imaginar lo que significó en tu formación emparejarte con el catedrático. No sé si actuó de Pigmalión, pero me imagino que la primera vez que lo llevaste a presentar a Coágulo, Teruel, tus padres, que conocen las leyes de la naturaleza, se dieron cuenta de que más que casarte tu plan era enviudar. Pero hasta el día de hoy, con tu hija de treinta y pocos en el exilio estudiantil de Estados Unidos, el maridito aguanta y su mojama lánguida es tu desayuno de todos los días.

Sin apenas prestar atención al desarrollo de la entrevista televisiva, Carlota llamó a tu hija, la puso en conferencia con la amiga que ocupaba el piso, fraguaron una entente deliciosa para negar que la inquilina pagara un alquiler. Pactaron una versión que refutaba las sospechas y apuntaba hacia lo contrario, la cesión generosísima de una madre adorable. Hasta Carlota creía que el incidente dado la vuelta podría ofrecer réditos en tu favor si lo manejábamos bien. No era una piedra complicada de levantar y Carlota, que era autoorgásmica, se puso cachonda de ver lo bien que manejaba la crisis. Me obligó a llamar a Correoso de *La Mano Amiga* y que te pusieras al teléfono con él para apuntalar un desmentido con los datos correctos.

–Ese piso no se alquila, está cedido a una amiga de mi hija hasta que ella regrese de Boston con su *cum laude* en Física.

–¿Y la transferencia mensual?

–Eso es distinto, le presté dinero para que se comprara su primer coche. Es íntima amiga de mi hija, de confianza absoluta.

–No todo vale, no todo vale –repetía Tania a cada periodista al que llamaba para expandir la buena nueva.

Arroba seguía desolado. A la foto patética de Almería y a la inutilidad del acto de la mañana en Granada se sumaba el escándalo de tu alquiler, aumentado por la insidia de los rivales. Para la tarde llegaron de Madrid nada menos que Candi y tu marido. Iban a arroparte en la presentación del libro sobre tu vida que había escrito la Paradita. Ni siquiera se habían molestado en ser originales.[10] La portada era tu foto del cartel electoral, el título nuestro lema, y más que aliento literario lo que la Paradita había insuflado al proyecto era su halitosis ñoña.

Mientras presentabais el libro en un salón de actos a rebosar me atreví a leerlo en diagonal y me pareció sublime en su nadería. Reparé en dos frases, en medio de una matraca indecente sobre tus posicionamientos políticos y tu esfuerzo de mujer hecha a sí misma. Al preguntarte por las leyes de defensa de la mujer afirmabas que no te parecía bien que se persiguiera penalmente el piropo, aunque en ocasiones a ti también te importunaba que algún hombre al caminar por la calle te mirara el pompis.

En la cena posterior te lo eché en cara.

–Júrame que la palabra «pompis» no ha salido de tu boca, que es una aportación de la Paradita.

–Sí, claro, yo apenas me he podido ocupar del libro, es una idea de Lautaro para potenciar el marketing.

Y la segunda frase que me sobresaltó rozaba tu vida íntima y familiar, tu ejemplar dedicación de madre y catedrática, esposa abnegada y pensadora oculta. Venías a decir que en tu carrera profesional la familia no había sido un freno sino un estímulo, incluso entre mi marido y yo ha habido siempre una competitividad intelectual bastante sana.

–¿Competitividad intelectual sana?

–Basilio, deja de retorcer cada frase que digo...

–Dos catedráticos que compiten en casa.

–Pues un poco sí.

–Venga, Amelia, no me hagas reír. ¿Acaso miráis juntos *Saber y ganar* y corréis a ver quién contesta antes?

Me apartaste con un manotazo y sin responder. Había demasiada gente en esa cena, organizada por la fundación de Los Cuervos, un tanque de pensamiento rebosante de ánimo de lucro. Aquella noche lo que no tenías era ánimo para seducirme, para ablandarme, para bromear conmigo. Yo me entregué a una bandeja de pescado frito y a negociar con un camarero que me consiguiera un Habano. Cuando me retiré a fumarlo, desvelado, tu libro biográfico me provocó la hilaridad. Por la ventana abierta dejaba escapar mis carcajadas y el humo noble del cigarro. Como sucede siempre, quien escribe no es capaz de retratar al personaje, sino que termina por retratarse a sí mismo. Por todo ello el engendro resultó un autorretrato de la Paradita, que había incorporado sobre tu persona pública toda su cursilería rancia. Uno salía de leer ese libro como de rebozarse en el cubo de basura orgánica de su cocina. ¿Por qué no me pediste a mí que lo escribiera? En dos semanas me habría inventado al menos alguna épica razonable, algún crescendo emocional y una epifanía que todo lo explicara.

12. Cádiz

Me desvelé sobre las cinco de la mañana y consulté la prensa que ya estaba disponible. Luego me quedé dormido de nuevo con esa placidez de la propina bien dada. Tuvo que ser Tania la que me alertara de que ya estaban subidos al autobús. Bajé a todo correr. No sé si alguien me dijo algo, aparte de las risas irónicas. Le pedí a Cuca poder usar la ducha para asearme, pero se burló de mí y dijo que no cabría en ella.

–Es muy pequeñita.

Me desplomé en el asiento y Rómulo me ofreció su termo de café. Era repugnante, pues ya estaba mezclado con la leche y el sabor agrio me hizo sentir que le daba un beso profundo al chófer. Mi gesto de repugnancia pasó desapercibido para Rómulo.

–Se te han pegado las sábanas, ¿eh?

–Lo siento, ayer me quedé enganchado leyendo la autobiografía de Amelia y me pasó lo mismo que cuando leía de joven a Proust. Fue mágico.

Lo dije bien alto para que me oyeras, pero lo primero que encontré al girarme fue la censura de Carlota, que mientras se repasaba con el lápiz de ojos me lanzó una mirada destructiva. En cambio, en ti, percibí la misma maternal ternura de siempre. Para afianzar tu cariño te acerqué mi tableta a los ojos y te dejé leer algo de lo que había empezado a redactar la noche anterior bajo el ímpetu del alcohol.

Refutaba a aquellos que repetían, como tus rivales, que te faltaba preparación para el cargo, experiencia de gestión. Yo sostenía en mi borrador que la política no era una cuestión de oficio, sino de intuición. Cambiaste el gesto, aquello te interesaba.

–Entre pirañas es mejor no ser de carne y hueso.

–Eres deprimente, Basilio.

–Es una de mis virtudes.

–¿Sabes que al único político veterano que conocía cuando me propusieron entrar en política era a aquel viejo ministro de Justicia? Es amigo de mi marido. Pues el día que fui a verle me dijo una cosa. «Te nombran, lo aceptas y cuando llegas a saber lo que necesitabas saber, ya no estás en el cargo.»

–Tiene bastante razón. La política es una máquina de picar carne.

–El consejo me ayudó a aprovechar el tiempo de ministra. Esa sensación de estar ya siendo cesado desde el día en que eres nombrado.

–La actitud correcta. «La vida nunca para...»

–«Ni el Tiempo vuelve atrás la anciana cara.»

Y en ese completarnos los versos del maestro había algo de aquella sintonía de la que te hablaba, ajena a todos los que nos rodeaban en el bus.

En Cádiz estaba programada la visita a un astillero naval que había visto amenazada su supervivencia por la incapacidad de competir con otros países donde los salarios eran de esclavitud. El negocio sobrevivía gracias a un encargo de barcos de guerra para una dictadura árabe, lo cual había sido polémico en su momento. Pero los pacifistas y hasta la izquierda más combativa acabaron por defender que si esa infamia servía para mantener los puestos de trabajo, era más conveniente no ponerse demasiado estrictos en lo moral. Por ese flanco atizamos duro en el discurso, festejando las contradicciones de nuestros oponentes.

Había que ver a esos hombretones que te rodeaban durante el paseo por las instalaciones y a ti algo reducida y frágil entre ellos, con el casco de plástico que te venía grande y te tapaba los ojos al caminar. Cuca te había puesto tacones y el pantalón de traje te quedaba demasiado ajustado, a punto de estallar las costuras del culo. No era raro que te sintieras amedrentada y eliminaras de tus palabras todas las referencias al futuro y la competitividad que te había escrito. Aquella gente lo único que quería era preservar sus empleos. En campaña todos los candidatos iban a garantizárselos, luego el tiempo impondría su ley.

Por eso volvíamos al autobús con la cabeza gacha, como cobardes incapaces de decirle la verdad al interlocutor. Pacheco, uno de los tipos de seguridad, había traído de Madrid unas cajas enviadas desde el partido. Las sacó del maletero del coche y nos asomamos con curiosidad, para ver qué era eso tan urgente que nos querían entregar desde primera hora.

Mi carcajada fue hiriente cuando vimos un cargamento de mecheros con el logo de Los Cuervos por un lado y tu imagen y el lema de campaña por el otro. Los operarios de la naval que nos acompañaron hasta la salida se hicieron con un buen puñado. Yo me guardé uno de recuerdo.

–Si tú no fumas –me dijo Tania.

–Claro que fumo, pero cuando nadie me ve.

Pacheco le entregó la caja de mecheros a Rómulo y le nombramos encargado de repartirlos entre los curiosos que en cada parada se arremolinaban cerca del autobús. Carlota nos informó de que pronto llegarían los bolígrafos, los pasquines y algunos globos. Arroba se escandalizó.

–De verdad que es todo tan antiguo que da grima. ¿En el siglo XXI alguien cree que vamos a ganar algún voto repartiendo mecheros y prospectos?

–Me temo que sobrevaloras el siglo XXI, amigo mío.

Otra idea de Lautaro fue que incorporáramos a nuestro equipo de futuro gobierno a una figura popular en los medios de comunicación. Vivía en la provincia, camino de Sevilla, en una casa modesta y se le conocía con el sobrenombre de Madre Coraje. Sus dos hijas adolescentes habían sido violadas y asesinadas por desconocidos, que habían eludido la persecución policial. La mujer no se resignaba a que las investigaciones se cerraran y llevaba años en su súplica, apoyada por toda la sociedad, pero sin éxitos policiales. Corría el rumor de que tanto el Mastuerzo, como la Cachorra y el general Cojo se habían desplazado en los últimos meses a cortejarla para tratar de incorporarla a sus listas. Pero Cándido sostenía que había logrado un acuerdo con ella.

La reunión fue tensa. Aquella mujer, modesta y envejecida prematuramente por la tragedia, no era fácil de manejar. Yo me había posicionado en contra de jugar con ese material, no conviene hacer de coctelero con nitroglicerina. Aunque eficaz de cara a mis queridos niños, la mujer presentaba aristas arriesgadas. Como así sucedió. La Madre Coraje dedicó los primeros cinco minutos de la comparecencia a criticar a los políticos. Hablan mucho, no hacen nada, me han dejado sola, no dan medios a las fuerzas de seguridad, solo quieren la foto, con su palabrería no me devolverán a mis hijas. Fue tan tremendo que verte a su lado mientras mirabas alternativamente al suelo o al horizonte infinito causaba daño físico.

No parecía llegar el final de su alocución tremendista y dolida. Pero llegó. Y entonces te plantó delante la mano abierta. Como si firmara un pacto de sangre que tú, a esas alturas, no te podías negar a aceptar. Al hablar, Madre Coraje incorporaba palabras de esa jerga de los medios y lo hacía con errores notables. Decía que el abandono de su caso era *fragante.* Que los fondos para la investigación iban cada día en *decrimento.* Que si entraba en la política no era por dinero sino por *finantropía.* Cuando estabas a punto de carcajearte recordabas su drama familiar y te hacía sentir espanto la sombra de tu propia risa. Acudíamos a un reclamo visceral, casi pornográfico. Incorporar a esa mujer a nuestras listas era una indignidad política y, pese a todo, allí estabas tú.

–Vamos a ser los representantes políticos de las víctimas. Y te quiero fichar para dirigir el Observatorio Nacional de Víctimas de la Violencia Juvenil –le ofreciste con timidez.

–Me entregaré de cuerpo entero a aumentar las penas de cárcel, y si hace falta recuperar la pena de muerte. Hay que perseguir a los criminales allá donde se escondan para que paguen por los crímenes que hayan *prepetado.*

Busqué tu mirada y me la negaste. Me la negaste y me la negaste durante los tres cuartos de hora que duró aquel encuentro. Lo entendí como una sutil concesión de que aquello también a ti te resultaba vergonzoso. Que salíamos de aquella casa convertidos en peores personas.

13. Huelva

Más carretera. Más kilómetros. En el autobús hablé con el conductor. Hacerle cómplice de mis reservas de alcohol le concedía una especie de complicidad conmigo que resultaba engorrosa. Su conversación podía calificarse de desastre natural. Rómulo me contó que durante los primeros años en su oficio, cuando tenía otro vehículo más modesto, trabajaba en el transporte escolar.

–Pero me he dado cuenta con los años de que todos los viajes al final son escolares.

–¿Qué quieres decir?

–Ya lo verás. A medida que avance la gira, os iréis comportando como niños en el viaje del colegio. No sé lo que tiene el autobús, es una especie de vuelta a la placenta de la infancia, como un encantamiento mágico.

Pertenecía a esa raza de personas nacidas para el oficio que desempeñan. En la siguiente parada, aunque le fue complicado aparcar el autobús donde correspondía, no perdió los nervios. Yo habría comenzado a embestir a todo alrededor. Tras la maniobra de alta precisión bajamos a la calle. De inmediato una mujer estridente comenzó a gritarte:

–Necesito un trabajo, yo lo que necesito es un trabajo.

En lugar de huir, lo que parecía recomendable, te acercaste a ella y pediste a los de seguridad que la dejaran hablarte. Era una evidente tarada, pero la trataste con cierta maña. Anotaste su número y media hora después se lo pasaste al cabecilla del partido en la zona. Arréglame lo de esta señora, te oí susurrarle. Y entonces pensé por primera vez que te gustaba esta mandanga, que ya le ibas tomando el gusto.

Frente a los empresarios de la fresa y el invernadero hablaste en términos demasiado filosóficos. Lo reconozco, ya en el autobús sospeché que mi material no era el adecuado para ese auditorio. Allí mencionaste por primera vez el concepto de la religión del progreso. Te había pasado un par de textos de revistas francesas porque en ese país el ascenso de la derecha tiene un pie en los rituales del campo y su preservación. A ti te interesó mucho esa aproximación.

–La religión del progreso es la nueva doctrina de la izquierda. Su individualismo cosmopolita pretende destruir los valores ancestrales, entre ellos la vida rural. Nosotros reivindicamos un regreso a lo sagrado, al bien común por encima de las libertades individuales exacerbadas.

Los hombres del campo te miraban con el gesto de asombro. No entendían una sola palabra de lo que les hablabas. Se esperaban el típico discurso sobre la calidad del producto nacional y no un viaje teórico en torno a las ruinas del libertarismo. Por suerte habíamos establecido una serie de ejemplos visuales que recibieron con cierta comprensión.

–La rama de un árbol no puede pretender ser libre sin atender a la raíz que lo ha hecho posible. Vosotros representáis la raíz de este país y en una de mis primeras paradas de mi recorrido nacional quería estar a vuestro lado. La izquierda persigue un rechazo frontal de la autoridad y lo tradicional. Todos los blancos somos racistas, dicen. O permiten por ley que hasta los niños puedan elegir su sexo libremente. Todo eso, descontrolado, nos lleva a renegar de los orígenes, de nuestra esencia. Algo que no podemos permitirnos.

Nos importaba poco entrar a estudiar las condiciones de los trabajadores asalariados y la desigualdad en la región. Teníamos que consolidar nuestro voto y para ello casi lo mejor fue sacar algunos mecheros y empezar a repartirlos.

Te trajeron un carretón de fresones que recibiste con enorme alegría, pero fui yo el único que se adelantó para probarlos. Sabían a agua y plástico. Empezaba a albergar dudas de que fuéramos a comer de manera decente en algún sitio dada la hora que se nos había hecho. Arroba detectó un fresón con la forma de un corazón enorme y se empeñó en hacerte varias fotografías con él.

#En el corazón de la tierra.

De Los Cuervos llegó una nueva consigna. Algunas voces críticas nos acusaban de haber iniciado la campaña antes de tiempo. El Santo se había atrevido a decir en una entrevista que nos saltábamos las reglas del juego igual que tú te saltabas la legalidad en los alquileres. Juan Veloz, que capitaneaba la presencia digital de ese partido, había colgado un vídeo tuyo en un acto con un letrero sobreimpresionado: «¿Le gustan las trampas?»

–Menudo ejemplo para la sociedad –había exclamado su líder–. Ni tan siquiera respeta los márgenes de la campaña.

Para aclararlo concediste a la carrera una entrevista de radio en emisora amiga donde explicaste que querías conocer el país, que lo hacías a contrarreloj y que nadie podía sostener que eso formaba parte de la campaña oficial, sino que era una toma de contacto con la realidad nacional. Los Blanditos habían decidido ponerle un nombre a nuestra gira, a eso que llamábamos la Vuelta a España entre nosotros. A partir de ahora nos íbamos a referir a un concepto prefabricado por ellos: España Regresa. Una nueva pegatina estaba fabricándose para el autobús. Según me rogaban en un correo que de manera pretenciosa tildaban de confidencial y urgente, era primordial que incluyéramos esa expresión, España Regresa, en todas tus alocuciones públicas desde ese momento. Así que me tocó repasar los discursos para incluir esa morcilla.

En el autobús me regodeé de gusto cuando leí la crítica que hacían en *El Mal* de tu libro autobiográfico. No pude resistirme a leerte en voz alta el mejor párrafo: «Los libros de los candidatos se han convertido en una obligación publicitaria. Propician un daño irreparable al memorialismo. En este caso, ni siquiera llega a daño, pues su inanidad invita a leerlo como una entrevista de mesa camilla más que como un estudio personal de Amelia Tomás. Carece de esencia teórica ni talento literario. Se trata de una vida contada a través de un cúmulo de clichés sobre lo que alguien haría si llega a presidente del gobierno algún día.»

–Y lo mejor es el colofón: «Me temo que será menos complicado que Amelia Tomás logre presidir el gobierno que algún lector pueda leer este libro de principio a fin.»

Carlota me gritó desde la otra punta del bus.

–Bueno, basta ya, parece que hubieras escrito tú la reseña, de la mala leche que destila.

Entonces, sin preguntar más, me di cuenta de que esto del libro de la Paradita era también idea de Carlota, en su nubecita de cálculo electoral le había parecido, seguro, una gran idea. Me eché a reír y con un mensaje felicité a Lolo Prados por su reseña. Aunque en gran parte la había escrito yo, tuvo a bien firmarla en mi lugar. Para eso están los amigos. Espero que me disculpes estas frivolidades.

14. Sevilla

Tania distribuyó durante el trayecto las cajas de pizzas y la sensación de derrota se apoderó de mí. Salíamos de una región en que las gambas, las coquinas, el jamón, la mojama y el ajo-gañán cobraban categoría de experiencias sublimes y yo me veía condenado a una pizza fría en la que cuatro quesos competían por ser el más barato e insaboro.

–Esto es una blasfemia, Tania, ¿cómo podéis tratarnos así?

–Lo siento, pero no tenemos tiempo de parar en algún sitio.

Cuando me terminé la caja de fresones, me senté junto a Rómulo para estudiar la carretera y le indiqué un lugar que recordaba en la ruta hacia Sevilla. Fue una parada técnica, pero al menos me hice con una caja de pestiños y mandé otra al minibús de prensa que nos seguía. Los dulces corrieron por el autobús hasta cambiar la cara de penuria de todos los convocados allí. Incluso la imbécil de Cuca, refinada y melindrosa, se manchó las manos de azúcar y soltó un alarido de felicidad.

–Qué cosita más rica.

Estos detalles me ganaron la admiración de Rómulo, que era uno de esos hombres que valoraba las cosas terrenales.

–Las penas con pan son menos.

–Eso es, eso es, Rómulo.

Al entrar a la ciudad nos desviamos hasta un hospital cuyas instalaciones estaban en franco deterioro y frente al que podíamos escenificar una renovación de infraestructuras y la apuesta decidida por la sanidad pública. Soltaste tus jeremiadas al recorrer los pasillos mugrientos y dejar constancia de que las máquinas de aire acondicionado de las habitaciones eran objetos antediluvianos, las sillas acolchadas estaban rotas y desguarnecidas y los demás elementos del mobiliario producían una enorme tristeza.

–El hospital se muere, cómo vamos a salvar a nadie aquí dentro –dijiste en un exceso dialéctico.

Ese lugar había sido grabado por los pacientes, que se

quejaban del estado de las habitaciones y las salas de espera y lo habían denunciado en las redes. Para nosotros era como visitar el campo de batalla que aún remitía a la crisis sanitaria. Teníamos claro que uno de los apelativos de toda campaña para atraer el voto pasaba por recordar el abandono, las catástrofes, los dramas, y presentarse como salvadores, solucionadores.

–Nunca más, nunca más queremos ver esas imágenes que nos conmovieron a todos. Nosotros vamos a cambiar la gestión, vamos a salvar la sanidad en este país.

Nos dio el tiempo justo para pasar por el hotel y recapitular antes del acto de final de tarde. Junco desde Madrid había vuelto a mortificar a Arroba con nuestro pésimo rendimiento. Juan Veloz le estaba ganando la partida y eso le sacaba de quicio. El partido del Santo contaba con un ejército de voluntarios que colgaban vídeos en las redes, muchos cargados de humor. Algunos hasta eran divertidos, como el de un farmacéutico que mostraba el surtido de pastillas para dormir del que disponía y al final sacaba tu libro biográfico y lo anunciaba como el producto más infalible para atrapar el sueño.

–¿Y nosotros? ¿Dónde está nuestro ingenio? –preguntó Junco.

–Bueno, yo no estoy contratado para hacer chistes, creo...

Carlota había recibido la reprimenda de un Candi que cada vez tenía más claro que si llegábamos tan cortos de fuerzas a la campaña nos precipitaríamos hacia la hecatombe. Carecíamos de potencia evocativa y todos los pequeños éxitos provenían de los vídeos que Junco y Lautaro hacían correr desde sus bases. Nosotros, según su estudio, no aportábamos nada pese al esfuerzo de kilómetros.

Nos enseñaron una grabación emotiva de una niña enferma que confiaba en ti para mantener su tratamiento. También el de un jubilado que se preocupaba por la pensión, con la que decía sostener al resto de su familia. Eran piezas emocionales que circulaban sin demasiado eco pues sonaban a prefabricadas por publicistas truculentos. También en cuanto comenzara de manera oficial la campaña se iba a lanzar el primero de tus spots promocionales y nos llegó la última versión montada y musicalizada. Me resultó grotesco verte pasear por un túnel camino de la cámara mientras sonaba la manida melodía de Arvo Pärt y se escuchaba tu voz.

–Es la hora de salir del túnel, de abandonar la oscuridad...

Cuando alcanzabas el primer plano sonreías y se iluminaba tu cara con una luz cálida y renovada.

–Quiero ser la mujer que necesitas.

Cuca y Tania aplaudieron porque se sentían obligadas a hacerlo. Yo no había participado en ese crimen audiovisual, así que me mantuve escéptico. Carlota nos enseñó los vídeos que habían presentado algunos de los rivales. La Cachorra se rodeó de gente humilde de barriada en una escena en la que se cogían todos de la mano con una sonrisa que provocaba espanto. El Mastuerzo era más ladino, y se había disfrazado de médico en la consulta. Llegaban diferentes enfermos y le ponían al corriente de los males que afectaban al país. Paro, separatismo, corrupción, fracaso educativo y otros tópicos manidos. Para todos ellos él tenía un remedio de médico de cabecera. Era grotesco pero eficaz.

Carlota me explicó que preparábamos una expansión publicitaria millonaria para la semana siguiente. El general Cojo aún no había lanzado un vídeo, pero seguía haciendo correr imágenes de su época militar sacada de grabaciones de televisión. Daba miedo verle junto a las tanquetas y en los desfiles marciales.

–Yo creo que esto no es legal, no es legal usar recursos del Estado en su campaña.

A Carlota le gustó mi crítica. En los días siguientes cargamos contra ellos por eso y tuvieron finalmente que retirar las imágenes en lo que consideramos una de nuestras primeras victorias. Más tarde harían circular una entrega en vídeo del general Cojo sobre un jeep descapotable. Así no se le veía renquear y se transmitía la idea de líder militar. La bandera española ondeaba junto a su careto, pero lo mejor eran las letras obscenas que irrumpían en pantalla y hablaban de la vergüenza de un país que no se defiende con orgullo, que es humillado por enemigos y vecinos.

El Santo confiaba más en su palabrería de inspector fiscal antisistema y se había grabado una torrija insufrible en primer plano donde le mostraba a la gente que se desvivía por conceptos inabarcables como solidaridad, libertades, respeto a las minorías.

–Hay que estar atentos a lo que hace Juan Veloz. En redes están arrasando.

–¿Se llama así o es un mote?

–No lo sé.

Tenía que ser un mote, aunque Arroba no me lo pudiera confirmar. Estudié más a fondo a ese asesor del Santo y descubrí que tenía las piernas paralizadas por un accidente de moto y usaba silla de ruedas. ¿Lo de Veloz era un chiste o qué? Antes de trabajar para la candidatura había disfrutado de cierta reputación al otro lado de la ley, como un habilidoso salteador de caminos virtuales. La frase que coronaba su perfil decía así: Que nada te pare.

Cuando al fin pude sentarme contigo a repasar los papeles de trabajo y aislarnos de toda la torrentera de estupideces, volvimos a invocar aquella idea tan repetida de Lakoff por la que mis queridos niños confiesan que votan más en función de su identidad y sus valores que por sus intereses. Al parecer era la madre inspiradora de ese lema de España Regresa que ahora teníamos que repetir en cada estación.

–Adaptemos el discurso a la gente. Alguien de derechas puede exigir mayores penas para los delincuentes, pero que dejes fuera de la persecución comportamientos que ellos no consideran reprobables como beber al volante, fumar en espacios públicos, dar una cachetada a un hijo. En cambio alguien de izquierdas, que está a favor del progreso como concepto, reivindica todo el rato elementos conservadores como la ecología, el respeto a las minorías históricas, los edificios antiguos, el mercado tradicional.

–Se trata de colocarnos en el espacio que nos beneficia en función de cada uno de los grupos.

–Eso es. Tenemos que dar con nuestra brecha de entrada.

–Exacto, la brecha. ¿Conoces la paradoja del artista plástico?

–No.

–En Estados Unidos se llama así a una idea que acuñó Roy Carlton. Preguntas a un artista plástico, un pintor, un escultor y te dirá que el arte no tiene fronteras, que es universal, que la creación no tiene nacionalidad. ¿Vale? Un minuto después reclamará ayudas para los artistas del país, cuota de compras de los museos para pintores locales. Es como un pastel de dos sabores que, en vez de cortarse de manera vertical para incluir las dos capas, obligamos a cortar de manera horizontal, cada cual con su sabor.

–Me gusta eso de que todos llevamos a un conservador dentro. ¿Es tuyo?

–No, se estudia en Biología. Se llama instinto de conservación de la especie.

–Me encanta, Basi, me encanta.

Fue la primera vez que usaste un diminutivo que jamás ha usado nadie conmigo salvo mi madre. Me gustó.

Nuestra mayor preocupación para el mitin sevillano era encontrarte un tono gracioso. El buen humor es una manera directa de transmitir a quien te escucha la idea de que estás a gusto contigo misma.

–Si consigues que yo haga reír al auditorio, habrás conseguido un milagro.

Lo dijiste con un cierto aire de fatalidad.

–Nunca he sido graciosa.

–Pues vamos a reírnos de eso, ¿vale?

Construimos un inicio de discurso casi a la manera de un monólogo cómico. La situación era la siguiente. Los analistas del partido te habían pedido que fueras graciosa en Sevilla y tú confiesas a la audiencia que estás aterrada, porque no eres graciosa y los sevillanos tienen fama de ser muy salados. Así que cuentas que te has puesto a ensayar chistes y nada, que no te ves graciosa. Un chiste se sabe contar o mejor es callar. Y luego les dices que has probado con algunas anécdotas y otros chascarrillos. Tampoco funciona. Así le vas comunicando a la gente tu frustración, tu incapacidad. Llegas incluso a ponerte un programa de chistes de la tele andaluza a ver si puedes repetir alguno en el mitin, pero nada, que no es tu estilo. Tratas de copiar a tus rivales, que se han puesto muy chistosos y estupendos últimamente.

–Entonces me di cuenta de que a lo mejor lo que necesitáis no es a alguien gracioso y chispeante, sino a alguien que trabaje honradamente, con esfuerzo. Esa es la mujer que necesitáis.

Funcionó, porque funciona hacer humor de la impotencia, al fin y al cabo las mejores risas salen de ver al de enfrente pugnar por lograr algo que no consigue. Pero más importante aún, como te expliqué, el humor es una virtud que no se requiere al líder, porque provoca también desconfianza, así que vender que eres incapaz de hacer reír, de jugar con la burla, al mismo tiempo te afianza como una candidatura de sobriedad y rigor.

Al terminar el acto Carlota te pasó el teléfono para que hablaras con tu hija. Ella seguía en Boston pero todo apuntaba a que iba a colaborar en la trama explicativa sobre tu alquiler. Se iba a distribuir en los medios para tratar de apaciguar el escandalillo que seguían agitando tus rivales. No podía oír lo que hablabas por teléfono, pero alcanzaba a ver tu gesto de pesadumbre, que te duró camino del hotel y en el modo en que me dijiste que no tenías ganas de salir a cenar.

–Tú que puedes, hazlo.

Por fortuna la noche sevillana me iba a resarcir de tanta mediocridad laboral y de ese tono vital que nos había atrapado. Conocía algunos locales con encanto y guié a Tania por Triana. El tipismo no falla. Ella lo miraba todo con entusiasmo y en varios momentos nuestros ojos se encontraron con la promesa de que podríamos llegar a más.

–Tengo la sensación de que Carlota me ha puesto la proa y quiere acabar conmigo.

Se lo confesé cuando la vi terminarse su segunda copa. Yo había bebido por acompañarla, sin miedo a desvelar mi borracho oculto.

–Va en su carácter. Carlota es así, necesita imponerse, pero luego es muy buena persona.

–A veces pienso que su madre la concibió con un palo de escoba en vez de con un marido. Estirada es poco.

Tania se echó a reír con el estruendo de un cañón de confeti.

–Me gusta cuando bebes, te pones muy gracioso.

–Solo bebo cuando estoy con gente en la que confío. Delante de Amelia no me atrevo.

–No, mejor que no lo hagas. Ella es muy seria.

–Demasiado seria.

–¿Y delante de mí sí te atreves?

–Contigo me atrevería a hacer muchas cosas.

Si su tez bronceada hubiera permitido el rubor, habría sido un bonito espectáculo. Sin embargo, se limitó a mirar la hora en su reloj digital y dejar entrar la puñetera realidad en la feliz atmósfera del tablao.

–Creo que será mejor que nos retiremos. Mañana será un día duro.

–Buenas noches, Tania. Te invitaría a tomar la última en mi cuarto, pero soy muy estricto con eso de no mezclar el placer con el trabajo.

Tania se echó a reír.

–Eres muy cómico, ¿lo sabes?

Colocó su tarjeta junto al mecanismo de apertura de la puerta. Tania tenía esa extraordinaria capacidad para convertir en eróticas hasta esas acciones cotidianas. Incluso el número de habitación 219 me resultó pornográfico.

–Lo bonito de la tensión sexual no resuelta es no resolverla, ¿no crees?

Y abrió la puerta de su habitación con la tarjeta y yo me quedé en el lado equivocado de la historia una vez más.

15. Córdoba

No sé muy bien por qué clase de paranoia en el autobús empecé a sospechar que aquel día sería despedido. Carlota nos había anunciado que Candi bajaría de Madrid en el Ave y pasaríamos a recogerle antes de ir al primer acto de la jornada. Ese viaje inesperado del superjefe me aterraba. Cuando le dieron las indicaciones a Rómulo percibió mi cara de preocupación y me susurró otra de sus originalidades.

–Donde manda patrón, no manda marinero.

–No, Rómulo, no, eso parece.

Ya durante la presentación de tu libro en Málaga había notado la mirada censora de Cándido sobre mí. Fue cuando dejé escapar un bostezo de hipopótamo en mitad del parlamento de la Paradita. Pero más allá de eso, reconocerás conmigo, Amelia, que hasta ese momento nuestro recorrido había sido un desastre. Si hubiéramos presentado un ficus a las elecciones habría tenido más brillo. Además, durante la noche había dormido en mala postura, con el brazo metido debajo de mi culo, y los músculos doloridos presagiaban tormenta.

Arroba había recibido el informe del día y las alarmas estaban disparadas. El grado de desconocimiento de los electores sobre tu persona se mantenía estable. En los programas de humor bromeaban cada día más con ese aspecto de candidata fantasma, en una cadena te llamaron «Esa señora que ni siquiera conocen en su partido». La red de impactos nos dejaba en última posición en varias de las aplicaciones más usadas en esa tela de araña de comunicaciones que mezclan lo privado y lo público sin rubor. Hasta el general Cojo lograba algunos momentos de épica absurda que provocaban el entusiasmo en sus filas. De todas las ideas fuerza que nos habíamos marcado como prioritarias en esa previa al comienzo de la campaña no habíamos logrado imponer ninguna como conversación nacional. Según Arroba, solo fuimos los más vistos cuando se te cayó encima el edificio de cartón en la presentación del proyecto inmobiliario de Almería.

Nos detuvimos en el aparcamiento de la estación de Santa Justa y esperamos diez minutos a que llegara Candi. Subió al autobús sin saludar a Rómulo, porque era de esos que no reparaba en los inferiores. Traía consigo la peste habitual a colonia y fijador. Le seguían dos escoltas de la cantera, que eran jóvenes imitadores de su apostura y altivez. Cuca te estaba probando una blusita en la parte de atrás, así que nos pusimos en marcha sin que hablara contigo y vino a mi asiento acompañado por Carlota. Candi balanceó la cabeza varias veces con gravedad.

–¿Estás mirando los análisis, Basilio? Esto es grave, no despegamos.

Teníamos un acto de militancia en el pabellón de deportes. Allí los de montaje habían preparado un círculo en la pista deportiva con sillas en formación concéntrica y me recordó a una muy poblada sesión de terapia de Candidatos Anónimos. Los analistas electorales te habían preparado una tablilla con los seis temas que inclinaban el voto en la provincia a nuestro favor. Había que posicionarse en contra del tranvía local, a favor de la fiesta de los toros, en defensa de la reforma limitadora del aborto, contra la ley de memoria histórica antifranquista y ser hipercrítico con la gestión autonómica para reclamar la recentralización de servicios. Es decir, tocaba inclinar la vela lo más a la derecha que se pudiera sin caer en el extremismo que ya ocupaban el general Cojo y sus huestes. Algo así como untar la tostada con mermelada pero por el lado de abajo. Yo tenía poco que añadir a esa estrategia de equilibrismo, pero se me dieron bien las bromas despreciativas, unas ironías afiladas que por desgracia no te encontraron en tu mejor día de oradora.

No pude dejar de mirar a Candi mientras hablabas. Estaba sentado en la primera fila, pero aun así no sonreía ni asentía, más bien se esmeraba en mantener el rostro tenso. Varias veces se pasó la mano por el cabello grumoso, como hacen esos chulos antes de soltar un bofetón. Lo mejor era encarar la crisis sin esconderse. Fui a sentarme a su lado en cuanto los lameculos locales dejaron un hueco libre.

–Si no despega es porque no tenemos energía. Los discursos que nos llegan de Madrid son morralla, no hay manera de darles vuelo. Necesitamos algo más contundente.

Me miró como si me viera por primera vez, pero le gustó lo que oía. Poco menos que vine a decirle que su decisión consistía en elegir entre la Paradita y yo, nuestros discursos eran incompatibles. En su nada modesta opinión el problema no era tan sencillo. Me lo explicó.

–Amelia es una oradora pobre, no entusiasma a la gente.

–¿Y qué vas a hacer, despedirla y fichar a Churchill?

–Y por qué tendría que elegirte a ti sobre otros autores de discursos de más confianza en la casa.

–Porque de allí ya sabes lo que sale. Aunque no lo creas me he leído el libro que habéis perpetrado sobre Amelia. Algo más de talento tengo, de verdad. Mejor que esto, mejor que los discursos que nos envían cada mañana.

Bastaba escuchar la alocución en que andabas enredada, capaz de dormir a todos los rebaños de la comarca.

Hubo una larguísima procesión de manos estrechadas y fotos con militantes hasta que conseguimos dar por terminado el acto. Candi decidió que se volvía a Madrid. Utilizaba el Ave como los demás mortales utilizamos el metro. Seguramente ahí empezaba su distancia radical con el mundo real. La última vez que Candi pisó el vulgar terreno que pisa el pueblo fue seguramente cuando se sacó el carnet de conducir, en esos exámenes que convocan a todos los estratos sociales por un accidente administrativo que ya nunca se repite en el resto de la vida hasta quizá la UCI de un hospital público.

Nuestro hotel estaba en las afueras de la ciudad. Resultaba una condena comer allí y abandonar la idea de ir a los viejos callejones junto a la catedral y degustar un salmorejo con unas olivas. Me había atiborrado a bocadillitos de pan blando durante el acto en el pabellón, así que no tenía hambre, pero me fui al bar para encadenar un par o tres de cafés. Cinco minutos después aparecisteis por allí uno tras otro.

En los noticiarios el asunto de tu alquiler quedaba lejos de solucionarse. Iba enredándose más y más cada hora que pasaba. Una de las razones de la visita relámpago de Candi era dejar claro que ese asunto tenía que solucionarse de manera inmediata. Y eras tú quien tenía que salir del atolladero por tus propios medios. Tania te tranquilizaba con palabras amables. Cuca echaba mano de su experiencia.

–Es un ratito, apretar el culete y pasa rápido.

Al parecer había trabajado con un presidente dos décadas atrás que cuando amanecía con titulares en contra por algún asunto, siempre decía lo mismo: A ver si mañana con suerte se cae un avión y hablan de otra cosa.

Qué bestia, me hubiera gustado trabajar para ese tipo, pensé yo. Arroba llegó sin apenas levantar los ojos de sus terminales. Carlota me puso al corriente en un tono bajo, pues no quería que Zunzu, el de seguridad, nos oyera desde la puerta.

Al parecer el inquilino que te alquiló el piso antes de que lo ocupara tu hija había hablado para Los Miserables con la única intención de perjudicarte. Contó que vivió siete años allí y que jamás redactasteis un contrato, que siempre te pagó en dinero negro. Lo de dinero negro sonaba un poco fuerte, pues tan solo una porción fiscal habría correspondido a esa definición, pero el titular de *El Mal* apuntalaba esa idea: «Siempre pagué a Amelia Tomás en dinero negro».

Nos contaste a todos que aquel tipo era entonces un joven compañero de la universidad, con el que tenías la confianza suficiente para alquilarle el piso sin contrato. Con el tiempo os distanciasteis, especialmente cuando surgieron disputas por las plazas fijas del profesorado. Las guerras cruentas que se libran en los claustros, donde todo es amiguismo a puñaladas. El tipo había fichado por una universidad privada, así que cuando le pediste que desalojara el piso porque lo necesitabas para tu hija se lo tomó como algo personal. Así funcionan los rencores. Era un episodio menor pero oscuro, que ahora resurgía con fuerza para dañar tu candidatura.

–Cualquier consecuencia penal está prescrita –Carlota delimitaba el daño.

Un alquiler no legalizado hace más de diez años resultaba munición aguada para herir a un candidato. Aun así el castigo en política no se produce por la magnitud del asunto sino por el efecto de teñido que conlleva. Tus rivales lo usaban como tinta de calamar, no dejaba ver otra cosa de ti. El consuelo que te ofrecíamos con torpeza no evitó que se te humedecieran los ojos y entonces me vi obligado a intervenir.

–Lo que tenemos que hacer es darle la vuelta. Lanzarnos al ataque y dirigirlo contra la propia prensa o contra quien sea. Hacerles ver a nuestros queridos niños que lo único que intentan Los Miserables es dañarte por algo nimio. En comparación con las grandes corruptelas, lo tuyo es un chiste. Y en cuanto al que te denuncia, claramente es un cerdo oportunista que guarda contra ti ese rencor personal asqueroso. Yo tengo la solución.

Os hablé de un personaje que conocía de mucho tiempo atrás. Tenía un negocio engrasado de defensa reputacional y lavado de imagen. Era argentino, había llegado a España con la comitiva de familia y colaboradores de un futbolista fichado por el Real Madrid en los ochenta, como una especie de guardaespaldas y hombre para todo. Cuando su amigo dejó el fútbol, él amplió su marco laboral. Le llamaban el Tano Allegri, y la gente recurría a sus servicios en la desesperación, cuando solucionar problemas requería un bisturí fino.

–Demasiado peligroso –dijo Carlota.

–No te pienses que el tipo pega palizas y contrata a sicarios, nada de eso –os expliqué–. Es todo limpio, les da la vuelta a las cosas con una habilidad prodigiosa. Yo lo he visto actuar con políticos manchados, empresarios en acoso y derribo, y te puedo asegurar que es un prodigio. Déjame que le llame. Eso sí, cobra en mano.

–Tendré que consultarlo con Cándido –me detuvo Carlota–. No podemos tomar ninguna decisión como esa sin su aprobación.

Tú te revolviste en el asiento al escucharlo. Luego me preguntaste cómo había conocido a ese tipo.

–¿Al Tano Allegri? Ya ni recuerdo cómo lo conocí. No sé, por un amigo, quizá, en algunas timbas de póquer o sencillamente en la noche. No creas que he estado con él muchas veces. Es un tipo escurridizo. Se parece al actor ese argentino de los ojitos claros. Es un ser inteligente y discreto, con aspecto de duro de película. Debió de ser guapo de joven, ahora ya tiene más de sesenta, y su único detalle de galanura es una corbatilla de cuerdas de esas de los rockers que lleva anudada al cuello de la camisa. Cuando Carlota me dé el okey lo llamo. No es fácil de localizar.

Noté que mi descripción del personaje te perturbaba. No querías entremezclarte con alguien así, introducirte tan temprano en la ciénaga de los cocodrilos. Estabas aún en una fase inicial de tu inmaculada concepción política. Luego las cosas cambiarían, ¿verdad?

–¡Cómo una historia tan ridícula puede hacerme este daño!

Ay, Amelia, lo dejaste escapar como un lamento furioso. Todos te dijimos que te relajaras, que te tomaras una pastilla esa noche y durmieras sin sufrir. Seguías quejándote del dolor de espalda y Tania te toqueteó el cuello mientras volvía a hablarte del fisio en Madrid.

–Si esto resulta ser lo único que encuentran contra ti, vamos muy bien –dije–. No conviertas una china en el zapato en una piedra en el riñón.

16. Jaén

Durante la visita a la refinería de aceite estabas desolada. Obligar a mentir a tu hija y a su amiga, aunque fuera una mentira tan liviana como aquella del alquiler, te había importunado. Carlota se empeñaba en usarla de cortafuegos.

–Pero ¿cómo va a ser mi hija la responsable de un alquiler cuando en esa época tenía doce años?

Te quejabas con razón y al mismo tiempo maldecías tu imprudencia. Te habían calzado un gorrito higiénico para recorrer las instalaciones y las trabajadoras se hacían fotos contigo, mientras seguías la cadena del líquido que oscilaba entre el verde y el oro hasta el embotellado final. En la salita de prensa nos hicieron probar una degustación a sorbos del aceite y estuve regurgitando hasta la medianoche.

Tania te ponía al corriente de los avances de la polémica y te tranquilizaba, pero Arroba no lo veía tan claro y desahogaba su visión de cenizo en mi paciencia infinita. Tu imagen de limpieza absoluta se desmoronaba. Ahora el poder de los linchadores sobre ti se duplicaba.

Yo ya te lo había dicho en una de las primeras reuniones de estrategia.

–Exhibe tus pecados para tranquilizar a las almas gemelas, al fin y al cabo los santos están enterrados, en la vida no hay más que pillos. Ya conoces el dicho judío: Todos alargan la mano para tomar el dinero, menos Jesucristo y porque las tiene clavadas a la cruz.

–¿Qué pecados quieres que exhiba?

–No sé, si hace falta los inventamos. Dime que robabas folios en la secretaría, que fotocopiabas los libros de la biblioteca, que engañabas a tu marido con el alumno más guapo de cada promoción. Al menos confiesa que tuviste una época de profesora alcoholizada.

–Apenas bebo.

–Que no le diste el pecho a tu hija, joder, dales algo para que te humanicen, Amelia.

–Alquilaba un piso sin declararlo, ¿quieres que lo reconozca?

–Reconocerlo, jamás. El castigo público es demoledor.

Pero tampoco nos convenía tanto aire de moralidad a tu alrededor, un poco de experiencia vital no era mala cosa, con sus suciedades y contradicciones. A mis queridos niños les atrae alguien de carácter y el carácter se demuestra en la pelea de barro de la vida. Estuve en el fango y logré vencer.

Al acabar la visita a la embotelladora de aceite te preguntaron por la robotización de los empleos y me miraste buscando amparo. Habías memorizado la respuesta en el autobús, pues sabías que filtraríamos esa pregunta a uno de los trabajadores del comité de la empresa. Pero no estabas concentrada y te mostraste insegura.

–Es una polémica absurda, la izquierda agita estos fantasmas como si la salvación fuera volver a la edad de piedra. Y encima se llaman progresistas. Háganme caso, el mundo avanza para bien, si no que les pregunten a los hombres de las cavernas. Somos nosotros quienes debemos adecuarnos a las nuevas condiciones. Hacer mejor aceite, a menor coste y de mayor calidad.

La cata de aceite me había averiado el estómago y mis regüeldos en *andante sostenuto* eran la banda sonora del autobús. Tania me preguntó si acaso yo no padecía de úlcera.

–¿Ese tipo crees que soy?

Empezamos a hablarnos así, con una confianza y un humor que los demás no acababais de entender del todo. Ella había captado que la deseaba y no le molestaba utilizarlo en su favor.

–Yo no soy de úlceras, intento satisfacer todos los deseos que me exige mi cuerpo, por eso gozo de buena salud. Soy la persona que conozco que menos veces ha ido al médico. Deberían condecorarme en la Seguridad Social por ahorrador.

–Qué chistoso, de verdad, me muero contigo.

Rómulo el conductor se vio en la obligación de participar. Era su carácter. Intimidad que cazaba, intimidad que destrozaba.

–Yo no he estado un solo día de baja en treinta y cuatro años de vida laboral. ¿Qué te parece?

–Me parece fenomenal. Aunque ser un entrometido pronto va a ser considerado una enfermedad vírica.

–Vaya, eso ha sonado a indirecta.

Me encogí de hombros y Tania soltó una risotada por las narices. Moco y diversión salieron de la mano.

–No me creo que estando gordito como estás no te salgan las analíticas disparadas –intervino Cuca, que padecía la misma dolencia que el conductor, pero con peores modales.

–Sí, claro, ya sé que si soy tan idiota como para ir al médico me dirá que baje de peso, me humillará con mis niveles de transaminasas y querrá que deje de consumir esas cosas que tanto daño me hacen y que tanto placer me provocan. Por eso no voy nunca. Yo huyo de las malas noticias.

–Pues tú sabrás lo que haces, bonito –dijo Cuca para el graderío.

–Los médicos juegan con ventaja en su profesión porque nadie quiere morirse. Te venden salud y con ese engaño te crees su comercio. Salvo en mi caso. A mí la salud me viene de fábrica y cuando la pierda, me temo, la perderé de golpe y para siempre. Lo de morir despacio y dejar un cadáver gastadísimo me gusta.

–Estás loco, Basilio.

–Es difícil ser emperador delante de un médico.

Tú levantaste la vista de tus papeles para apreciar con una mirada la justeza de mi cita. Era oportuna, además. Cuca añadió algo sobre las ventajas de la forma física y eliminar esos kilitos que sobran. Pero su buena salud era una afrenta para la humanidad. En cuanto se muriera, el planeta aumentaría la media del coeficiente intelectual.

Antes de que el autobús de campaña llegara a nuestro nuevo destino, que en esa última hora de la tarde era una residencia de ancianos, ya nos llegaron noticias de que Los Miserables seguían explotando al antiguo inquilino rencoroso de tu piso. En *Pis&Caca* le cedieron espacio con una entrevista y foto. Ahí le pude ver la cara. Parecía un profesor apacible, tenía nombre de tenor, Julián Calderón y te deprimió leer sus declaraciones en la tableta de Carlota.

–Dejadme hablar con el Tano Allegri, de verdad, él sabe atajar estas cosas –volví a insistir.

–Por Dios, Basilio, deja que nosotros hagamos nuestro trabajo y tú limítate a hacer el tuyo –me riñó Carlota.

–De acuerdo, pero si dejáis que la mancha se extienda, al final lo que menos importará es dónde nació. Solo se verá la mancha.

El apaño de Correoso en *La Mano Amiga* quedaba en un pálido intento de salvar tu reputación con la colaboración de tu hija y su amiga frente a la entrevista con el profesor Calderón. En siete años me subió tres veces el alquiler, afirmaba, pero jamás me ofreció hacer un contrato. La entrevista salía acompañada por una columnita de apoyo en la que te calificaban de alérgica a la legalidad y casera opaca. Un velo de tristeza volvió a cubrir tus ojos de natural alegres y curiosos.

17. Ciudad Real

Las residencias de ancianos me deprimen y la idea de hacer campaña en ellas resulta grotesca pero eficaz. Cantaste una canción a la mesa de varias ancianitas mientras te filmaban las teles locales. Respondiste a cuestiones absurdas que te planteaban los viejos en su delirio y te interesaste por la labor de costura de la única mujer en el salón de juegos que parecía conservar un atisbo de lucidez. Tenía ciento dos años. Yo nunca te conté, te lo digo ahora, que cuando mi padre perdió las ganas de vivir visitamos juntos una residencia parecida a aquella de Ciudad Real. Se conservaba en buena forma, pero tras la muerte de mi madre abandonó la casa familiar, que yo compré, y se instaló en un pisito del que apenas salía. Fuimos a conocer por dentro una residencia, porque pensaba que sería el lugar donde menos molestaría, estaría atendido y cuidado. Paseamos por las instalaciones, pero a ambos nos invadió una tristeza profunda. Esa misma tarde, cuando le llevé de vuelta a su piso, me pidió ayuda para que acabáramos con todo.

–Tú eres el único que me ayudaría en algo así, tus hermanos son demasiado sensibles.

Me enterneció que mi padre me considerara el único apto entre todos mis hermanos para propiciarle morir antes de llegar a un final degradado e incontrolable. No discutíamos nunca, pero cuando me escuchaba en las radios o en la televisión se sorprendía de mis posiciones tan radicales.

–A veces parece que eres rico, que te desentiendes de todo lo que le preocupa a la gente humilde.

–No es eso, papá, es que no me creo a los que fingen interesarse por ellos. Aquí cada uno va a la suya. Lo más decente es decir la verdad.

Todos habían notado mi cambio ideológico al volver de Estados Unidos. En mi último año había conocido a Carlos Leal y él me consiguió una beca en la Universidad de Florida. Nunca agradeceré lo suficiente lo mucho que hizo por mí.

Leal era un periodista muy conocido, que había decidido pasar un par de años en Estados Unidos cuando apareció su nombre en las listas de objetivos de ETA. Se fue a vivir allí con su familia y colaboraba con artículos atrevidos y radicales. Quiso entrevistar a Roy Carlton y este me pidió que estuviera presente, para ayudar con la traducción. Así conocí a Leal, cenamos varias noches en casa del cónsul español, que era un borracho divertido y procaz. El discurso de Carlos Leal estaba emparentado con los liberales radicales norteamericanos. Le señalé varios libros que podían serle de interés y un par de líderes radiofónicos que tenían enorme influencia en el votante local. En tres meses nos hicimos tan amigos que empezamos a compartir el alcohol a deshoras y proyectos futuros. A su regreso a España el gobierno le premió con unas frecuencias de radio y me reservó una plaza. Esa invitación condicionó el resto de mi vida. Se trataba de un medio conservador a ultranza, desacomplejado y radical, y como sucede siempre uno va moldeándose al gusto de la empresa que le da de comer.

Mis opiniones y mis intervenciones en radio me ganaron un nombre. Leal me ofreció la crítica de televisión en su programa, un espacio diario donde recomendaba series, reseñaba programas y ajusticiaba la baja calidad del medio. No lo hacía con mi nombre, sino que inventé un personaje que se llamaba El Rey Catódico, un tipo libre que vivía en una casa aislada y cuyo único contacto con la realidad era a través de la pequeña pantalla. Esa especie de ficción crítica hizo fortuna.

En las intervenciones radiofónicas yo mostraba una verbosidad irracional pero brillante que mis oyentes adoraron. A navajazos es sencillo hacerse un lugar, y mi salto a la notoriedad vino asociado a mis libros y las colaboraciones de radio, pero fue ese personaje de El Rey Catódico y los disparates que perpetré a su costa los que me consagraron definitivamente.

Cuando Leal murió en un accidente de escalada en el Matterhorn me quedé huérfano. Fue una muerte rematadamente inhóspita para un tipo que disfrutaba de sus puros, su whisky, sus primeras ediciones de autores del 98. Pero Leal tenía esa manía alpina, limpiarse la sangre en una clínica en Lausana y escalar en agosto cualquier reto brutal. Espero que el Yeti lo guarde en su gloria, aquí en la tierra carecía de amigos, solo algunos le temían lo suficiente como para agasajarlo. En la necrológica que escribí sobre él reconocí que le debía mi carrera. Pero con el tiempo caí en la cuenta de que también le debía algunas de mis ideas. A los dos nos gustaban los personajes de Clint Eastwood y quizá nos convertimos en una versión castiza de sus descreídos héroes violentos y solitarios.[11]

De la radio me echaron cuando a Carlos Leal le sustituyó una pusilánime locutora a la que llamábamos Godzilla por su tamaño. Era una manipuladora zafia y embustera que aprovechó un comentario mío subido de tono para tildarme de machista. Puso a la audiencia en mi contra y el despido me obligó a improvisar un nuevo modelo de supervivencia. *Nuestra Ciudad* y *La Causa Popular* me convirtieron en afortunado empresario.

Te cuento todo esto para que entiendas algo mejor por qué mi padre decidió que yo era el único de sus hijos que podía ayudarle a poner fin a su vida. El pobrecillo, siempre tan pasivo, silencioso y acomodaticio, sospechaba que mi corazón se había convertido en un órgano tan poco sentimental como el páncreas o el riñón. Cuando su petición ya no fue un comentario al paso, sino una urgencia mortal, tuve que ocuparme de cumplir su voluntad. Se había caído en la calle y le habían operado con escasa fortuna de una rotura de fémur. El implante de platino se le infectó y su degradación era imparable. Estaba deprimido, triste y solo. Así que cuando le diluí el pentobarbital que me proporcionó un amigo desde Nueva York en un heladito de vainilla y lo dejé a solas en su piso, nos dimos un beso entrañable y me rogó que no descuidara a mis hermanos nunca, sobre todo a los dos pequeños. Antes de que me fuera me pidió que le acercara la foto de boda, donde posaba junto a mi madre como dos asustadizos jóvenes criados en la posguerra.

Yo había querido a mi padre. En su grisura y su falta de talento, fue honesto, recto y generoso. Se guardó las angustias para sí, en lugar de regárnoslas encima a los de alrededor. Mi madre y él fueron felices juntos, para mí son la imagen de la concordia que guardo en el seco corazón. Envidiaba esa felicidad suya simplona. Aprendí de ellos que para ser una buena pareja es necesario ser algo necio y primario.

Me hubiera gustado que en campaña electoral hubiéramos apoyado la eutanasia, me habría sentido menos falsario, pero nuestro programa electoral mandaba. Te parecerá insoportable que te lo cuente así sin más, pero estoy convencido de que en un futuro muy próximo la causa más habitual de muerte será el suicidio, como sucede ya en China. Igual que estoy convencido de que las relaciones sexuales se limitarán a la masturbación y el sexo en la distancia. Es mi cosmovisión. El mundo no mejora, empora, pero se tecnifica para disimularlo. En el año 2000 invertí en una compañía de seguridad privada los ahorros que me sobraban y en la actualidad por cada euro en acciones se pagan al cambio sesenta y tres. Como me repetía Carlos Leal, para hacer buenos negocios solo hay que tener buen ojo, dinero y falta de fe en la inteligencia humana.

Imagínate las emociones encontradas que me provocaba visitar una residencia para atrapar el voto geriátrico.

Por más que en las tarjetas te hubiera escrito que la población anciana española necesitaba atenciones especiales, que la pasada crisis sanitaria había evidenciado el abandono trágico de los más mayores, mis impresiones sobre el asunto eran tétricas. Te lo digo a ti ahora aunque estas cosas no se pueden decir en voz alta. Si mis hermanos se enteraran del asesinato que cometí me odiarían. O quizá no. Tú en cambio tienes que tener algo de gerontofilia en las venas, si no, no te habrías casado con un proyecto de anciano cuando tenías veintidós años. O a lo mejor en la juventud una no hace esos cálculos y se deja llevar por esa mentira de que el amor es ciego. Puede que el amor sea ciego, pero tiene dedos para contar. Y si te lías con alguien mayor, tonto has de ser para no suponer que la vejez te alcanzará décadas antes de lo que te corresponde.

Dicen que tu marido es brillante, que ha escrito más de sesenta libros de historia y que algunos son manuales escolares de uso frecuente. Concedamos que el atractivo intelectual también juega en la liga erótica. Todos los años que viví con Beatriz ya imagino que ella no admiraba mi cuerpo, salvo que gozara de la tripa y el sobrepeso, de subirse encima de mi montaña de carne y buscarme la polla entre los filetes de grasa. Supongo que valoraba también mi cabecita poderosa. También encontraba en mí a lo más parecido a su padre, porque no sé si te he dicho aún que Beatriz era hija de Carlos Leal. Quizá algo así te pasó a ti con veinte años, confiabas en que tu marido podía ser el padre intelectual que te faltó en la infancia en Coágulo. Él dirigió tu oscura tesis sobre Stuart Mill y a lo mejor hasta te ayudó a hacerte con la plaza fija en la universidad. Puede que leyerais durante años a Bentham a dos voces. Algo hay en tu expresión que delata que poseer más fondo intelectual que tus rivales te da derecho a tratarlos como a esos compañeros de clase que se te quedaban pequeños e inmaduros. Lo noté el día del primer debate. Aunque no te dije nada.

Me salí un rato antes al patio de la residencia porque no soportaba el hedor a sudor frío y desinfectante. Tú aún tuviste que aguantar un rato para que Arroba te sacara fotos que colgar en redes bajo enunciados sonrojantes:

#la edad se lleva en el corazón,

#todos seremos viejos,

#yo seré la presidenta que no abandonará a sus ancianos.

Según sus cálculos mamarrachos, los viejos eran el sector demográfico más decisivo en nuestra batalla. Nos votaban como si con ello alargaran su vida, con la fe de los mayores por lo estable. Repartiste a placer globos y ejemplares de tu biografía. Al final de la vida nos renace la pasión de la infancia por recibir regalos, mearnos encima y decir la verdad.

El estado de ánimo no invitaba a una cena alegre, así que me quedé en mi cuarto con algo parecido a un sándwich de jamón y queso y la botella de whisky extraída del maletero del autobús con la complicidad de Rómulo. Si alguien me hubiera dicho que un trabajo tan glamouroso como el que hice para ti me condenaría a dormir una noche en Ciudad Real le habría propinado un estacazo. Pero así funcionaba el oficio. Llamé a Fresitas y a Lolo para sondear el recorrido que tendría la información sobre tu alquiler en los periódicos del día siguiente.

–El daño ya está hecho, es una salpicadura, lo de menos es el recorrido que tenga.

–Pero ¿tenéis algo más, material nuevo?

–El tal Julián Calderón quiere hablar, no le niega una entrevista a nadie.

–¿En serio? ¿Tiene algo personal contra ella?

–¿Y tú lo preguntas?

–¿No os parece excesivo, todo este lío por un alquiler de hace años pagado sin contrato?

–Venga, Basilio, como si tú no hubieras hecho lo mismo de estar en nuestro lugar.

Era cierto. Ellos conocían tan bien como yo el funcionamiento de la cabeza de mis queridos niños.

18. Badajoz

Mi última estancia en Badajoz había puesto punto final a mis aventuras con putas. Fue en la gira de presentación de mi libro premiado. Cuando me liberé de mi compañera finalista y del librero local que nos había sacado a cenar, llamé a un anuncio de contactos con una sugerente muchacha en la imagen. Veinte minutos después tocaron a la puerta y al abrir me encontré a la decana de las prostitutas pacenses. Una mujer de más de sesenta años, con el gesto fatigado y una peluca deshilvanada de color negro.

La invité a entrar para que nadie la viera en el pasillo. Ya dentro le expliqué que se me habían pasado las ganas y que tomara el dinero. Mejor dejarlo ahí. La señora, que se llamaba Asunción y no Bárbara como me dijo por teléfono, se empeñó en que le diera una oportunidad.

–Te puedo hacer cosas ricas, bonico.

El caso es que, por no herir los sentimientos de aquella mujer, acabé en la cama con ella y, cuando me abalancé sobre sus pechos para tratar de animar un poco a mi virilidad asustadiza, me contuvo con palabras cariñosas.

–Perdona, guapo, pero me acaban de hacer una mastectomía y solo te puedes entretener con el derecho.

Asunción fue entregada y amable, la experiencia concede galones. Cuando se quitó la dentadura postiza y la posó sobre la mesilla tuve la sospecha de estar siendo sometido a una prueba de fe. Me juré a mí mismo que jamás volvería a caer en las tentaciones de la propaganda sexual y el comercio carnal de pago, como un niño jura no volver a pecar si Dios le ayuda a aprobar el examen de esa mañana. Mi matrimonio con Beatriz no había logrado desactivar mis ocasionales búsquedas de sexo a la desesperada, como quien trata de localizar a un fontanero en fin de semana. Pero Badajoz fue mi Damasco, y del mismo modo que Pablo de Tarso dejó la Agencia Tributaria, yo abandoné la prostitución.

Comprenderás pues que cada vez que piso esa ciudad sienta un latigazo de conciencia. Al llegar con tu cabalgata me pregunté si no me había convertido en ese Cicerón ventajista y cobarde que en plena guerra civil solo se desvive por encontrar el sol que más calienta. Pero si algo bueno tenía nuestra actividad era su ritmo acelerado. El acto programado resultó de lo más nutritivo, porque lo organizaba la denominación de origen pata negra y se cortaba jamón mientras tú dabas manos y repetías esa consigna tontaina de Los Blanditos que ahora lucíamos en el autobús: Regresa España. He de confesar que la expresión hizo fortuna, los rivales se burlaban de ella, pero caló entre mis queridos niños.

La loncha bien fina y sudada que sacaba a la pata de jamón un cortador ecuatoriano me recordó ese momento feliz de la escritura, cuando das con la frase exacta. Te había escrito algunas cosas muy directas.

–Vengo a enderezar la economía, no podemos vivir eternamente dentro de un agujero negro contable.

Te quedaba bien la blusa con estampado de hojas verdes, pero cuando acabó el acto ni siquiera Tania, con sus mentiras piadosas sobre cómo poco a poco se desinflaba el escándalo montado en torno a tu alquiler, consiguió alegrarte el gesto. Tenías una entrevista en la radio. Te escribí un tarjetón alusivo a la polémica para que lo recitaras en antena.

–Algunos están revisando cada detalle de mi vida privada para ver si encuentran alguna mota de polvo. Pues se van a llevar un chasco, porque mi vida ha sido como la de todo el mundo y se van a encontrar las mismas cosas que le han pasado a cualquier persona corriente. Alguien que hace cuentas y que trata de sacar adelante a los suyos con su esfuerzo.

Al salir de la emisora nos concedieron un instante de intimidad. Te convencí para que tomaras un gin-tonic. Al fin y al cabo el alcohol es el más infalible de los estimulantes anímicos. A media mañana es además garantía de que la jornada pintará bien. Cuanto antes se empieza a beber, antes se empieza a empujar el mundo real fuera de la vista. Te dije lo que pensaba. Para mí, todas las personas que se dedican a la política lo hacen porque hay un vacío en su vida. Es una manera de llenarlo. Tú habías llegado al ocaso familiar, con un marido anciano y una hija que volaba sola, y la política se te presentaba como una aventura personal más excitante que la jubilación. Podrías haberte buscado un amante, eras una mujer en esa edad estupenda y serena, pero a lo mejor el sexo te daba miedo, porque el sexo puede llevarte a donde tú no quieres. En cambio la política es una exposición que justifica una vida. Tenía sus riesgos, pero merecía la pena, ¿verdad? Entre disolverte o brillar, optabas por lo último.

–No me digas que no te esperabas que salieran cosas así sobre tu pasado, Amelia.

–Pues claro que me lo esperaba. Aunque también esperaba que dejaran a mi familia fuera.

–No es un asunto familiar, perdona que te diga, Amelia. Es un asunto legal.

–Lo que me molesta es tener que pedirle favores a mi hija.

–¿Tan mal te llevas con ella?

–No es eso. Ella siempre quiso estar al margen, ser independiente. Quizá la eduqué así.

–Yo ya te he hablado de mi hijo –te volví a contar–. Pertenece a esa nueva generación engatusada por la explosión tecnológica que los ha llenado de nada. No son catetos ni insensibles, pero son sumisos y angustiados. Hubiera preferido que al menos me odiara, que me mirara por encima del hombro, que me matara como hemos hecho todos con los padres. Pero ni para eso llega.

–Me asombra lo bestia que eres cuando hablas de él, Basilio.

–Su madre cree que quererlo consiste en simular que posee una inteligencia oculta que algún día saldrá a la luz como un géiser.

–Eres cruel. Creo que eso es lo que me gusta de ti, no estoy acostumbrada a tratar con gente así.

–Tratas con gente así todos los días, pero nunca lo confesarán en voz alta. Considero la bondad un signo de cobardía, como la buena educación, la gente es así para que no le partan la cara.

–Yo a mi hija la he querido mucho, le he dado todo, pero no sé, siento que no me necesita.

–Es natural, te quiere vencer demostrándose a sí misma que no es dependiente de ti. Ya os reconciliaréis. De hecho, que le tengas que pedir ayuda te vendrá bien. Te humaniza ante ella.

–Es humillante.

Bajaste los ojos de nuevo.

–Ahí está tu problema, Amelia. Si te humilla involucrar a tu hija en un problema es porque te avergüenzas de ti misma. La mayor forma de generosidad es dejar que los demás hagan algo por ti. Te lo digo yo porque no lo he permitido jamás. Soy el ser más egoísta del mundo porque quise ser independiente. Eso me alejó de todos, me convirtió en una isla.

Nos miramos como dos solitarios que se distinguen entre la multitud, de nuevo la sintonía oscura entre tú y yo.

–Si te molesta que sea sincero, me lo dices. La verdad, como bien sabes, es solo la aceptación de la realidad. Déjame que te diga que ya en la adolescencia, cuando me tocó sufrir como una bestia apaleada entre mis compañeros de colegio, supe que no tenía coraje para ser un mártir. Yo solo aspiraba a sobrevivir, me hice amigo de quien convenía, busqué el amparo necesario. Las cucarachas sobreviven, los héroes son aplastados.

Me di cuenta de que mis pequeñas confesiones dispararon tu confianza en mí. Eso y el gin-tonic. Fue entonces cuando me dijiste que tu hija se distanció de ti al surgir su sexualidad. Ella se consolidó gracias a amistades, le gustaban las chicas y poco a poco fue aplicándote una lectura crítica, por la cual su madre era una puritana asexuada, ortodoxa y censora, que había sacrificado los placeres ocultos por una vida acomodada y ramplona. Entendías que a tu hija esa estampa le resultara siniestra, lo que no tolerabas es que careciera de interés por conocerte a fondo y refutarla.

–Vamos, Amelia, ningún hijo quiere conocer a fondo a sus padres. Sería demoledor. Todos se creen el primer humano sobre la tierra.

–Cuando me pidió ese maldito piso que hoy es un problema tenía apenas diecinueve años y yo lo arreglé para ella, eché al inquilino que lo alquilaba. Creí que eso nos uniría entre nosotras, pero dejó de venir a verme salvo en las fechas obligadas. Se independizó de una manera salvaje. Eso me ha hecho llorar muchas veces, tantas como ocasiones en que he intentado saber por qué impuso esa distancia conmigo, contra todo lo que yo represento. Cada vez que me asomo percibo en ella una opinión demoledora sobre mí.

No tengo vocación de terapeuta. Carezco de paciencia. Cuando me abriste el corazón ya notarías mi incomodidad. Como periodista soy aficionado a recopilar datos e impresiones. Pero como ser humano nunca aprendí a manejarlos. No te puedes imaginar la cantidad de años en que mastiqué en silencio lo que sentía, lo que padecía, con todos mis complejos. Hasta que entendí que deshumanizarme era salvarme. En Estados Unidos, con su individualismo salvaje, su adoración por el dólar y el poder, me desgajé de eso de creer en un destino compartido. Por eso no supe qué decirte en ese momento. Me hablabas de tu hija, de un dolor como solo duelen las cosas queridas, y yo escapé hacia el asunto del piso y el problema mediático. Todo se arreglará, te dije. Confieso que todas las personas que han tratado de acceder a mí, y mi esposa lo intentó con todas las habilidades a su alcance, se han topado con un muro. El muro que construí a los trece años para llegar vivo a casa cada día después del cole. Mi cara picada de marcas del acné ha habido gente que la relaciona con un muro de ladrillo y no van desencaminados.

En el autobús de nuevo las malas noticias. Una de las ancianas del centro de Ciudad Real había amanecido muerta en su cama. Al parecer se había asfixiado tratando de inflar uno de los globitos del partido que les habíamos regalado la víspera. La noticia nos llegó desde la dirección del centro. ¿De verdad aquella víctima colateral podía causarnos algún daño cierto?, parecías preguntarte de nuevo aterrada.

–No me lo puedo creer.

Carlota ordenó de inmediato la suspensión del regalo de globos en nuestras siguientes paradas. El problema había surgido cuando la familia de la difunta se personó en la residencia para hacerse cargo del cadáver. Alguien, quizá el empleado que encontró a la muerta, había hecho una foto de la mujer en su cama, asfixiada, con el globo que sobresalía de su boca y el logo del partido bien visible en la imagen. La foto le había llegado a Fresitas en su diario digital, pero dudaba si publicarla porque temía que se tratara de un montaje.

Fresitas me la reenvió y me preguntó mi opinión.

–Que quede entre tú y yo, Fresitas, pero si publicas esa foto te van a triturar.

–No te pega nada el papel de censor.

–Hazme caso, mis queridos niños tienen sus límites.

Le comuniqué a Carlota mis gestiones y me desentendí del asunto. Eso sí, mi recomendación fue que corriera a frenar la difusión de la imagen antes de que llegara a manos de alguien menos escrupuloso que el bueno de Fresitas. Bastaba con que los abogados localizaran al empleado y le remitieran un burofax con amenaza de demanda.

–Esto es una pesadilla.

–Es la pesadilla en que vivimos, Amelia.

Llegamos al parador con el tiempo justo para sentarnos a la comida. De nuevo esa mezcla de fuerzas vivas y de empresariado local, arracimados por la curiosidad de escuchar a la candidata. El Mastuerzo había pasado la tarde anterior por esa misma plaza y había prometido el tren de alta velocidad desde Madrid. Así que nosotros prometimos el tren y un plan de choque de infraestructuras turísticas rurales. Supongo que el siguiente aumentaría la apuesta y por suerte solo éramos cinco candidatos porque si no los cacereños habrían llegado a pensar que la NASA se instalaría en la ciudad al mes siguiente para desarrollar su nuevo plan de conquistar Marte desde Trujillo.

Al ir a sentarnos vi que saludabas a un hombre mayor al que no podías atender porque te reclamaban para hacer declaraciones a las cámaras y posar con uno y con otro. Me tendiste el brazo para presentármelo. Era un catedrático de universidad recién jubilado, muy cercano y de confianza. Se llamaba Luis Seco Cosculluela y nos sentamos juntos para observarte en la distancia.

–Conozco a Amelia desde los veinte años y te aseguro que esta Amelia es completamente nueva para mí.

–¿Ah, sí? ¿Nunca apuntó maneras de política?

–Jamás, si me lo hubieras dicho de Diego, su marido, pero ella es tan discreta, tan contenida. ¿Tú trabajas en el partido?

–No, le ayudo con los discursos.

–Pues dile que se suelte, la veo en los telediarios y siempre está envarada, tensa. Ella es más seductora que la imagen que da. Diego perdió la cabeza por ella, ya sabes que estaba casado y tenía dos hijos cuando se fugó con ella.

–¿Fugó? Pensé que había sido algo más ramplón.

–Qué va. Estuvo a punto de perder la cátedra, de perderlo todo. Estaba loco por ella. Esa cabecita funciona a mil por hora.

Nos volvimos los dos a mirarte un instante.

–Lo terrible es eso del alquiler ilegal, le está haciendo mucho daño. Hoy un amigo al que ya tenía convencido para que le votara me lo ha dicho. «Mira, es como los demás.»

–Ya, sí, es una historia terrible, vamos a ver si podemos neutralizarla rápido.

No sé por qué algo me hizo pensar que Luis Seco también estaba enamorado de ti, o que lo estuvo al menos en la época en que conociste a tu marido. Quizá él también había fantaseado con dejarlo todo y fugarse contigo. Te miraba de una manera extraña. Fue a través de sus ojos como encontré algo sexual escondido en esa candidez reposada tuya.

Me pareció un hombre inteligente. Se dedicaba a estudiar el mandato de Julio César en la Hispania Ulterior, pero pese a ello no sonaba a pedante insufrible. Le pregunté si había leído tu autobiografía redactada por la Paradita y se atrevió a lanzarme una mirada de asentimiento y levantar mucho las cejas. Tan levantadas como para dejar claro que aquello le había resultado bochornoso. Yo no manejaba con tanta soltura las cejas, así que me limité a decirle:

–Todo lo que se puede hacer mal, se está haciendo mal.

–Pues cuando todo se hace mal es muy probable que todo salga mal.

Ni Badajoz con sus seis diputados ni Cáceres con sus cuatro eran plazas demasiado golosas, pero Arroba nos había transmitido la orden de que en ambos sitios tu misión era insistir en el miedo. El miedo a que tanto la Cachorra como el Santo pudieran alcanzar una mayoría suficiente para gobernar juntos. Frente a esa alternativa de lobos y chacales, nosotros nos erigíamos en garantía de salvaguarda de los privilegios, de las comodidades, de las políticas fiscales más racionales tras unos años de crisis entregados a la deuda y el préstamo sin freno. Ahí te veía con un micrófono de mano dejando extender sobre el mantel la sombra del miedo con la esperanza de que penetrara en la cabeza de tus oyentes. Todos ellos tenían demasiado que perder.

–No vamos a poner en riesgo lo conquistado a lo largo de los años, todos los avances, el desarrollo de nuestra nación. No es momento de juegos. El panorama mundial es de enorme competitividad y España tiene que ser un país ganador, no el mal ejemplo de los pedigüeños. Hay que ser serios.

Recordaba el mensaje de esa misma mañana de los analistas de Los Cuervos. Era rotundo. Idea fuerza: España ganadora frente a España perdedora. El rencor de los de abajo como amenaza hacia las clases medias y altas. En ese clavo golpeaste hasta agotar a la concurrencia. Ni un chiste, ni una broma, ni un momento de relajo. Resultabas hasta cansina de puro responsable. Por suerte el pan era estupendo, y el profesor Seco, un raro cómplice agradable.

20. Toledo

No sé si prefería el olor a muerto de la residencia de Ciudad Real al olor a nuevo del complejo de logística en las afueras de Toledo que había montado la mayor empresa del mundo en comercio electrónico como muestra de su poderío en nuestro país. Paramos a visitarlo y nos invitaron a recorrer el almacén en carritos de golf. Eran kilómetros de pasillos con cajas alineadas a la espera de ser enviadas hacia el comprador a distancia. Te había escrito que la modernidad no era negociable y que el progreso no es patrimonio de ninguna ideología, sino de las mentes visionarias a las que la política debe potenciar y no frustrar. Y claro que lo pienso, pero al mismo tiempo no puedo dejar de lado que todo progreso lleva dentro un asesinato. Roy decía que la piedad no formaba parte del ritual de avance de una sociedad, y nada mejor expresado que aquellos pasillos con secretas provisiones para el futuro. Cada caja contenía un artesano cercano y cuidadoso asesinado por la espalda.

Lejos de ser recibidos por exultantes jovencitos al estilo de Silicon Valley, los representantes de la empresa eran unos hermosos manchegos, más aplicados que refulgentes. Tú te mostraste atenta a las explicaciones. Simulabas que todo aquello era algo apasionante e innovador, cuando no pasaba de ser el eterno negocio de la paquetería a domicilio. Esa sumisión a la riqueza ha sido una característica de la política moderna. La religión judía requirió una intensa revisión de sus preceptos para aceptar la indignidad de hacerse rico. A nuestra Iglesia le fue más sencillo. Desvincular la riqueza de la maldad y el egoísmo provocó una transformación de la visión cristiana del dinero que acoplamos sin rechistar a nuestros Evangelios actuales. ¿No es acaso la respuesta ideológica tras tantos años de especulación intelectual? Si el dinero es la meta, todo obstáculo es aborrecible. Dicho de otra forma: no existe nada más que el éxito, el resto es invisibilidad.

A mis queridos niños les encanta ponderar lo ponderado, aplaudir lo aplaudido, vitorear lo vitoreado y aclamar lo aclamado. Pertenecen a esa estirpe que se pone a la cola donde hay cola. Por eso Arroba me explicó cómo funcionaban nuestras cuentas falsas en redes, activas desde semanas atrás, entregadas a la euforia. Lanzábamos encuestas manipuladas que nos daban a nosotros el mayor número de votos porque así convocábamos a los que apuestan por caballo ganador.

–Pensé que funcionaba al revés –le dije–. Que salir favorito en las encuestas desanima a los votantes, que ante la posibilidad de que los suyos ganen tienden a la pereza.

–Está estudiado que no funciona con esa lógica, sino la contraria. Digo que voy a arrasar, porque a la gente le gusta pertenecer al grupo que arrasa.

–Como esos entrenadores motivadores.

–Exacto.

Arroba me pidió que martilleara en cada parlamento público en la idea de que trepamos en las encuestas, que somos el partido al alza, que en campaña protagonizaríamos la remontada. Insistimos tanto en ello que nos lo empezamos a creer, por más que las tercas previsiones nos seguían dando a duras penas el tercer lugar tras la Cachorra y el Mastuerzo. Como me dijo mi representante Gloria hace años, referido al mundo literario, la gente acaba por creerse lo que tú dices que eres, solo has de insistir en repetirlo. Por eso los autores suelen ser promiscuos al hablar de su propia relevancia y éxito, y de tanto escribir sin pudor en las contraportadas de sus libros elogios a sí mismos terminan por creerse que lo que ellos piensan lo piensan también los demás.

Mientras duró la demostración de velocidad y eficacia de la nueva planta, yo me fijé en que todos los trabajadores que nos cruzamos tenían un gesto lóbrego y la tez blanquecina de los fantasmas. Cuando volvimos a salir a la luz del día, habían preparado un pequeño atril para los discursos. El alcalde glosó la grandeza de su tierra por acoger ese pabellonazo comercial símbolo de la modernidad. Al fondo se veía el perfil medieval de la ciudad, y por si alguien no se daba cuenta del contraste, se empeñó en resaltarlo.

–Somos la ciudad donde se da la mano el futuro con el pasado. Somos el epicentro del progreso y sin olvidarnos del respeto a la historia.

Tú, que has pensado en el mundo alguna vez, porque has explicado historia política durante años a tus alumnos, quizá tuvieras algo que decir más interesante sobre esta transición laboral, pero recitaste la monserga que habíamos preparado sin demasiada pasión.

Nuestro rival, el Santo, se atrevía a proponer una tasa nueva sobre el consumo, con la pretensión de frenarlo. Desconocía, como les sucede a los izquierdistas de manual, que el consumo es una fuerza motora que no proviene de un diseño económico, sino también de nuestra conformación mental. Uno visita la aldea más perdida de África y comprende que el consumo, el mercadeo, es un motor sin alternativa. Incluso en el trueque se esconde un deseo de poseer lo ajeno. Si las personas fueran austeras y contemplativas, hace siglos que otra especie reinaría en el planeta.

–Tengo claro que se ha roto por la mitad el universo laboral que conocíamos, pero no estoy segura de que eso sea algo que puede frenarse –dijiste–. Las empresas han mutado, lo hicieron antes en la historia del trabajo, siempre asociada esa revolución a algún cambio tecnológico. La parte buena es que ahora el mundo entero se mueve al mismo ritmo, ya no existen grandes diferencias territoriales. El comercio, el transporte, la hostelería, la medicina, nada escapa a la mutación de la comodidad y la competencia.

Te recreaste en la doctrina dominante de ganadores y perdedores.

–Regular en exceso el mercado es siniestro –afirmaste–. Es antinatural, fallido. Nuestros rivales quieren ordenar desde el Gobierno que el amanecer se retrase a media tarde y que llueva los lunes y los jueves. El mundo no funciona así.

En el autobús volvimos a repasar el siguiente discurso. Eran esos raros momentos en que escapábamos de la frenética rutina de los actos y los desplazamientos y podíamos sentarnos a componer música. Carlota, con la arrogancia que la caracterizaba, nos contó que había logrado frenar el cuento de la foto de la anciana muerta con el globo.

–Por suerte los familiares eran decentes, cercanos a nuestro partido y no querían dañarnos...

–Estupendo. ¿Y fueron ellos los que sacaron la foto?

–No, no fueron ellos, sino un empleado de las pompas fúnebres.

–¿En serio? Ya no se puede confiar en nadie.

–Lo tenemos bajo control.

Cuando Carlota nos dejó tranquilos, retomamos nuestra escritura. Entendí que te guiabas por algo parecido a mí, una especie de individualismo patriótico. Mencionaste a Hobbes cuando me recalcaste que la paz y un gobierno fuerte eran compatibles con el deseo de mejora personal.

–Tengo un amigo que pesa ciento veinte kilos. Le gusta comer, beber. No le preocupa mucho la salud. ¿Por qué tendría yo que compartir sus kilos, hacer una media con los míos, repartir el peso entre él y yo, si a mí me gusta comer lo justo, hacer ejercicio y tener una vida sana? Pues eso es lo que quiere la izquierda y a lo que yo me opongo desde la teoría y la práctica.

Te escribí esa parrafada y la leíste delante de mí, en voz muy baja. Tu sonrisa delataba el agrado. Me hubiera gustado contarte entonces el momento en que descubrí que la sociedad funciona con ciudadanos que se enfrentan como rivales, sin la activación de la hermandad. La colectividad ha sido desacreditada. La conciencia de grupo es un lujo que la gran mayoría no puede permitirse. Esa es la gran complejidad, que el deseo de triunfo personal pasa por encima de todo. Y amañar esa competición nunca da resultado, los buenos sentimientos son una impostura.

–La izquierda defiende la solidaridad obligatoria. Pues oye, yo no quiero cargar con la grasa que no es mía. No tengo por qué creer en eso, pensar que eso es sano.

Volviste a leer en voz baja con un leve movimiento de los labios. El superior era fino, incluso feo, pero el labio inferior adoptaba al moverse la forma acogedora de un sofá.

–Conservador es quien cree en un orden. No hay biológicamente otra posición política.

Yo no aspiraba a ser el ideólogo de tu campaña, solo escribía los desvíos narrativos. Es más, nunca conocí a los ideólogos de tu campaña, los redactores de esas 140 iniciativas para salvar España que Candi nos endilgó en la primera reunión de trabajo. Tengo la impresión de que el programa electoral, como los votantes fieles, los heredáis los candidatos directamente al situaros bajo las siglas, bajo las décadas de trabajo propagandístico del partido. Del mismo modo, mis queridos niños llamados a votar buscan a la estrella que los guía desde el cielo. La democracia actual es una superstición. Los ciudadanos creen en la magia. Por eso están todo el día cabreados, porque no les funciona el encantamiento.

A la entrada del gran salón del edificio noble en el que

iba a tener lugar el encuentro había una colección histórica de espadas medievales y Arroba se empeñaba en grabarte vídeos desinhibidos de un dudoso valor humorístico. Pretendía que blandieras un espadón en el aire y amenazaras a tus enemigos con el acero toledano.

–Hazlo, hazlo, el humor es tu asignatura pendiente –te animó Carlota como se anima a un niño a tirarse del trampolín.

Grabamos bastantes cosas así durante aquellos días y los siguientes. Podrían componer una videoteca infame de tonterías obligatorias. Todas ellas con la misma finalidad. Esa era la competición que os tomabais tan en serio. Tú con la espada mientras dices que estás pensando llevarla al debate de la tele. Tú frente a una sucia charca al pie de la carretera mientras llenas botellitas de agua para afrentar a tus rivales. Tú en la farmacia mientras compras pastillas para la voz porque dices que tanto mitin está acabando con tus cuerdas vocales. Tú al volante del autobús de campaña mientras finges conducirlo. Tú a la puerta de un karaoke mientras aseguras que prefieres desafinar ahí que en el consejo de ministros como hacen tus predecesores. Tú junto a un policía de tráfico mientras sostienes que estás aprendiendo de él. Tú junto a una oveja en el campo mientras intentas convencerla para que te vote, pero finges que ella siempre ha votado por el Mastuerzo. Tú bebiendo de un porrón, probando una paella gigante, cortando jamón, poniéndote un casco de obra, la máscara de un soldador.

En aquel lugar situado en la antigua judería teníamos un acto de solidaridad con una peña centenaria de la ciudad. Requeríamos de impactos que nos identificaran con los conservadores de los valores tradicionales, la defensa de la unidad de la nación y la reivindicación de su pasado y su historia. Sin embargo, yo solo quería alcanzar el cuenco de patatas fritas que nos habían colocado delante para engañar el hambre. Carlota me tomó del brazo y me pasó el teléfono.

–Es Candi –me dijo–. Quiere hablar contigo.

Me acerqué el teléfono a la oreja y saludé. Candi no fue demasiado elaborado en su mensaje.

–Estamos hundidos.

–¿Me lo dices o me lo cuentas?

–El hombre ese que conoces, tienes que llamarlo.

–¿A quién?

–Al que dices que nos puede ayudar a arreglar lo del alquiler de Amelia.

–¿Al Tano Allegri?

–Sí, quien sea, no podemos permitirnos llegar al debate y que los rivales la anulen sencillamente porque tiene ese asunto pendiente. Es terrible. Nos ha cogido desprevenidos, nos están machacando por ese flanco.

–Veré lo que puedo hacer. Costará dinero.

–Llámalo inmediatamente.

–¿Llamarlo? Bueno, no vayas tan deprisa. Entre sus particularidades está que no tiene teléfono. Tengo que verlo en persona.

–¿En Madrid?

Le dije que sí, pero que no era fácil dar con él. Me pidió que me pusiera en marcha cuanto antes, que dejara la caravana si hacía falta y no durmiera esa noche en Toledo, pero que desactiváramos ese problema, la prensa y los rivales le estaban sacando filo y esperaban al debate para hacerte lonchas con ello delante de millones de espectadores.

–Estamos hundidos en las encuestas, nuestro mensaje no llega, no podemos arrancar la campaña así. Amelia sigue siendo una desconocida. Y encima esto, que sirve para que la ataquen de manera fácil. Ni siquiera la imagen de limpieza y renovación nos funciona. Vamos hacia el desastre absoluto.

La desesperación de Candi podría haberme divertido en otro momento. Me alegra ver a los soberbios catar la derrota. Pero pensé en ti, te miré allá, entre los peñistas sobones y aburridos, mal vestida por culpa de la enésima chaqueta equivocada de Cuca, pero con esa cara de ángel y esos ojos de inteligencia viva, y me dije que no podía dejarte tirada.

21. Madrid

Había llegado a tiempo de tomar el último tren rápido en Toledo. Ni siquiera pasé por casa. Sabía lo complicado que era dar con el Tano Allegri. En realidad nunca dabas con él, era él quien daba contigo. Así que lo mejor era hacerle llegar el mensaje de que andaba buscándolo.

Conocía bien cómo trabajaba el Tano Allegri. Para él esto era una pieza sencilla. Había solucionado a veces alambicadas historias de acoso sexual, había salvado al hijo de un empresario de un caso de violación grupal, en una ocasión le arregló al alcalde de la capital un escándalo feo de faldas y menores y al presidente de un banco le salvó de las salpicaduras del suicidio inducido de un colaborador. Un asuntillo como el tuyo era encargo fácil. Yo había colaborado con él cuando mis revistas tenían cierto peso, pero una de sus características es que no sabías del todo quién integraba su equipo. Decían que manejaba un ejército compuesto por un veterano ruso que se encargaba de los allanamientos, las aventuras más físicas. Un jovencito que manejaba bien las entrañas de los ordenadores y los móviles ajenos. También tenía sus contactos en presidio y algún abogado fiel, con el que podía contar siempre, y por supuesto los enlaces precisos en la prensa. Daba igual, era alguien que solucionaba los problemas y los afortunados que lograban contar con sus servicios se hacían pocas preguntas una vez visto el éxito.

Su oficina era una consigna de equipajes en el centro de Madrid. Un local poco frecuentado y sin historia, apenas un pasillito con casilleros y algún empleado adormilado que te atendía con desgana en una calle lateral al Teatro Real. Cuando entré, el chico levantó la vista de su móvil, en el que miraba una película.

–¿Desea algo?

–Estoy buscando al Tano –le dije.

Se encogió de hombros. Pensé que me iba a mentir, que me diría que jamás había escuchado ese nombre. Pero su respuesta fue más natural.

–A esta hora cualquiera sabe dónde anda.

Afuera era de noche, así que le pedí la llave de un casillero y cuando lo abrí metí uno de los pasquines con tu foto y encima escribí mi nombre. Esa era la forma en que te comunicabas con él cuando no se te daba a ver. Le dejabas una nota en la consigna y esperabas sus noticias.

Cuando salí a la plaza alcé la mirada para localizar un taxi. Quería irme a casa, puede que me llamara en un rato. Sin embargo, alguien silbó desde un bar cercano y me volví para descubrirlo. Era el Tano. Me saludó afable, me invitó a sentarme en la barra a su lado. Pedí una cerveza y él compartió conmigo las croquetas de su plato.

–Son caseras –me dijo–. La tortilla no se puede comer.

–La culpa es del Ministerio de Sanidad, ya no dejan usar huevo.

–¿Hay algo que no joda la política?

No sé por qué su pregunta sin respuesta me hizo sospechar que ya sabía la razón por la que le andaba buscando. Si algo caracteriza al Tano Allegri es que maneja buena información. No tardé ni veinte minutos en contarle nuestra necesidad. Le había preparado dos o tres recortes de prensa para que se hiciera una idea precisa, pero apenas los miró y los dejó sobre la barra del bar.

–¿Un piso de alquiler sin contrato? ¿Qué espera la gente, que se presenten a las elecciones monjitas de clausura sin un pasado?

–Ya sabes, la puta pureza –le respondí.

Las puntas de metal labrado de su corbatita de cuerdas tintineaban en su pecho. Pese al aire de duro, tenía una sonrisa plácida y cordial bajo los ojos azules. Le hice ver que nos corría prisa su intervención.

–El lunes tenemos un debate en televisión y no queremos que este asunto se nos coma el tiempo.

–Me imagino...

El precio del Tano era otro misterio. No lo sabías hasta que terminaba el trabajo. Entonces, en función de los esfuerzos realizados, te pasaba una minuta. Bastaba con que dejaras el sobre con el dinero en uno de los casilleros de su consigna. No volvías a saber de él. Si alguien cometía la temeridad de no pagarle, me explicó una vez, su forma de venganza era multiplicar el problema inicial por dos. La mierda más chica puede multiplicarse hasta el infinito, decía.

Pedimos un segundo plato de croquetas. Hablamos de algún conocido y nos burlamos de ciertas anécdotas de los últimos tiempos. El Tano Allegri no solía preocuparse demasiado por tus motivaciones, pero ese día, quizá, percibió algo en mí que le extrañó.

–¿Y tanto te interesa salvar a la candidata?

–Trabajo para ella.

–Tú nunca has trabajado para nadie que no seas tú mismo.

–Digamos que me cae bien.

–Eso es distinto. Pues si a ti te cae bien, a mí me cae bien.

Y cuando el Tano te decía una cosa así podías sentirte muy afortunado.

Caminé hasta casa en la noche y traté de pensar si te hacía algún servicio válido. Me he acostumbrado a ser una pistola sin dueño, ya no trabajo para nadie desde hace siglos. Hasta me inventé mi propia publicación para prescindir de los jefes, de locutoras pavisosas, de ejecutivos cobardes, de redactores con ideas propias sobre tu trabajo. Es verdad que tenía el colchón de mis cómplices, a los que siempre fui útil. Pero después de hablar con Cándido me había quedado esa duda, la de si parte del desastre se podía deber a mi incapacidad para ayudarte. No era un trabajo que hubiera hecho antes y tenía la sensación de serte poco útil.

La silenciosa frondosidad del jardín de casa me recibió, aunque rápido fue rota por el ladrido de los perros. Los acaricié como hermanos que son. No desperté a Erlinda, cogí un libro mil veces leído de Pla y me metí con él en la cama. Algunas veces fantaseé con ese ídolo ampurdanés en su refugio del mundo, en su noche de alcohol, humo y letras. Ya no se fabrican canallas así. Ahora tenemos que andar al pairo del mundo, en autobuses ridículos bajo máscaras electorales. No podía estar más de acuerdo con él. En un país en el que la pregunta permanente es qué pasará mañana, no se puede vivir. La historia es un inmenso esfuerzo para no dar solución a nada. La felicidad es ni más ni menos que quedarse dormido con esas ideas bailando en la cabeza.

22. *Baleares*

El sábado a las nueve me presenté duchado y brillante en la terminal del aeropuerto. Viajábamos a Baleares, un territorio complicado, donde varios próceres de Los Cuervos estaban procesados. El dinero de cursos de formación para desempleados se desviaba directamente a sus cuentas personales. Sin embargo, en las últimas semanas, un giro inesperado de guión nos concedía el respiro necesario. A los beneficiados de la red de desfalco se habían sumado los dos líderes sindicales más potentes en las islas. Ahora se había desatado una indignación que salpicaba a todos lados. En épocas de crisis económica o social, asuntos así provocan que mis queridos niños se pongan por un rato inquisidores y moralizantes. Todos son iguales, dicen, para, pasados esos arrebatos, elegir de nuevo en la cúpula a una categoría de personas que identifican con el poder. Mis queridos niños no admiten desharrapados, revolucionarios, ni tan siquiera Savonarolas por demasiado tiempo. Quieren a su clase adinerada y poderosa en el poder, como Dios manda y ha ocurrido siempre. Aspirábamos a recuperar de un buen bocado alguno de los ocho diputados en las islas. Te encontré en forma.

–Buenos días, Basi, tienes mejor aspecto.

–No hay como una noche de descanso.

–A saber qué harás tú en tus noches que llamas de descanso.

–Si me cuentas tus noches primero, luego te cuento yo las mías.

En el vuelo a Ibiza repasabas el discurso que te habían escrito y recuperaste nuestra conversación anterior. Te había insinuado, cuando me preguntaste por errores que debías corregir, que te faltaba desmelenarte y aquello te intrigó. ¿Qué querrá decir ese gordo cuando se refiere a desmelenarme? Me mostraste los folios escritos.

–Con esto no querrás que me desmelene.

–¿Otra vez la Paradita y sus metáforas de gallinas y pollitos?

–Algo así.

Teníamos un acto con empresarios del sector turístico. En uno de los discursos te había escrito que los políticos han de aspirar a ser gallinas que cuidan de sus pollitos. Y al tachar la frase de la Paradita atravesé los folios con la punta del bolígrafo. Eras consciente de mi desesperación, pero a la hora de comer participabas en otro acto en Palma.

–Si quieres –te dije–, podemos probar con algo afilado como postre.

–Hazlo.

Se habían sucedido los episodios de delirio etílico en varias ciudades de la isla dedicadas al turismo barato. En la prensa habían trascendido vídeos de muchachas ebrias que practicaban felaciones por turno en concursos gamberros, acosos sexuales en la bañera de alcohol asequible y, la perla de todos los desmanes, el salto desde balcones de turistas eufóricos. Siete muertos en los últimos meses recuperaron la actualidad de lo que se había dado en llamar *balconing,* el salto desde pisos superiores del hotel a la piscina del patio con resultados desiguales, desde el baño plácido al amanecer hasta la disgregación de vísceras por el terrazo adyacente. Se habían despertado protestas vecinales y de nuevo esa vena moralizante. Quiero tu dinero, pero no tus vómitos.

Tus rivales habían corrido a proponer medidas de control, horario de cierre de bares más estricto, eliminar los paquetes del todo incluido, prohibir los vuelos desde Gran Bretaña con despedidas de solteras, impedir la ingesta de alcohol en locales no autorizados y sanciones elevadas como multas y deportación para las borracheras incontroladas. Incluso el general Cojo había llegado a decir que España se había convertido en el lupanar del mundo, en una expresión algo tremebunda pero que su rival al otro extremo del arco ideológico había aplaudido.

–España es fiesta –te escribí–. Somos la diversión de Europa. Eso conlleva algunos excesos, pero no se dejen engañar, mejor será que nos identifiquen con pasarlo bien que con pasarlo mal. Yo prefiero siete muertos por *balconing* que ciudades cerradas, aburridas, bajo toque de queda y censura al placer, que es lo que promueven mis rivales.

Te costó aceptarlo cuando te lo propuse camino de la comida promocional.

–Yo no voy a decir eso, se me van a echar encima.

–Bueno, como quieras –te dije–, pero la gente necesita que alguien se parta la cara por la juerga española. Acuérdate de que tras la crisis suspirábamos por el regreso de los turistas. La borrachera festiva forma parte de nuestra identidad de país.

–Es inasumible.

–Después de siglos en los que nos denunciaban por la Inquisición, ahora nos denuncian por los concursos de mamadas, ¿en qué quedamos?

Esta idea te terminó de convencer y en los postres de la comida en Palma llegó el desmelene prometido. Lo dijiste palabra por palabra.

–Prefiero representar la fiesta que la Inquisición. Yo no vengo a reprimir a nadie.

Según Arroba empezaron a llegar cascadas de descalificaciones por las redes. Algunos sostenían que estabas borracha, porque en el momento en que lo dijiste levantabas una copa de cava para un brindis con los convocados. A Carlota le enfadó que una decisión así no hubiera pasado por su fiscalizadora supervisión. Yo me encogí de hombros, todo era una petición personal tuya.

–Si ahora necesito el *nihil obstat* de tu espíritu censor, me lo dices, querida Carlota, y tendrás que leer todo lo que sale de mi ordenador.

–Tú sabes perfectamente cuáles son los límites.

–Te recuerdo que la libertad es uno de nuestros argumentos de campaña. La libertad para elegir colegio privado, sanidad privada, la libertad de despido, la libertad empresarial, pues no podemos negar la libertad hedonista.

Tania parecía divertida con el estallido polémico y a mí lo único que me enfadaba de verdad era lo mal que habíamos comido de nuevo. Los empresarios turísticos nos sirvieron los platos que endilgan a vulgares turistas. Candi telefoneó desde Madrid. Lo de siempre. Cuando eres aburrido, mal. Cuando eres divertido, peor. Yo no escuchaba a los seres prudentes, los sabios del día después. Lo que me gustaba era que te mostrabas divertida, no constreñida al arquetipo que estaban fabricando de ti.

–Que rabien –dijiste.

Y Arroba comenzó a desgranar los apoyos más viscerales. Ahí estaban, los jóvenes a quienes no llegábamos de ninguna de las maneras empezaron a brotar en oleada. Un candidato que se desmarcaba de la corriente puritana. Alguien que defendía el derecho a emborracharse y desmadrarse. Resultó que la profesora era quien mejor entendía la pasión juvenil por experimentar en los límites. Tocaba sacar la cara desconocida, reivindicar la profesora que entiende a sus alumnos en la noche de farra. Agitar la vaciada palabra «Libertad» para hablar de los derechos frente a las persecuciones morales. Esa tarde fuiste al acto tan mal vestida como siempre pero te colocaste frente al atril de Palma con ganas de más.

–Me han criticado toda la tarde por gritar a los cuatro vientos que estoy a favor de la diversión y de la libertad. ¡Qué poco me conocen! Si algo he tratado de lograr en todas mis clases durante tantos años es contarles a los alumnos que la libertad exige la responsabilidad propia. Dejemos de ser censores de costumbres. Yo no me metí en política para decirle a la gente lo que tiene que hacer con su vida, lo que tiene que beber cuando sale, para marcar los límites a los adultos como si fueran niños.

Que siguieran brotando mensajes en las redes que decían que tú defendías el *balconing*, las borracheras, las mamadas y las fiestas de la espuma. Pues claro que sí. Ese escándalo era precisamente el que nos dotaba de un perfil iconoclasta desconocido hasta ese momento. Así se lo dije a Carlota para callarle sus aprensiones.

–Pareces tonta, chica, tocaba mojarse un poco. Amelia necesitaba desmelenarse.

Arroba se mostraba callado, pero cuando terminó de recopilar los informes que le llegaban de la sede me dio la razón. Nada mejor para completar la imagen de rigurosa y autoritaria que este inesperado rapto de lúdico desbarre.

Camino del aeropuerto nos detuvimos en una ingrávida urbanización a las afueras de Manacor para reivindicar el crecimiento imparable del desarrollo urbanístico de la isla. Nunca parecían acabarse las posibilidades de engrandecer su atractivo turístico con otro macrorresidencial de apartamentos de lujo. En este caso, el promotor era un joven alemán que según informes de Los Cuervos nos sumaría un zurrón de votos de residentes de aquel país. Resultó ser un chico nacido en Mallorca, pero de padres alemanes, que incorporaba todas las virtudes para los negocios de ambas nacionalidades: la lealtad al dinero de los españoles y el amor por el desastre estético de los alemanes.

Habíamos preparado un breve parlamento en alemán que inmediatamente atrajo la atención de todos los medios. Al día siguiente incluso aparecía reseñada tu intervención en los periódicos principales de aquel país.[12] Una buena señal.

Volábamos esa misma noche de vuelta. A las doce teníamos que estar en un programa nocturno de entrevistas. No tuvimos tiempo de cenar nada antes de subir al avión. Como me temía el infecto rancho de la línea aérea había hecho acopio de una ensaimada y la mejor sobrasada que encontré en los puestos de venta del aeropuerto y me preparé un postre salado que por desgracia tuve que compartir con Tania y Arroba, empeñados en probarlo al ver mi cara de gusto.

Me miraste desde tu asiento y te invité a acercarte. Te ofrecí un pedacito del manjar.

–Sabes, Basilio, por primera vez tengo una extraña sensación.

–¿Y eso?

–Inercia. Como si ya no estuviera al mando de la campaña y esta me llevara en volandas sin tiempo a pensar.

La propia dinámica del asunto era el asunto. Así te lo expliqué.

–Cuando uno monta en bicicleta no piensa en dar pedales, solo goza del equilibrio y la velocidad.

–Ya, pero siento que la energía no se pone sobre algo concreto, sino que es la energía misma el contenido final de todo lo que estamos haciendo.

Yo te tranquilicé, ese era precisamente el estado perfecto para continuar el viaje. Esa noche teníamos un programa estrella de debate político televisado. Tania había conseguido que un amigo que trabajaba en el programa le robara la escaleta con la mayoría de las preguntas que te iban a formular. Me gustaría saber cómo conseguía esas cosas Tania, aunque yo le habría entregado mis posesiones de habérmelas pedido con su sonrisa melosa.

Intenté dar con ideas poco manidas para responder a preguntas como: ¿Qué le diría a un trabajador de cincuenta años que lleva más de diez apuntado al paro sin encontrar empleo? ¿Qué planes tiene para afrontar el desempleo juvenil? ¿Es sostenible el sistema de pensiones con la deuda financiera del país y la pirámide poblacional envejecida? ¿Cuál es su posición sobre el conflicto en Oriente Próximo? ¿Está a favor de la guerra comercial con China? ¿Qué les diría a los que dicen que su partido no necesitaba una profesora universitaria sino un forense?

23. Madrid

Tú pediste ir al baño cuando estábamos ya en la terminal de Madrid. Tardaste un rato en reaparecer. Te mostrabas relajada y olías de maravilla cuando nos recogió en el aeropuerto el coche de Los Cuervos. Íbamos tú y yo a solas con Tania, que reía a carcajadas con mis bromas. Si hubiéramos asesinado al chófer de seguridad, Zunzu, por mí podríamos habernos estrellado contra un camión y habría sido feliz para la eternidad.

Carlota te había dicho que el presentador del programa de la noche se llamaba Ignacio, pero que le encantaba que le llamaran Nacho. Así que tú te plantaste en la entrevista soltándole un ¿puedo llamarte Nacho? que le dejó babeando de placer. Y a la primera pregunta le endilgaste un pedazo de caviar: los españoles no van a encontrar en mí esas pasiones tristes de las que habló nuestro compatriota Spinoza y que tan bien definen a los líderes políticos que conocemos hasta ahora. ¿Que cuáles son esas pasiones que yo les evitaré a los españoles? Ya las saben de sobra, la amargura, el resentimiento y el derrotismo.

Sentí que en ese momento estallaban los televisores de media España. Acostumbrados a realidades trucadas y al negocio autorreferencial, de lo único que habla últimamente la tele es de la propia tele. Yo me había opuesto a lo de que usaras una cita literaria, y menos de Spinoza. Mis queridos niños desconfían de un apellido que no forma parte de alguna alineación de la Liga de fútbol. A los dos días incluso salió una viñeta de un veterano humorista de prensa, que suelen ser la única raza que soporto en mi profesión, donde se veía al edificio de tu partido abroncarte en la entrada principal con el siguiente bocadillo: Pero ¿cómo se te ocurre nombrar a Spinoza en plena campaña electoral, nos quieres hundir?[13]

En el resto de la entrevista estuviste poderosa y rotunda. Lo tardío de la hora te permitió explayarte a gusto en cada respuesta. No aparentaste conocer las preguntas por anticipado, sino elaborar una improvisada muestra de tu talento. Soltaste perlas muy valoradas. Evitaste las palabras ya vaciadas por la jerigonza del gremio como ciudadanos, libertad, democracia, país, futuro. Cuando el tal Nacho te hizo la esperada pregunta sobre la pertinencia de que un profesor fuera presidente del gobierno respondiste con mi nota.

–No se olvide de que los profesores hacen funciones muy calladas de enorme complejidad. Te voy a poner un ejemplo. El primer trabajo en computación de Bill Gates fue conseguir cuadrar los horarios de la escuela donde estudiaba de adolescente. Se pasó días para conseguirlo, porque no es una tarea fácil, y lleva a veces semanas a los responsables. Después de eso, se convirtió en un genio. Quien sabe organizar una escuela, sabe organizar el mundo.

¿Vas a decir que no fueron esas las pequeñas razones por las que trepamos en las encuestas? ¿Te vas a creer que los vídeos imbéciles de Arroba y su gurú Junco o las posturitas de adorno de Lautaro y Los Blanditos o las estrategias elaboradísimas de Carlota y su profeta Candi contribuyeron al milagro? Déjame que presuma de mi labor. Hasta Arroba reconoció que una broma colgada en redes, donde se veía la cabeza del presentador echando humo mientras tú respondías a sus preguntas, alcanzó más de trescientos mil visionados. Nunca es despreciable aparentar estar fuera del mundo cuando el mundo es una poza asquerosa y sucia.

Salimos tan exultantes de la entrevista que cuando nos devolvieron del plató al camerino nos zampamos la bandeja de pinchos y bocadillos como en un cumpleaños escolar. Hasta yo grité en voz alta. ¡Los jodimos, los jodimos vivos!

Tania recibió la llamada de Carlota, que se empeñaba en que fuéramos a casa de Candi en La Moraleja para festejar la entrevista. Ellos la habían seguido allí y nos tenían preparada una sorpresa desagradable.

Sí, desagradable, porque alrededor del salón barroco, donde la esposa de Candi y sus dos gemelos simulaban llevar una vida feliz, Carlota y tu jefe de filas habían convocado a tres supremos mandones. Uso esa palabra cursi e infantil porque fue la que usaste tú cuando lo comentamos.

–Estos son unos mandones –me dijiste.

El presidente de la asociación de empresarios, el consejero delegado de la marca nacional más puntera de hidrocarburos y la agresiva directiva del banco donde yo guardo mis ahorros. Lo que se llaman tres peces gordos que Candi nos restregó por la cara para recordarnos que él jugaba en otra liga de amistades, inasequible para nosotros.

–Felicitaciones de todos por la entrevista, y por la campaña que estás haciendo, Amelia, de verdad, tiene mucho mérito.

Luego supe que Candi no quería que yo asistiera a ese encuentro. Soy demasiado visceral y bocazas, eso le dijo a Tania. Pero tú creíste que era un regalo merecido por mi brillante guión en la entrevista. La velada se prolongó hasta que los tres mandones consideraron que habían dejado claro lo que eran sus prioridades.

La más efusiva fue la banquera, que decía enorgullecerse de que fueras una mujer, la mujer que necesita este país, pero al mismo tiempo no dejó de criticar ni un minuto a feministas, feminazis, feminoides o seres sencillamente femeninos, incluida la Cachorra y cualquier otra mujer que ella considerara contraria a su visión del mundo y aspirara a cierto poder. A los hombres los soportaba mejor, no eran competencia.

En dos ocasiones en que fui a decir algo noté tu mano suave pero decidida posarse sobre mi antebrazo, como si quisieras retener al perro de presa que podía ser y reconvertirlo en un apacible perrito de compañía. Agradecí esa mano tuya, significaba que empezabas a conocerme porque yo mismo soy la primera víctima de mis bocados.

Me retiré a casa en taxi. Nunca aprendí a conducir porque, como aquel personaje de Bogart, de profesión siempre quise ser borracho. Tuve un buen amigo juez, que me filtró tanto y tanto material, que tenía el problema opuesto. Le gustaba beber y le gustaban los coches caros. Su salida del Supremo fue sonada, le detuvieron en un Porsche clavado contra una farola, al volante con dieciséis copas de más, y las patrullas puritanas sostuvieron que era imposible que un borracho ostentara cargos institucionales de tal responsabilidad. Lo enviaron a un destino más discreto.

La sed me hizo cambiar de idea y desvié el taxi hacia un bar cercano. Bebí sin freno. Al entrar en casa me sentía bello y joven. Neville y Tono se me echaron encima al entrar. Eran dos mastines deliciosos con un hilo de baba kilométrico que les gustaba plantarme en la pernera. No había rastro entre la hierba de la entrada de ninguno de sus cagarros enormes, que a veces al recogerlos obligaban a Erlinda a usar las dos manos para sostener la pala de pura prestancia y peso. Aunque sábados y domingos los tenía libre, ella apenas salía un rato a ver a sus compatriotas filipinas empleadas por el vecindario y regresaba feliz a la casa de su hipopótamo. Se empeñaba en vestir de criada, por más que yo le había insistido mil veces en que por favor no se disfrazara con mandil y cofia. Me gustaba más el largo camisón que usaba para dormir. Llamé a la puerta de su dormitorio, pero no me dejó entrar. Salió ella colocándose una bata por encima del camisón y me condujo escaleras arriba hasta mi cuarto en el primer piso.

–Está borracho otra vez, no le conviene beber así, señor.

Aunque insistía en hablarme de usted, Erlinda me masturbó a la puerta hasta que me corrí y caí desmadejado sobre el colchón.

Me desperté tres horas después en el silencio del hogar, pegajoso y sucio. Me di una ducha mientras amanecía y comprobé con asombro que mi agilidad aún me permitía secarme la espalda. Atarme los zapatos por mí mismo era el límite que me había impuesto en cuanto a abandono físico. Cuando llegara el día en que necesitara ayuda para hacerlo, abriría la ventana y acabaría con el cuento. Hice mis tres ejercicios de elasticidad, asombrosa en un tipo con mi panza, y si me miré desnudo ante el espejo, no fue por coquetería sino por zaherirme. Joder, qué espanto de criatura. Parecía un ser humano desbordado, como desbordan los pantanos. Me afeité y refrené los pelos más rebeldes de la nariz. Aún me duraba la euforia por tu actuación televisiva de la noche anterior. Una alegría, bien lo sabes, que me harían pagar bien pronto, bien pronto.

Segunda semana

I had rather servant in my way
than sway with them in theirs.

WILLIAM SHAKESPEARE,
Coriolanus, acto II, escena I[14]

1. Ávila

A alguien se le había ocurrido la feliz idea de programar un acto de mediodía en ese domingo que deberíamos haber utilizado para descansar. En un principio tú no debías asistir, pero el pavor a nuestra situación en las encuestas hizo que Candi te presionara. La obligación de un candidato la víspera del debate es plancharse la cara, respirar, que sus gestos no delaten el desvelo. Pero tú no pudiste disfrutar de ello.

En el autobús aprovechamos para preparar respuestas a los ataques más previsibles de tus rivales en el debate televisado de la noche siguiente. La mayoría ya habían enseñado las cartas durante la semana y sus intenciones eran bien amenazantes. Negarte todo lo que querías ser. Nos pesaba el lastre de representar al partido manchado por innumerables casos de corrupción, cuyo anterior presidente se había visto obligado a dimitir. Cuando nos alanceaban por ese costado teníamos la respuesta ensayada para que olieras a lavadora recién abierta.

–Yo precisamente estoy aquí porque no tengo nada

que ver con las cosas que se hicieron mal, soy nueva, soy independiente, yo soy la regeneración.

Te beneficiaba haberte enfrentado al vicepresidente Mario Nieto en las primarias del partido y tu gestión decente en el cargo de ministra. Carlota se fingía contenta, al menos tenía un motivo. Había comprado todos los periódicos de buena mañana y entre la literatura dominguera el trabajo del Tano Allegri ya asomaba con su fortaleza habitual. No parecía haberle costado demasiado pinchar el globo del escándalo sobre tu alquiler ilegal. El profesor Julián Calderón aparecía despedazado en los reportajes de *La Mano Amiga* y *Pis&Caca.* Ya no se trataba de un inocente inquilino sorprendido de que su casera tramposa quisiera presentarse como candidata a presidenta. Resultaba que su pareja había militado seis años en el partido de la Cachorra y él se había beneficiado de un puesto fijo en la universidad que orbitaba alrededor de Los Lobos y sus afines. Todo ello le convertía en pieza necesaria de una trama interesada contra ti.

A mis queridos niños nada les desanima más que detectar tras un ataque los intereses espurios. Quieren ejecuciones limpias, guillotinas centelleantes de justicia irrefutable. En varios medios habían tratado de recabar la opinión de la líder rival, pero se sacudía la responsabilidad. No conozco a esa persona, declaraba la Cachorra. Era imposible que ella, que había conocido todos los eslabones del partido hasta alcanzar el liderazgo en un ejemplo de perseverancia, ignorara una sola pieza que naciera de ese entorno. Tampoco salía bien parado del escrutinio personal tu acusador. El tal Julián Calderón había sufrido un expediente disciplinario en su universidad por opinar del escote de una alumna en mitad de clase. Su escote es invasivo, le había soltado a una alumna de las primeras filas en un día infausto para él. Aunque la polémica quedó archivada por la jefatura universitaria, también resultaban oportunísimas las declaraciones de dos estudiantes anónimas que lo acusaban de haber intentado propasarse con ellas a cambio de subirles la nota y de un comportamiento de depredador de campus. Testimonios no acreditados, pero que ensuciaban su presencia mediática. Si las cosas no se calmaban, es muy posible que perdiera el puesto de trabajo antes del martes. A partir de ese momento tu antiguo inquilino no volvió a pisar el charco. Regresó a su guarida y maldijo el día en que quiso para sí los cinco minutos de protagonismo.

El rastro de esta demolición llevaba la firma reconocible del Tano Allegri. Una de sus estrategias principales solía limitarse a atacar al atacante. Con su fuerte acento argentino solía repetir eso de que en el fútbol, como todo el mundo sabe, donde mejor te defiendes es en campo contrario. En apenas veinticuatro horas desde mi encargo había armado la causa, se había desplazado a los contornos del profesor Julián Calderón y el tipo había recibido un claro mensaje práctico. Mejor ocúpate de tus asuntos o nosotros nos ocuparemos de despedazarte. Carlota me sonrió desde el pasillo del autobús.

–Creo que no vamos a tenernos que preocupar demasiado de este asunto en el futuro.

–No, creo que no.

Luego tú, en un pequeño aparte, me pediste que te dijera la verdad.

–¿Todo esto que cuentan de las alumnas acosadas es verdad o lo ha inventado tu amigo?

–No lo sé, Amelia, yo solo le pedí que se esforzara por sacarnos del atolladero.

–Ya, pero no quiero que nadie trabaje para mí con malas artes.

–¿Malas artes? Yo lo llamaría el derecho de réplica, ¿no te parece? Si te atacan, atacas.

Como hacía frío y el pinar elegido para el acto de campaña os confería un aire de pícnic, pusieron de forillo un coro de militantes y cargos entre banderas que el viento agitaba con toda la gracia de la que carecían sus caras. Era ya un estilo impuesto. Detrás del líder, unas filas de acólitos que asienten con la cabeza y murmuran ¡sí! y ¡exacto! como si estuvieran pensando en lo que dices y no en cómo van a salir en los noticiarios. Te escuché quejarte a Cuca de que la ropa elegida te marcaba las caderas de forma desmesurada. Probó a anudarte a la cintura un jersey y parecías una estudiante insegura. Al final elegiste ponerte un poncho que te cubría hasta casi la rodilla y te daba un aire ridículo. Cualquiera hubiera dicho que ibas a interpretar el repertorio de una cantante oronda paraguaya acompañada con un guitarrón. Peleaste duro por cerrar el capítulo del alquiler.

–Han intentado inventarme una trama con un piso alquilado hace mil años y ahora resulta que se vuelve contra ellos. Quien me acusa tiene demasiado que ocultar.

Ya empezabas a mostrarte algo más felina. Nunca me diste las gracias por recurrir a alguien resolutivo como el Tano Allegri. De nada.

Arroba, en cambio, seguía empeñado en que nuestros mensajes no llegaban. Él usaba la expresión romper. Teníamos que romper. De hecho sostenía que cometer un error, un gazapo, en ocasiones podía permitir que hablaran de ti, que saliéramos de la rutina. Se contabilizaban las horas de presencia mediática, más que el sentido de esa presencia. Por eso habíamos ensayado una tontada, para ver si desde Ávila llegábamos a nuestros queridos niños con potencia.

Era un reto muy sencillo. Habíamos escrito una frase simple.

–Mis rivales me miran como a una extraña, porque no pertenezco a su gremio de políticos profesionales, me ven como una profesora que se interpone en su ruta.

Pero al llegar ese momento tenías que simular un tropezón dialéctico y, en lugar de ruta, decir puta. Puta, la palabra prohibida.

Ya viste el resultado. Habría que reconocerle al insustancial de Arroba que tenía toda la razón. Tú misma, cuando cometiste el error forzado, te quedaste callada un segundo eterno y seguiste adelante. El desliz apareció en todas partes, se hicieron bromas y se repetía en bucle. Puta, puta, puta, nada gusta más a mis queridos niños que las palabrotas en bocas inesperadas. Lo celebran como escolares en clase.

Según los cálculos de Arroba habíamos robado presencia al discurso de los rivales. Y lo más importante de todo, seis horas después del gazapo ya solo eras desconocida para un 8 % de los votantes.

Yo sugerí que comiéramos en Ávila, conocía el mejor asador de la provincia, Las Lanzas, pero tú querías descansar en Madrid con tu momio. Así que te subiste al autobús tras el pícnic sin sustancia. Tania me dijo que ella sí se dejaba invitar a comer, la glotonería es una patria. Carlota nos organizó un coche para que nos recogiera al terminar. Luego una de las mentes brillantes del poder local nos hizo la reserva en el sitio adecuado y allá que nos íbamos como una parejita en barbecho cuando se nos unió Arroba.

–Bueno, venga, me habéis convencido, voy con vosotros.

Le habría clavado sus propias gafas de pasta en el gañote. No sé lo que habría ocurrido si Tania y yo hubiéramos podido estar a solas en esa comilona bestial que nos metimos. Por desgracia, Arroba tenía muchos asuntos que repasar con nosotros. Envidiaba la destreza del departamento de prensa del Santo para dar todos los días con soluciones epidérmicas que triunfaban en los medios. Su candidatura no despegaba en votos, pero su popularidad era evidente. El tal Juan Veloz era un mago de la nueva comunicación tan solo por los vídeos que ponía a circular a favor de su jefe. En el último aparecía vestido de jardinero con unas enormes tijeras de podar y presentaba todos los lugares donde podía reducirse el gasto nacional sin afectar a los servicios sociales, era una especie de Barrio Sésamo político que funcionó muchísimo. También volvimos a comentar el desastre de tu vestuario, Arroba estaba de acuerdo en que el poncho lindaba con la ofensa a los sentimientos latinoamericanos.

–Es horrible, tenemos que hacer algo con la ropa de Amelia...

Consideraba a Cuca, y en eso estaba de acuerdo conmigo, una carrinclona insufrible que sumaba a tu aire ya de por sí monjil y mustio un gusto por la ropa aburrida y sin riesgo. A Cuca la habías heredado de la casa madre, al parecer ya vestía al presidente en sus actos más comprometidos, pero un hombre en política es fácil, especialmente si es conservador. Chaqueta, corbata, camisa, chaqueta, corbata, camisa, así hasta que vomitas regoldando azules, pistachos y blancos.

–Una mujer –decía Arroba–, una mujer tiene que explotar su aspecto. La paleta de colores que puede usar le da ventaja por encima de los hombres.

Tania estaba de acuerdo y mi desmedido afán por follármela me obligó a mostrar interés por el asunto.

–La verdad –dije– es que Amelia viste como una croqueta rancia de barra de bar.

Nos instalaron en el mismo reservado en el que años atrás dos oscuros diputados decidieron una presidencia autonómica con su desaparición el día de las votaciones. Lo sabía por el jefe de sala, cercano y afable, muy aficionado a las confidencias. Aquella conjura vino acompañada de un intercambio de dinero nunca del todo aclarado, pero certero y eficaz. Fue en los años en que vivía en Estados Unidos y mi país entraba en la era del saqueo que yo observé en la distancia. Se privatizaron todas las grandes empresas nacionales y se nombraban presidentes inéditos, gestores con conocimientos mínimos, compañeros de pupitre, colegas de infancia, parejas de tenis, hasta el urólogo de un presidente podía ser puesto al frente de la firma mayor hidroeléctrica si al responsable le salía de la polla. Repartirse el tesoro y la dirigencia desde los mejores asientos en consejos y sillones en las juntas alimenticias pasó a ser la caza mayor del reino.

En los ratitos en que Arroba nos dejaba en paz para consultar sus éxitos mediáticos, Tania y yo nos mirábamos con intensidad. ¿Cómo transmitirle a una mujer todas las ideas malsonantes que se acumulaban en mi cabeza? Desde joven fui muy tímido con ellas, no creas. Mi cara surcada de marcas de granos te haría imaginar, y con razón, una adolescencia acneica de apartamiento y complejos. Había aprendido, a hostias, que lo más eficaz para seducir a una mujer era escucharla como si te fuera la vida en ello. Durante la comida, le presté toda la atención a Tania, incluso cuando volvió a repetir sus recuerdos venezolanos y lo mucho que echaba de menos a sus papás. Puse de inmediato dos de mis secretos de seducción en marcha. Uno consistía en tocarle el antebrazo en algún momento de la conversación. El otro en criticar alguna de sus prendas de ropa.

–Esos pantalones no te van bien, ayer en cambio ibas preciosa con la falda que llevaste a la tele.

–Vaya, ¿también vas a criticar mi ropa?

–Es que te favorece mucho cuando aciertas. En Jaén, por ejemplo, la blusa que llevabas te realzaba el color de ojos.

–¿Tú crees? ¡Qué observador eres!

Luego cambiamos de asunto. Hablamos de cómo las telenovelas habían transformado la televisión. Pasaron de ser un género denostado a reconducir el modo en que se organizaban los concursos de realidad, los maquillajes de las locutoras y el desarrollo narrativo de cualquier noticia. El mundo se había *culebronizado.* Incluso la política. Ella se sorprendió de que conociera algunos de los éxitos de la producción venezolana en su época dorada.

–Yo entonces iba a la universidad y estaba mal visto ver telenovelas, pero eran muy populares, me encantaban.

–¿Qué bueno? ¿Cuál era tu favorita?

–¿Venezolana? No sé... *Cristal* y *La sabiduría de la sangre.*

–Ya me dijeron que aquí eran muy exitosas. Mi hermano Gonzalo escribió para *La sabiduría de la sangre,* pero lo dejó porque quería dedicarse a algo más serio como escritor.

–Claro, como era algo vergonzante, nadie confesaba que le gustaban. Pero cuando los norteamericanos transformaron el mismo formato en algo más prestigioso, ya vino el triunfo de las series.

–Sí, ahora todo el mundo ve series.

–Porque ahora quedas bien cuando lo dices. Se refinó el petróleo y ahora es gasolina.

–Se acabó la maldición.

–Exacto. ¿Sabes que fui crítico de televisión durante años? En la radio.

–¿Qué me dices? No sabía.

–El Rey Catódico.

Tania no estaba familiarizada con el nombre, pero Arroba saltó en su silla.

–¿Tú eras El Rey Catódico? Me encantaba oírlo de pequeño.

Tania, al escucharlo, posó su mirada sobre mí con refrescado interés. A lo mejor yo era alguien interesante y no solo un gordo salido y rijoso. Imité el tono de voz con el que interpretaba a El Rey Catódico, con la gangosidad de los Panero y un deje de pijo altivo, y Arroba recuperó al niño que fue cuando me escuchaba. Era igual de feo y molesto que el adulto. Yo volví a volcar mi atención en Tania. Resultaba que su hermano había muerto en los Estados Unidos por complicaciones del sida. Era diez años mayor que ella, y esa tragedia parecía anidar en su memoria. Le confesé que yo también había perdido a un hermano, herida que no se borra. Me miró entonces con un crudo encantamiento. Ay, qué cerca está siempre el dolor del placer.

–Mi hermano fue mi mejor amigo, quizá el único auténtico que tuve nunca, mi cómplice en los años más duros de colegio.

Tania también había sostenido una intensa relación con su hermano perdido, fue para ella como un segundo padre, antes de que se involucrara en el mundo loco de la farándula, como describió ella su carrera en las telenovelas y su posterior fracaso como escritor serio.

–¿De verdad que tu hermano escribió *La sabiduría de la sangre?* Me encantaba ese culebrón –le dije–. Anda que no me hice pajas con Verónica Asdrúbal, la protagonista.

–¿En serio? ¿Te gustaba esa arpía? Mi hermano me dijo que era insufrible.

–Yo entonces tenía quince años –le confesé–. Aún me gustaban las flacas con las tetas operadas.

–Se casó con el dueño del canal. En eso estuvo lista.

Cuando llegó la nota, el jefe de sala me la trajo directamente a mí. La recogí sin permitir la discusión. A otro podría haberle sorprendido lo que ocurrió en ese instante. No a mí. La nota llevaba escrita la cantidad por pagar. Diez mil euros. Obviamente era imposible que esa comida para tres costara eso. Levanté la mirada hacia el encargado, que me sonrió.

–Están invitados, señores. De parte del Tano Allegri, es un buen cliente de la casa.

Reconocí la forma siempre brillante e imprevisible en la que el Tano Allegri te hacía llegar la información sobre la cantidad que había que liquidarle por su trabajo. Dejé una propina espectacular sobre la mesa y salimos los tres del asador. Cuando ayudé a Tania a ponerse el abrigo, rocé sus pechos con mi antebrazo y ella no se retiró, lo cual era una señal indiscutible de buena disposición. En el coche, cuando Zunzu pasó a recogernos para llevarnos de vuelta a Madrid, le entregué la llave del casillero 14 en la consigna del Tano y la nota con la cantidad de dinero que había que depositar. Ahí terminaba el rastro de su gestión.

–Dile a Candi que hay que dejar esto solucionado cuanto antes.

El conductor asintió con la cabeza. Luego volví a centrarme en Tania y comprobé que sus pezones bajo el jersey ajustado festejaban mis atenciones.

2. *Madrid*

A las seis en punto estábamos convocados en la sede del partido. Ya no daba tiempo a volver a casa, así que invité a Tania a tomar media docena de cafés para tenernos en pie hasta la hora acordada. Entramos en un local cualquiera cerca de la sede a matar el tiempo.

Fue un acierto porque era de esas cafeterías sin tino, donde todo estaba mal, desde la decoración hasta la distribución de mesas e incluso el cuarto de baño, donde fui a hacer caca y luego no podía desencajarme del cubículo para salir de nuevo. Al volver hacia la barra, los muslos de Tania se desbordaban en el incómodo taburete, pero ella me señaló la música que sonaba. Era, dijo, la canción más famosa del dúo Conjuntivitis. Aquellos muchachos a los que había llevado de gira, como a nosotros, el bueno de Rómulo.

Presté atención y me sorprendió muy favorablemente el soniquete. Tenía esa rítmica moderna y poderosa, la matraca latina que se ha extendido como un virus, pero el estribillo era ferozmente poético. Se limitaba a repetir dos versos. Te quiero como eres, que daba título a la canción, y luego un segundo que me golpeó por su atrevimiento: pásame la sal. Te quiero como eres, pásame la sal. ¿Cómo era posible que alguien hubiera cerrado de manera tan prodigiosa una idea inabarcable?

Fue tan evidente mi entusiasmo, que en lugar de sentarme me puse a bailar. Estábamos apenas rodeados de dos clientes amargados y tendí las manos a Tania para levantarla. Ella también bailó, pues el tema era repetitivo y fácil, y al cimbrearse se le descoyuntaban las caderas con enorme encanto. Satanás en persona había articulado el esqueleto de aquella mujer. Me hubiera gustado que estuvieras allí, Amelia, porque hasta Tania dijo que yo no bailaba mal. Supongo que me puso eufórico escuchar la inteligencia resumida en dos versos, te quiero como eres, pásame la sal, y saber que aún se puede alcanzar el éxito popular con talento y aliento poético.

Pero la euforia duró poco, tocaba ensayar de manera formal para el debate del día siguiente. Nos entretuvo Cándido con sus comentarios jocosos y algo parecido a reflexiones que tenían que ver con los datos de las encuestas. Terminé de hacer la digestión del cordero mientras él escribía en una pizarra de esas adhesivas, con el ruido estremecedor que hacen los rotuladores de colores al deslizarse. Permíteme, Amelia, que te diga que Cándido siempre me pareció un descerebrado con ambición, desde la primera vez que lo conocí. La ambición es un rasgo que adoro en las personas, porque los convierte en asequibles, facilita el trato con ellos. A mí el carecer de ambición me da ventaja para tratar con los ambiciosos, les concedo el espacio y se rebozan felices.

Hubiera hecho una foto al pizarrín tal y como quedó escrito tras la función de Candi. Palabras sueltas: esfuerzo, talento, unidad, convivencia, plataforma y anticorrosión. Parecían las propiedades de un aceite lubricante. De verdad que tenía que ser duro para alguien que había hecho la tesis sobre Stuart Mill verse reducida a esas reuniones estratégicas. Tú seguro que habías pernoctado con Bernstein, Jaurès, Lasalle, los fabianos británicos, Bentham, Bobbio y Rawls, ahora tenías que lidiar con la estulticia de Candi y sus tópicos electorales. Pero así se ganaba el corazón de mis queridos niños.

Junco volvió a resaltar sus éxitos en redes, con una serie de impactos de los que se sentía tan orgulloso como un niño en los balines de la feria. Lautaro fue más crítico y habló de todo el trabajo que quedaba pendiente. Entre otras cosas, tú aún no habías logrado hacerte con un perfil estable entre la gente. Se nos acababa el tiempo para moldearte. Candi insistió en que resaltáramos aquellas cosas que creíamos que no funcionaban. Se me quedó mirando y me sentí retado. Me levanté y tomé de su mano el borrador. Limpié la pizarra de sus memeces y escribí una palabra en mayúsculas: COBARDES.

–El vestuario es un fracaso. El partido es un lastre. Vamos a las ciudades sin pisarlas de verdad. Necesitamos un plan de prensa serio. Hablamos de lo que nos preguntan, en lugar de imponer nuestras prioridades. Amelia es redicha, no contundente. Para ganar es preciso repetir constantemente que estamos ganando, que vamos a ganar. Sois cobardes.

Después de exponer mis críticas hubo un silencio masticado. Carlota me miró con sus ojillos de alumna aplicada. Para entonces la Paradita ya sabía que yo había pedido su cabeza y apartaba los ojos de mí cuando la enfocaba como se enfocan los drones antes de matar. No dije nada de sus pésimos discursos, pero todo el mundo conocía mi opinión. Hasta para ser cursi hay que tener talento. Tú no habías bajado la mirada ni un instante, pero asentiste antes de hablar.

–Todo es mejorable, no nos vengamos abajo.

El ensayo del debate lo hicimos en la salita de prensa. Colocaron atriles del modo en que se dispondrían en el decorado televisivo. Yo iba a hacer el papel de la Cachorra, me encantaba encarnar a tus rivales. Había preparado una batería brutal de pullas que tu enemiga real jamás sería capaz de imaginar. Luego practicaríamos juntos las respuestas por si te rozaban las balas. Carlota interpretó al Mastuerzo y Tania y la Paradita se quedaron con los papeles más desagradecidos de los dos rivalitos marginales con los que apenas contábamos, el Santo y el general Cojo. Los chicos de la cantera les habían preparado la lista de ideas fuerza que esos candidatos iban a repetir de manera automática durante los siguientes catorce días.

Había una cámara sobre ti, que filmó cada una de tus reacciones. Nos pasamos luego el mismo tiempo estudiando ese plano fijo. Era una película maravillosa, como una radiografía de tu cerebro. Desapasionada, frígida, monolítica y sin empatía, te fuimos corrigiendo todo aquello que creíamos posible corregir de ti. Aunque a mí me seguían hipnotizando tus ojos, vivos, listos, como pájaros despiertos.

Los asesores encargados de suministrar los datos te inundaron con una retahíla de informes y balances, algunos presentados con gráficos que parecían diseñados para que los entendiera un espectador de programa infantil. Pretendían que los mostraras en la pantalla. Yo me opuse rotundamente. Sacar objetos en antena era degradarse ante el público, ni tan siquiera un papel estaba permitido.

–Si sacas un diagrama o echas mano de algún objeto, yo dejo la campaña. Hasta ahí podíamos llegar.

La imbécil de la Paradita se quedó callada. Pero luego me confesaste que te había intentado convencer de que sacaras un metrónomo. ¡Un metrónomo! Y explicaras que para que una orquesta toque afinada, todos deben compartir el mismo compás. Ese metrónomo iba a ser tu instrumento de dirección de orquesta. Lo llevaba en el bolso y su propuesta era que lo sacaras por sorpresa durante el debate. Te juré que si eso hubiera sucedido, habría recogido mis papeles y me habría marchado a casa a verte perder las elecciones.

Evitadas las tentaciones grandilocuentes de la Paradita, en lo que te insistieron fue en un mandamiento casi religioso, bajar impuestos, bajar impuestos, bajar impuestos. Y entonces te mostré la ficha donde te había escrito que los españoles trabajan desde el 1 de noviembre hasta final de año sin cobrar, porque ese dinero es lo que les quita de media el Estado. Noviembre y diciembre podrían irse al Caribe y les cundiría lo mismo. Esas cosas son las que les llegan a nuestros queridos niños, y noté la mirada elogiosa de Carlota.

Permanecimos en la sede, convertido el despacho de Candi en un acogedor merendero. Llegaron bandejas de comida y poco a poco aparecieron los imprescindibles para el acto de apertura de campaña en Madrid. Aunque oficialmente había comenzado en la madrugada del viernes, preferimos reservar el domingo para un acto festivo y así obtener un mayor rédito de presencia en medios. Los operarios habían instalado en la fachada un enorme panel luminoso. La gran idea de Los Blanditos consistía en que a las doce en punto de la noche, como una Cenicienta a la inversa, pulsarías un botón de encendido y pasarías de humilde profesora a candidata a presidenta.

Se me hizo larga la espera, no soy un hombre de magias ni creo en la simbología. Pero diez minutos antes de la medianoche bajamos al pie de calle y me sorprendió ver la potencia de Los Cuervos. Habían logrado arrastrar a más de doscientos militantes que daban ambientillo y a bastante prensa, sacada del sofá en día festivo, dispuesta a grabar nuestro efecto especial que superaba la tradicional sandez del pegado de carteles.

Tú ya estabas desbordada y cansada. Me temo que perteneces a esa raza de españoles que se van a dormir a las once y media de la noche. Quienes nunca nos acostamos antes de las dos os conocemos como la otra España. Te miré las manos pequeñitas y hermosas, te habían dejado en ellas un diminuto mando a distancia. En realidad todo el efecto era de pega. A las cero horas señalaste con el puntero digital hacia el tejado del edificio de dos plantas y, bajo la música atronadora del himno de Los Cuervos, se iluminó la pantalla de la fachada.

–Queda abierta la campaña.

Hubo aplausos y luego posaste para las fotos, delante de tu propia cara enorme en el cartel. Había algo de rotura de himen en la imagen, de penetración alocada en el templo del mal. No lo sé, Amelia, pero tenía la impresión de que la pequeña muchacha virginal se adentraba en el laberinto de la vida adulta.

Nos duró la euforia un rato más, pero no había alcohol y me marché a casa sin demasiado ruido.

Me emborraché en la biblioteca despacio y con tino, como se emborrachan los caballeros. Entre frutos secos y lecturas superficiales. Di una cabezada de media hora y me subí a dormir sin armar ruido. Recuerdo que había anotado con rotulador ideas en una libreta, pero cuando las revisé a la mañana siguiente, después de ducharme y desayunar, mi letra era ilegible, y había tres o cuatro siluetas dibujadas que podrían ser tuyas, con ideas de modisto, como si hubiera tenido un rapto absurdo en el que me creyera Balenciaga.

Erlinda me rellenó el café y detectó mi buen humor porque el trabajo del Tano Allegri se culminó con un reportaje que salía en varios digitales sobre las relaciones del profesor Calderón con la Cachorra. La puntilla definitiva.

Teníamos cita en un estudio de radio en la periferia norte. La zona era tan fea que parecía que acudíamos a una emisora polaca del otro lado del telón de acero. La azafata del programa, al menos, llevaba una minifalda espléndida, de las que gustan a cazurros sexuales como yo. En la pecera, nos recibió Godzilla. Al levantarse removió el edificio. Ni su tamaño ni mi desprecio habían cambiado desde la última vez que nos habíamos visto. Estuvo amable conmigo.

La entrevista fue un lavado y planchado que te dejó lista para ganar las elecciones si solo hubiera existido esa emisora. Como verás, para los dictadores todo es más fácil. Yo, que me había criado viendo de pequeño aquellas películas del periodismo digno, desde *Park Row* hasta *El cuarto poder* o *Todos los hombres del presidente,* sabía que la amalgama de intereses cruzados era inevitable, lo saludable era la profusión de distintas voces. Godzilla me acarició la espalda para despedirse, y me dijo que ya le habían chivado que yo andaba detrás de tus discursos.

–Cada día estás más gordo, Basilio –me soltó.

–Y tú cada día estás más joven, si sigues así tu hija te va a tener que poner hora de volver a casa.

–Este tío –te dijo ella volviéndose hacia ti–, ¿sabes que lo tuve años y años de tertuliano en el programa?

Tú no dijiste nada, pero yo me anticipé.

–Hasta que prescindiste de mí.

–Si gana Amelia vuelvo a invitarte, ¿vendrás?

–Nunca hago planes para mañana.

Creo que te diste cuenta de que aquella mujer inmensa en todo, hasta en la mediocridad, pensaba que no tenías la mínima posibilidad de ganar. Pero disimulaste bien. Formaba parte de esa tristeza que guardabas dentro, como todo ser inteligente.

3. Guadalajara

Terminaba nuestra gira previa bajo el lema España Regresa y nos abocábamos a actos de pura campaña. El primero fue en Guadalajara. Allá íbamos con el autobús vuelto a engalanar. Parecíamos un producto envasado camino del supermercado. No entendía quién era el genio que había organizado la mayoría de los actos en la hora de comer. Sería alguno de los estadistas de Los Cuervos, esos chicos de nueva generación que consideraban que la comida es un acto suprimible. Como si fuéramos astronautas en una misión y comer, sentarse a comer, fuera una pérdida de tiempo. Cada vez he conocido a más gente así. Mi hijo Nicolás es igual, se pone de mal humor cuando quedo con él y lo llevo a algún restaurante.

–Papá, luego no quiero estar veinte horas de sobremesa.

Ignora que la sobremesa es el jardín del Edén, el paraíso del que nunca debimos ser expulsados.

Para animar el corto desplazamiento, le pedí a Rómulo que nos pusiera en los altavoces la canción del dúo Conjuntivitis.

–Escuchad esto, es lo más hermoso que se ha compuesto en años.

Rómulo no sabía si estaba de broma, y su respeto de chófer le impedía preguntarlo directamente. Pero al insistir tanto con mis ganas de escuchar la canción cedió y la reprodujo a buen volumen. Me meneé delante de ti en el pasillo del autobús al ritmo pegadizo, mientras Carlota discutía con Tania si era un reguetón o una cumbia. Pobres ignorantes, no sabían que aquellos chicos imitaban el pop coreano. Les hice callar y que prestaran atención, porque llegaba el estribillo imbatible.

–Amelia, tenemos que usar esta canción como nuestro tema de campaña.

–Pues no es mala idea.

–Mejor que el himno de Los Cuervos, que huele a naftalina.

–Te quiero como eres, me gusta –dijo Arroba, y lo colgó en redes de inmediato.

–Pero escucha, lo bueno es el segundo verso: pásame la sal. Ahí está todo. Es la escena convivencial por excelencia. El amor es respeto y costumbre. Es nuestra campaña resumida en dos versos.

Mis gritos por encima de la música te hicieron reír a carcajadas y pensé en esa estúpida convención de perdedores que sostienen que si haces reír a una mujer le has hecho ya la mitad del amor. Le pedí a Rómulo que hiciera sonar de nuevo la canción, dos, tres veces, cuatro, hasta que no quedara nadie en el autobús que no fuera un rendido fanático del dúo Conjuntivitis.

Le rogué a Rómulo que localizara a los autores, esos dos chicos misteriosos a los que todo el mundo parecía conocer. Estaba empeñado en sumarlos a nuestra ola electoral.

–Necesitamos esa sangre nueva.

–Bueno, los llamaré a ver qué se cuentan, pero no te prometo nada.

En Guadalajara teníamos que presentar de nuevo tu libro durante la comida. Así que el protagonismo lo cobró la Paradita. Aunque había acudido en su propio coche, no tardó en arruinar el buen clima. Esa mujer era un nublado permanente.

Candi había llegado desde Madrid y con Carlota habían pactado una presentación algo insustancial. Te habías empeñado en que no querías limitar la visita a una presentación del libro y las firmas de siempre. Por eso sumaste al acto a un catedrático amigo que se dedicaba desde hace años a la exploración del yacimiento celtibérico en la región.

Habló de ti con algo más de sentimiento y seso que la Paradita. Luego, en tu turno, le prometiste un museo dedicado a la historia de las civilizaciones de la Península.

–Es increíble que no tengamos algo así, y tú serías el perfecto director para un proyecto de estas características.

Me encantó ver la naturalidad con la que ya repartías museos y dinero público. Estabas empezando a sentirte presidenta, al menos en la esfera de fantasía que corresponde a la campaña. Recién había comenzado, pero ya eras hada madrina, capaz de conceder deseos incluso a seres tan mustios y visigóticos como tu amigo el catedrático de Arqueología.

Podías prometer lo que se te antojara. Lo que se promete en campaña nadie se lo toma en serio. Esta vez fue solo un museo, empezabas con modestia. Dijiste que Guadalajara era el emplazamiento ideal por su cercanía con Madrid y que ese museo sería algún día fundamental para conocer a fondo nuestro país.

–Los turistas vendrán directos del Museo del Prado a aquí, a este futuro museo, y pondremos a Guadalajara en el mapa del mundo.

La idea era perturbadora. A tu lado estaba el profesor con cara de felicidad y la duda eterna de si tanta ambición no significaría a fin de cuentas que él iba a quedarse sin los pocos fondos con los que contaba para su excavación anual por la Alcarria. A veces los delirios de grandeza arrasan con los pájaros en la mano.

Volvimos al autobús con todos los ejemplares de tu libro regalados al personal y firmados con cariño por tu mano diestra. La Paradita dijo que se iba a reimprimir una nueva edición. No me extrañaba, regalándolo a ese ritmo. Las editoriales grandes suelen agasajar a los políticos. El anterior presidente incluso cobró cerca de un millón de euros por un mamotreto imposible que se tituló *En legítima defensa.* Vendió un puñado de ejemplares, pero a la casa no le salió mal el negocio, porque durante su mandato nuestro presidente firmó con ellos un contrato por material escolar digital superior a 17 millones de euros. Algo deberían al presi.

Teníamos por delante algunas horas de descanso y reflexión. Yo estaba citado a las nueve de la noche en el canal de televisión. En otro tiempo, habría reincidido en la estupidez de querer seducir a alguna mujer y llevarla a casa. Ahora saboreaba la calma. Beatriz quedó muy trastocada emocionalmente cuando nos separamos. Yo, en cambio, estaba tan feliz que le regalé el piso en el que habíamos vivido a espaldas de la calle Velázquez. Poco después compré la casa de mi padre. Cada vez que Beatriz venía a verme con nuestro hijo se enternecía y me suplicaba:

–Podríamos ser tan felices en esta casa, Basilio.

Pero yo me había construido una soledad a mi medida. Muchos consideran la soledad una anomalía, pero ya te dije que para mí la anomalía era lo contrario. El ser humano es un animal indefenso, que precisa del entorno para su protección y su crianza. La soledad es el triunfo de la madurez. Es un oasis de felicidad solo comparable al interregno sin Dios entre Cicerón y Marco Aurelio, en el que los humanos fueron libres. Despreciar esa orfandad significa no querer explorar los confines de la existencia.

4. Madrid

En el gélido plató donde se organizaba el debate volvió a surgir la controversia de tu vestuario. Carlota se sumó al coro que denunciábamos el aspecto con el que Cuca te quería conducir al matadero. Una falda entubada con una chaqueta del mismo tono fucsia sobre camisola blanca con volantes. Estábamos en el camerino y tú parecías una de esas mujeres desesperadas que retratan las ficciones televisivas. Ibas vestida de candidata a nada. Cuca nos gritaba que no teníamos ni idea, que la mujer Chanel es la mujer de confianza por excelencia. Yo le habría aplastado la cabeza con un pisapapeles, pero no me consideraba el guardián de la estética. Mi barriga me había confinado a un modelo de traje que encargaba en Turnbull & Asser, la sastrería de Jermyn Street, y aunque el corte era perfecto y tenía variaciones en el mismo tono para cada estación, los bajos de las camisas solían escapar por la cintura de manera descuidada. Los gordos estamos vetados en las pasarelas de la elegancia.

Tania te probó su fular amarillo por encima de la ropa.

–Al menos le da un aire más alegre –dijo.

Pero Cuca te lo arrancó y lo tiró al suelo al borde de la histeria.

–Como mucho le pondría una corbatita –dijo, y sacó esa cosa de su maletón de ropa de urgencia y te la plantó en el cuello.

Entonces ya sí, parecías la hermana menor de Charlie Rivel. De nuevo trifulca. Carlota terció entre unos y otros y trajo al realizador, que dijo que aquello podría dar problemas de roce con el micrófono. Cuca le gritaba:

–¿Acaso dan problemas las corbatas de los hombres? Esto es micromachismo, bonito.

Así que te quedaste con la corbata y fue una pena que no aceptaras mi idea de salir al plató y presentarte con el grito familiar de Los Payasos de la Tele: ¿Cómo están ustedes? Te habrías adelantado a las mofas que corrieron sobre tu aspecto. De hecho lo que te faltó fue humor en aquel debate. Pese a la larguísima duración, más de dos horas, no hubo un instante de lucidez. El Mastuerzo, la Cachorra, el general Cojo y el Santo te atacaron unánimes con la excusa de tu presencia en el gobierno más corrupto de la historia de España y tú te defendías con el aire de novedad, la independencia de tu currículum, pero al final estabas tan arredrada que las encuestas al inmediato término de la emisión te dieron como perdedora por abrumadora mayoría. Con el ganador no se aclaraban. Unos decían que la Cachorra, otros que el Mastuerzo, aunque el inspector de Hacienda anticapitalista, si te soy sincero, fue el que mejor habló. Tuvo además una propuesta que os dejó mudos, dividir la capitalidad con Barcelona y trasladar los altos tribunales a las ciudades de provincia con más alto índice de despoblación.

–El Tribunal Constitucional en Huesca y el Tribunal Supremo en Soria, el Tribunal de Cuentas en Teruel, la Comisión del Mercado de Valores en León y el órgano de la Competencia en Zamora harían de este país un lugar más sano –argumentó.

La presencia del general Cojo, muy tieso y envarado, fue inane salvo en el momento en que te condujo al hoyo en el que caíste de cuerpo entero. Ay, Amelia, ¿a quién se le ocurre responder a un rival cuando te hace una pregunta? Conviene eludirlo, pues esto le concede una autoridad innecesaria. El tipo se enfrentó contigo por la política fronteriza y en un gesto de desprecio te echó en cara que ni siquiera conocías los cuerpos de seguridad que se ocupan del asunto en España.

–Eh, ¿acaso los conoce? Dígame los tres cuerpos que se ocupan de velar por nuestras fronteras. Usted es una ignorante. Respóndame.

Luego me confesaste que te amedrentó con ese grito y balbuceaste que la Guardia Civil, pero él te atropelló con autoridad.

–La Guardia Civil, Vigilancia Aduanera y Salvamento Marítimo. Y seguro que ni siquiera ha oído hablar del Frontex. Se creerá que es un estropajo antigrasa.

Ese comentario no lo revertiste a tu favor pese al hedor machista, aunque luego en las redes hubo quien se lo afeó. El general Cojo afirma que la candidata de Los Cuervos piensa que Frontex es un estropajo, titularon en muchos medios. Era una réplica brutal a nuestra estrategia de presentarte como la mamá del país, la *Mutti* española. Nos iban a tocar tres días de faena para tratar de enmendar la sensación de que no conocías nada de lo concerniente a la seguridad del Estado, que es una tecla que a mis queridos niños les preocupa mucho. Carlota me miró en el camerino donde seguíamos la retransmisión y por su gesto entendí que el tropezón había sido mayúsculo. Del camerino de al lado llegaban los alaridos de victoria de uno de los equipos rivales.

–Pero ¿Amelia no sabe lo que es el Frontex?

–Seguro que sí. Solo se ha bloqueado.

–¿Y por qué le contesta?

–No sé.

–Ayer lo ensayamos, que no contestara a ninguna pregunta directa de los rivales, es algo básico.

Creo que fue el momento en el que tuvimos más claro que ningún esfuerzo iba a ser suficiente para hacerte presidenta. Que nuestra mayor destreza para cuando salieras del estudio tendría que dedicarse a que no te hundieras anímicamente. Tu marido, que se había unido a nuestro grupo habitual, meneaba la cabeza y me susurró algo al oído.

–Claro, hay cosas que ella no domina.

Sí, definitivamente tu marido es un adusto engreído. Perdona que te lo diga. He visto momias más cálidas en el museo de El Cairo. Pero es que además percibí que su aliento era una mezcla insoportable de café con leche rancio y puritos finos. Pensar que besabas esa boca antes de dormir cada noche me provocó compasión hacia ti.

Habíamos ensayado con esmero tu minuto final. Consiste en esa grotesca alocución que es obligada para los candidatos, con la vista fija en la cámara, y que sirve de cierre al debate. En ese fragmento, algunos han logrado cotas prácticamente inalcanzables de gazmoñería, torpeza emocional y cháchara barata. Es muy difícil hacerlo peor que ejemplares que te precedieron. El día anterior, cuando la Paradita nos tendió tu monólogo final, lo leí en voz alta y lo rompí en siete pedazos.

–Si no soy capaz de escribir algo mejor para mañana, podéis echarme.

Por eso escribí algo directo, sin culebreos emocionales.

–Yo no soy un técnico, yo no soy un experto, yo no soy un político profesional. Soy, eso sí, una ciudadana libre, que ha hecho su carrera al margen de las capillitas del poder.

Lo dijiste con aplomo y sin acelerar. Cuando hay prisa conviene frenarse. Incluso, por primera vez en la noche, encontraste la cámara hacia la que tenías que hablar. Te referiste al momento en que fuiste agredida en el acto universitario.

–Fue un gesto de intransigencia el que me trajo hasta aquí. Fue el levantarme y decir «no» ante quienes pretendían cercenar la libertad de otros. Pude quedarme sentada, como hacen tantos, pero fue un impulso el que me hizo saltar de mi cómoda posición y lanzarme a esta carrera. Lo hago por mi país, lo hago por ustedes, lo hago porque siento que ha llegado el momento de elegir a alguien que trabaje, que se esfuerce por el conjunto y que sea honesto. Ustedes tienen la última palabra para decidir si quieren ese impulso en la cabeza de su gobierno. Y yo respetaré su decisión. Con esa confianza me ofrezco para ser la mujer que este país necesita.

Hubo una ligera explosión de júbilo en nuestra salita. Después del desliz anterior asomabas la cabecita por el agujero de la madriguera, levantaste incluso el dedo hacia la cámara y parecías cómoda. Puede que el error fundamental anterior te hubiera liberado. El caso es que brillaste entre las tonterías que profirieron los demás candidatos. Hubo incluso uno que gritó Viva España y añadió España para los españoles, y la Cachorra se atrevió a decir que ella era la candidata de los que juegan a la lotería todas las Navidades y nunca les toca. Lo cual se convirtió en la broma más fustigada en los siguientes días. Si además de no ganar a la lotería te toca esa imbécil en suerte, te mereces una compensación.

El idealista inspector de Hacienda volvió a reincidir en su mensaje final sobre su deseo de descentralización del país con su tonillo de santurrón. Parecía haber aprendido la lección histórica que dice que desde que Felipe II trasladó a Madrid la Corte por razones de despotismo geométrico y la enorme riqueza de aguas subterráneas, esta ciudad era un caldero de intereses cruzados, una sucia cloaca de corrupción. Dio un dato interesante:

–Solo en Madrid, en la Administración del Estado, trabajan tantas personas como habitantes hay en Castellón. Hagamos algo.

No creo que esas preocupaciones inciten un voto masivo. Estoy convencido de que si Dios existe y se presentara a las elecciones lo haría sin éxito. Porque mis queridos niños saben que nadie es lo suficientemente perfecto para mandarles a ellos. Así que fracasar es el destino de una campaña, pero fracasar poco, fracasar despacio, fracasar con tiento. Y, sobre todo, que los demás rivales fracasen más ampliamente que tú.

Nos fuimos a cenar, sí. Quisiste llevarnos a tu casa. Fue la primera vez que vi tu acomodado piso y disfruté de la enorme librería en el cuarto en que trabajáis tu marido y tú, uno frente a otro, como dos pistoleros intelectuales con sus papelotes y sus pantallas de ordenador. ¿Te referías a eso con lo de la competencia intelectual? El momio se empeñó en regalarme su último libro, en el que repasaba los libelos de prensa contra Isabel II.

–Verás que eso de las *fake news* no es algo que se haya inventado ahora.

Me di cuenta de lo mucho que te debes de aburrir con ese tipo. Y más ahora que su bamboleante pellejo blanquecino a la altura del buche delata que para tu disfrute apenas te reservará un cuerpo fláccido y tres deditos artríticos que escarben en tu huchita de placer. Esa noche, pese a que estabas molida por tu error contra el general Cojo, y deprimida por los datos que llegaban de las encuestas telefónicas, te encontré hermosa. Te habías cambiado de ropa al llegar a casa y el pelo había recuperado algo de libertad sin laca. En el rostro te asomaba una fiereza dormida en ti, quizá una inédita persona escondida en la profundidad de tu convencionalismo.

Carlota había sido tajante nada más entrar en tu piso. Cuca estaba despedida. No podía seguir vistiéndote. Arroba nos mostraba las chanzas con que se comentaba tu estilismo en las redes sociales. En un mensaje anónimo se insistía en la línea clownesca, pero el usuario aseguraba que al menos los payasos del circo algo saben de organización policial fronteriza. No, definitivamente no te iban a perdonar el tropezón. Cuando le dije a Arroba que eso refirmaba su estrategia de que lo importante era que hablaran de uno aunque hablaran mal, me contestó pero no así, no así. A estos expertos uno nunca los entiende, por eso son expertos, porque son expertos en tener razón y ahí ganan siempre. Incluso cuando yerran tienen lista una maniobra para siempre parecer que aciertan.

Tú no defendiste a Cuca, ni te dejaste hundir por lo que insistías en considerar resultados virtuales. Carlota dijo que muchas de las llamadas para la encuesta se hacían durante la emisión y que no había tenido efecto tu brillante minuto final. Ella dijo brillante, pero Tania usó una expresión mucho más refrescante: tu minutazo de *closing.* A veces alguien habla sin corrección pero su expresividad es tan chispeante que merece un polvazo entre los butacones de la Real Academia. Ese minutazo de *closing* me ganó los elogios del bobo de Candi, al que me pasó Carlota al teléfono. Le felicité por el acierto de despedir a Cuca y él a cambio me agradeció el contacto con el Tano Allegri. Carlota se refugió en tu despacho para con cierta intimidad llamar a la estilista y anunciarle su cese. La escuché mostrarse inflexible.

–¿Segunda oportunidad? Cuca, por favor, ya sabes que te he dado todas las oportunidades del mundo, pero tu trabajo sigue sin convencer a nadie.

Al parecer Cuca se quebró entre lágrimas, alegaba que en su carrera incluso había hecho vestuarios de ópera para Zeffirelli, y que para trabajar en tu campaña hasta había rechazado ser jurado en un concurso de modistas muy popular en televisión. Pero Cuca era un cadáver, la política de la cuenta atrás funciona así. Unos subimos, otros bajan.

El momio me ofreció algo de beber de verdad, en lugar de las cervecitas sin alcohol calientes que nos había sacado vuestra empleada peruana con cara de susto. Me señaló el mueble bar. Era una raquítica propuesta para invitados moderados. Caí en la cuenta de que tu nómina de amigos desmesurados debía de ser tan pobre como poco estimulante.

–No, muchas gracias pero no bebo –le dije.

Puede que te sorprenda mi empeño en mentir, por insistir en una sobriedad falsa. Pero tú nunca entenderás a un borracho, ¿verdad? Qué lástima, Amelia, porque quien no ha llegado a rastras por el suelo hasta el dormitorio de su casa no sabe lo que es vivir.

Nos retiramos a las dos de la madrugada, que era una hora afrentosa para nuestras obligaciones del día siguiente. Yo propuse terminar la noche en un garito cercano. Carlota dijo no. Arroba dijo no, ni hablar, qué manía con lo de no irse a dormir. Y me pareció una precisión equivocada, la manía es la de irse a dormir. Tania dudó. Finalmente aceptó acompañarme, pero si era cerquita. Carlota nos miró con un gesto censor. Estaba demasiado flaca y había sacado siempre notas demasiado buenas para saber lo que era disfrutar de la inercia.

Tania cumplió a rajatabla con su decisión de solo tomarse un cubata. Yo me tomé tres whiskies, pues con ella ya me mostraba confiado. El efecto envalentonador del alcohol me ayudó a decirle algo con sinceridad mientras sujetaba la puerta de su taxi. Fue mi momentazo de *closing*.

–Mira, Tania, antes de que te vayas a tu casa me gustaría hacerte una proposición que no podrás rechazar.

Ella se echó a reír en mi cara.

–Las proposiciones imposibles de rechazar son las proposiciones que más me gusta rechazar.

No me di por vencido, sino que le seguí la broma.

–¿Tan mala idea te parece mezclar trabajo y placer? A mí cada vez me apetece más.

Y su sonrisa salsera se abrió enorme antes de señalarme con el dedo.

–Eso ya lo veremos, tú sigue intentándolo, que por intentarlo no quede.

Se fue, pero dejó atrás un hombre contento. Un buitre magullado pero comprometido en sus afanes. Tan contento que me tomé otra copa, yo solo, y charlé con el dueño del local, un antiguo músico heavy de Vicálvaro, a quien le pregunté por el debate.

–Lo he visto de reojo, a mí todos esos tipos me parecen unos sinvergüenzas y lo que me gustaría es verlos ensartados, juntitos, en un pincho moruno –me dijo.

Porque él también pertenecía a la estirpe sagrada de mis queridos niños, los seres superiores, los inmaculados ciudadanos de la República del menú de 12 euros. Yo me atreví a jugar con él. Le dije que tú me habías gustado mucho y que pensaba votarte.

–Puede que sea la menos mala, tienes razón. Aunque no tiene lo que hay que tener para ser presidenta.

–¿Y qué es lo que hay que tener, según tú?

–Dos cojones.

A aquel tipo también le habían convencido las recetas innovadoras del Santo más que cualquier otra propuesta. Pertenecía a esa clase de iluso que vota siempre a quien no tiene posibilidades de ganar y eso le reconforta. Me fui con la misma sensación de fracaso que me llevé del debate. Pero al volver a casa desperté a los perros y a Erlinda y durante unos minutos aquella madrugada fue una fiesta y yo puse los fuegos artificiales. Al menos un cohetito alegre.

5. Melilla

No eran aún las ocho de la mañana y lo escuchaba sonar en la cocina, donde dejo el móvil por las noches en recarga. Lejos de mi cama, de mi vida. El teléfono es invasivo, la última vuelta de tuerca de los humanos para autosometerse. Me levanté a responder. Dieciocho llamadas perdidas de Carlota en los últimos quince minutos.

–¿Quién se ha muerto?

–Vístete y ven corriendo al aeropuerto, a la terminal de vuelos privados. Salimos hacia Melilla en una hora.

El error del día anterior había evidenciado tus carencias. Tocaba visitar las ciudades autónomas en África. Cuando Los Cuervos procedieron a organizar el viaje a Ceuta descubrieron con pavor que el Mastuerzo ya tenía reservado para ese día un paseo por la valla fronteriza junto a los mandos de la Guardia Civil. En un ejercicio de contraprogramación desesperado, alquilaron un avión privado y salimos hacia Melilla, mientras Carlota trataba de coordinar con alguna autoridad local una visita que pareciera en cierta manera oficial. Las previsiones decían que el escaño por Ceuta lo ganaría el general Cojo. En cambio, en Melilla, el asiento en el Congreso podía ser nuestro si equilibrábamos patrioterismo con moderación.

En el vuelo, mientras desayunaba, traté de redactar justificaciones a tu ignorancia. Te sacudían en toda la prensa por tu desconocimiento y eran los menos los que atacaban al general Cojo por su actitud agresiva. Ese tipo era más peligroso de lo que indicaban las encuestas. Durante una pausa del debate lo había visto refugiarse en el baño con un gesto de sufrimiento físico. Así que llamé a Beatriz y le pedí que me investigara en su historial médico. Ella hacía trabajos grises de administración de análisis clínicos y en alguna ocasión, también por necesidades del Tano Allegri o por mi trabajo periodístico, habíamos usado el ingente archivo médico a su alcance para trazar alguna línea de ataque o investigación sobre gente enemiga.

Tania defendía que era buena idea pedir perdón por el desliz. Pero entre los políticos el perdón ofrece un flanco débil, así que las excusas tienen que eludirse. En nuestro caso apelamos a que tu respeto por las fuerzas y cuerpos de seguridad del Estado era de tal magnitud que ni siquiera querías mezclarlos en nuestra campaña. Sonaba bien, tiré por ahí.

–Mi confianza es total, mi respeto absoluto, mi lema es dejarlos trabajar y limitarme a darles todo el apoyo que necesiten, donde están los profesionales sobramos los políticos.

Retahílas así hasta que quedara claro que no te habías equivocado, sino que te había inhibido, que son dos cosas muy distintas.

–Si gano las elecciones no me adueñaré de los cuerpos policiales, sino que seré la primera en escuchar sus demandas.

Manejábamos los informes de los analistas sobre las dos ciudades autónomas. *A priori* parecían gemelas, pero guardaban sus diferencias. Aunque ambas rondan los ochenta mil habitantes, de los cuales treinta mil tienen origen marroquí, el reparto final de escaños iba a depender de detalles muy sutiles. Los técnicos de Los Cuervos en sus argumentarios nos invitaban a desincentivar el voto a la izquierda en los barrios más populares.

–O sea, que venimos a convencer a la gente para que no vaya a votar.

–Más o menos. A quitarles energía a los rivales.

–¿Y eso cómo se hace, Basilio?

–Muy sencillo, intentando transmitir a los votantes rivales la penosa sensación de que la política no sirve para nada, que siempre decepciona, que no les va a merecer la pena la molestia de ir a votar. A los nuestros, sencillamente repetirles los valores que representamos y asustarles con la posibilidad de que gane la izquierda.

Al comienzo de campaña habíamos dejado fuera de la ruta la visita a Ceuta y Melilla porque considerábamos que esos territorios votan conservador y no suelen deparar sorpresas. Desde que se levantó la valla fronteriza en 1998 había sido motivo de trifulca ideológica. La inmigración es el mayor regalo que la izquierda le ha hecho a la derecha, al entregársela para que agite ese problema, para que seduzca a la atemorizada clase obrera prometiendo rigor y seguridad donde ellos solo repiten lemas impracticables de bondad y hospitalidad.

Recuerdo que cuando vivíamos en Miami, Carlos Leal escribía un libro sobre la inmigración, que consideraba el problema más relevante del siglo XXI. Leal me convenció de que la globalización haría desaparecer el concepto de clase obrera, reservado ya solo para definir al sindicalismo local y caduco, y en su opinión la política fronteriza sería la escisión ideológica del futuro. La nueva lucha de clases. La frontera dura sería el concepto subliminal por el que se ganarían elecciones en los siguientes años. Carlos Leal era un reaccionario orgulloso, sin demasiado nivel intelectual, al contrario que Roy Carlton, pero con enorme poder de corrosión para contradecir las ideas fáciles.

Él mismo me dictó el argumento de uno de mis libros.

–Han hecho más daño las buenas intenciones de la izquierda que toda la codicia de la derecha. Porque el ser humano es instintivo y por lo tanto la sociedad ha de estudiarse desde esa perspectiva feroz y no desde los ángulos angelicales que ha adoptado la izquierda mundial.

En Melilla tratamos de que tu metedura de pata se enmendara por la fuerza de las acciones. Paseamos frente a la valla con uno de los jefes del servicio y junto al puesto fronterizo posamos con la Guardia Civil de forillo. A la puerta de un centro de detención de emigrantes había tantos extranjeros arracimados que nos resultó fácil calar un discurso sobre los límites a la emigración.

Al mediodía teníamos cita con nuestro líder en la zona. Uno de esos políticos que se eternizan en el poder, con una mezcla de paternalismo rancio y la tejida red de intereses locales. A Antonio Bardavío lo conocían como Antoñito el Fantástico, porque solía mentir con un don esencial para la exageración. En esta ocasión cargaba contra los menores que campaban por la ciudad entre pequeños delitos, con un malestar ciudadano tan evidente que convenía explotar electoralmente. Nos hicimos los vídeos en las zonas más afectadas, hablamos con algún vecino que nos diera la razón y empaquetamos para redes y medios una batería de realidades fragmentadas que nos garantizó salvar la cara.

–Sería bueno, Basilio, que encontráramos una propuesta para tratar este problema de los menores no acompañados que cruzan la frontera.

–Di sencillamente que los devolveremos a sus países, Amelia. Yo usaría con un asunto tan complicado la estrategia que llamamos «la zona muerta».

–¿La zona muerta?

–Sí, por la novela de Stephen King. ¿Te acuerdas? Allí hay un candidato a presidente absolutamente aborrecible, pero gana las elecciones con promesas como enviar los residuos y basuras al espacio interestelar. Esa es la clave, ofrecer soluciones, aunque sean imposibles. A mis queridos niños lo que les gusta es que alguien les prometa liberarlos de sus problemas.

Por desgracia, Arroba venía con nosotros en el viaje y te grabó un vídeo idiota ante un letrero del Frontex y te hizo posar con un estropajo que mandó comprar a toda prisa. Desde Madrid aprobaron que se lanzara como respuesta a las provocaciones del general Cojo.

Mientras os dedicabais a tan altos menesteres, me entretuve con Antoñito el Fantástico, que tenía un conocimiento profundo de los resortes políticos que movían a mis queridos niños. Según él, que el partido más a la izquierda y el partido más a la derecha tuvieran de líderes a dos funcionarios, uno inspector de Hacienda y el otro general jubilado, hablaba mucho del carácter profundamente conservador del país.

–Tú fíjate, Basilio, que aquí hasta pretendemos que los revolucionarios van a ser dos funcionarios del Estado. Dos señores que llevan cobrando del erario desde que tienen oficio y le venden a la gente que van a poner patas arriba el sistema. Hay que ser crédulo para tragarse esos discursos, de verdad. Los españoles no escarmientan.

La maravillosa mezcla del acento, entre la música del andaluz y del extremeño, daba a sus palabras una profunda sabiduría añadida. Te reconozco que me caían simpáticos estos reyezuelos de taifa. Dominaban los medios locales y lograban que la supervivencia de todo el mundo, desde los limpiadores de parques hasta los organizadores de la cabalgata de Reyes, fuera su mayor fortaleza. Antoñito era alguien capaz de celebrar la Semana Santa y el Eid al-Kabir con la misma pasión. Le rogué que no hiciera caso de las prisas y que nos llevara por favor a comer a un buen restaurante.

–No sabes lo duro que es comer bien durante la campaña.

–Ah, qué me vas a contar, en política se han perdido las buenas costumbres.

Nos llevó a un local desangelado, que más parecía la antesala de un prostíbulo que un restaurante. Pero la pareja que lo regentaba estaba dotada para esa misteriosa virtud de cocinar bien. Desde la central de Los Cuervos no habían variado la agenda, así que teníamos prevista la salida desde el pequeño aeropuerto, urgidos a abandonar la ciudad con la misma indiferencia con la que la habíamos tomado.

Apuramos la hora disfrutando de los manjares y de un té moruno para finalizar. Antoñito el Fantástico, en una última demostración de poderío, nos organizó la caravana de salida envueltos en motos policiales que nos abrían paso con las sirenas entre el tráfico denso y caótico. La tarde estaba entoldada por la calima y apenas se veía el perfil marcial que le concede el sol a la ciudad.

En el aeropuerto me entretuve con Los Miserables que habían cubierto la jornada. Entre ellos estaba Lolo, que me miró con seriedad y me dijo que estuviera preparado, que algunos habían detectado mi presencia evidente en la campaña y preparaban el ataque.

–¿Es verdad que te has cargado a Silvia Parada como asesora del partido?

–Lo estoy intentando.

–Pues el rumor es que la han apartado y que el culpable eres tú.

–Sería una gran noticia.

–Ya está llorando por las esquinas su rencor contra ti.

–¿En serio?

–No te confíes, ella tiene muchos amigos en la prensa y tú tienes demasiados enemigos –me dijo a modo de advertencia.

Yo, que siempre he pensado que nadie me odiaba, pues mi vocación autodestructiva ya hacía el trabajo por mis enemigos, siempre peco de inocente. En nuestro mundo, el mero hecho de existir ya es una amenaza para algunos. Me tomé el aviso de Lolo a chacota, pero ya viste que tenía toda la razón.

4. San Sebastián

San Sebastián resultó una parada de disfrute y calle. Estaba de buen humor. En el vuelo, Carlota me llamó para decirme que Candi había decidido confiarme la redacción de tus discursos de la campaña y que la Paradita solo haría trabajos ocasionales de colaboración. Lolo estaba bien informado. Cuando te pregunté si habías tenido algo que ver, me encantó tu respuesta.

–Estaba pidiendo a gritos una patada en el pompis.

Tenías una alocución medio boba apoyada en el mirador de la Concha. El asunto era el feminismo. Nuestra línea consistía en abrir una grieta en la unanimidad. Hablaste de las *golden skirts,* como llamaban en Noruega a las mujeres que habían entrado en las juntas directivas de las empresas gracias a la cuota obligatoria del 40 %. Te declaraste en contra de cualquier discriminación positiva y presumiste de que ninguna cuota te había alzado a donde estabas. Era el discurso sutil que necesitábamos para flotar en un asunto que nos resultaba hostil. El enfrentamiento del feminismo clásico con sectores radicales de transexuales, gays y lesbianas era otro filón para nosotros.

Tú repartiste elogios hacia la mujer y también críticas a las políticas paternalistas, como las llamaste. Cuando hablaste de los índices de violencia contra la mujer ofreciste tu compromiso por la lucha en ese frente. Tus asesores consideraban que ibas por detrás de tus rivales en la captación de voto femenino, y querían potenciar una mayor aceptación. No se trataba tanto, nos explicó Arroba, de robar votantes a costa de ese asunto como de no perderlos frente a la Cachorra. Yo te había escrito la misma trama que la otra vez. Las mujeres, debido a su desigualdad de salario, es como si trabajaran 55 días al año sin cobrar. Lo repetiste dos veces.

–Da escalofríos pensar que las mujeres españolas trabajan 55 días sin cobrar al lado de sus compañeros hombres, que cobran con puntualidad cada jornada. ¿No os parece significativo? Pero esto nos lo dicen los números. Y los números no mienten.

Nosotros también utilizábamos los números y las estadísticas para imponer una verdad. Todo el mundo lo hacía y tú no ibas a ser la excepción. Luego tuvimos que emprender un obligado paseo para las grabaciones de los cámaras. El sol había salido entre las nubes para despedir el día y los periodistas querían recursos donde os movierais con naturalidad. Cándido había insistido en que Carlota estuviera más presente en la campaña, que la gente percibiera su juventud y preparación. En *La Mano Amiga* habían publicado un reportaje sobre ella con una foto a toda plana en la que lucía preciosa. El titular era sonrojante: «El cerebro de la campaña más cerebral».

Aproveché un instante para mandarle un mensaje a la Paradita y congraciarme con ella. Fui educado al sondear si me culpaba de su despido. Su contestación no me dejó lugar a dudas: «No sabes trabajar en equipo, eres abusivo y machista, mejor no trates de fingir que tienes buen rollo conmigo.»

Me encanta recibir mensajes así, porque confirman que he sabido trasladar mis sentimientos ocultos a la persona correcta. Pese a todo, esta vieja educación tradicional, austera y detallista, me obligaba a responder: «Comprendo tu frustración, pero para mí el esfuerzo consistirá en mantener el nivel de tus discursos y la inteligencia de tus argumentaciones en todo lo que escriba para Amelia. Te echaré de menos.»

Ni siquiera tuvo arrestos para contestarme.

Uno de los fotógrafos, que tenía cara de fauno, le pidió a Tania que se uniera a ese posado natural, donde señalabais el sol que se ocultaba. La tarde caía con hermosura y os miré a Carlota, a ti y a Tania y os miré con envidia. Teníais todo lo que yo siempre había querido tener, la autoestima provocada por la mirada admirativa de alguien. A mí jamás me había admirado nadie. Puede que me hubieran temido, odiado, apreciado. Pero la admiración se nota cuando caminas, cuando abres la boca. Y yo jamás la he sentido posada sobre mí.

Más bien lo contrario. Desde joven me acostumbré a esa mirada adversa, crítica, despreciativa cuando no directamente insultante. Puede que eso fuera lo que más me atrajo de Beatriz cuando la conocí. No me miraba con la displicencia habitual. Yo había entrado en su vida por medio de su padre, Carlos Leal. Ella le había oído hablar de mí con admiración, con ese cariño hacia el discípulo predilecto. Ella era su hija menor y por hija menor quiero decir que fue el único de sus hijos del que se ocupó y con el que convivió. Pertenecía a la tercera camada, como decía él, y le pilló más mayor y más tierno tras los dos divorcios anteriores, salvajes y chantajistas, según su apreciación personal. Dicen que la gente con la edad se ablanda. Es algo contra lo que estoy en guardia, no quiero que envejecer me lime las uñas.

Leal había tenido cinco hijos con dos parejas anteriores. Beatriz nació cuando él tenía ya cincuenta, por eso cuando la conocí en Miami era una chica de veinte años algo triste y desarraigada. Se había ido a vivir con sus padres a los Estados Unidos y había terminado el bachillerato allí. Le pasaba como a mí, teníamos divertidas lagunas de cultura popular, porque estábamos lejos de España en los años en que se forjaron algunas famas de esas que perduran aquí sin motivo aparente. Un día le tuve que explicar lo que era un fistro duodenal, que yo también había aprendido con retraso, y a ambos nos chocaba igual que jamás supiéramos a qué se refería la expresión: ¿quién me pone la pierna encima para que no levante cabeza?

Beatriz empezó a estudiar Medicina en la universidad en Florida, pero el traslado del padre de vuelta a Madrid acabó por inclinarla hacia una variante de técnico de laboratorio. En España volvimos a reencontrarnos, había engordado, como yo, por culpa de la dieta norteamericana y el abuso de Coca-Cola. Su carrera no era especialmente excitante, pero nada más terminar aprobó la plaza de analista clínica y cuando nos fuimos a vivir juntos ella trabajaba en un hospital cerca de Moncloa.

Yo le sacaba a Beatriz siete años, y su amor, entregado y algo iluso, me reforzó tanto que por eso jamás, ni cuando descubrí que la convivencia me robaba la vida, dejé de guardarle cariño. Un cariño ególatra, claro. Porque yo soy de esos hombres que no han sabido jamás amar a alguien distinto de ellos, por cercano que sea. Los hipopótamos amamos así.

En mis años entre Washington y Miami hice amigos y conocidos, por supuesto. Pero rompí el vínculo con mi referente único emocional, la familia. Mis padres y mis hermanos se fueron transformando en recuerdos del pasado, de un pasado que adoraba pero no añoraba. Es muy difícil explicar cómo te desgajas del núcleo original, cómo adquieres una independencia brutal. El primer año en Norteamérica, mi soledad me enseñó a comprender ese país de gente sola, de gente desamparada, que busca en el dinero y en el éxito su única conformidad. Mis padres se hicieron viejos. Mis hermanos, los que pudieron, se hicieron adultos. Y yo no viví ese cambio más que por carta. No quería volver. No tenía nada aquí y unas Navidades cometí el error de sacarme un vuelo para reunirnos todos juntos y me arrepentí. Ya no me divertía cantar villancicos con la bandeja de turrón desbordada en mitad de la mesa ni salir a beber en agrupaciones más o menos afines. Me había convertido en alguien que prefería la distancia.

Aprendí a retener las emociones, a observar lo propio y lo ajeno desde una distancia profiláctica. En aquel momento no era consciente de lo que hacía. Luego sí. Luego lo he sabido. La deriva del mundo y sus tragedias me son indiferentes. Somos una especie condenada, es inútil luchar contra la fatalidad. Me separé de todo y logré esta ataraxia en la que vivo. Ninguna muerte me afectó lo más mínimo, ni la de mis seres queridos me ha afectado ya después como me afectó la de mi hermano en su día cuando aún era tierno e ingenuo. Quise vencer a la fatalidad con la indiferencia y no estoy orgulloso del resultado, pero me resulta práctico.

Tú no podías imaginar que aquellos recuerdos enlazados vinieran a mi cabeza en el paseo por San Sebastián. Pero así era. Os miraba a las tres y reconocía mi tránsito hacia las sombras, yo no poseía vuestra luz.

Después del acto en el Kursaal era ya tarde para pasear por la parte vieja y fuimos al hotel Londres, donde pasaríamos la noche. El Casino adyacente me garantizaba un par de copas cuando todo el mundo desertó hacia sus habitaciones. El azar jugó entonces una de sus sutiles contradicciones. Aposté al 17 y perdí las tres jugadas. Pero entonces una mano se posó en mi hombro, era una joven prostituta. Le di a entender que no quería trato con ella, pero me miró con ojos intrigantes.

–Tú trabajas con la candidata esa, ¿no?

–Amelia Tomás.

–Pues yo tengo algo que te puede interesar.

Me tendió su móvil y me pidió que tecleara mi número. Sospeché que sería una trampa. El móvil estaba pringoso de crema de manos. Al ver sus dedos poderosos confirmé que se trataba de una transexual. Eso me alertó aún más. Iba a darle un número falso al azar, pero terminé por escribir el mío real. Fue cuando le pregunté cómo se llamaba y me respondió que Luisa Paz. Con un nombre así, solo podía esperarse algo bueno de ella.

–¿Y de dónde eres?

–De Cali.

Todo parecía falso en ella. El color del pelo planchado de rubio oro, los senos invasivos bajo el jersey blanco nuclear de cuello alto, el inflado de los labios, los muslos y el culo bajo el pantalón vaquero apretado. Y, como todo parecía falso, alguna cosa resultó verdad.

7. Vitoria

No sé muy bien por qué me sentía en la obligación de recoger algo de los sobrantes del desayuno y llevárselos cada mañana a Rómulo en un papel de plata o una tartera que me preparaban en el hotel. El misterio de dónde dormía cada noche lo resolví esa mañana. Se quedaba en el autobús, tumbado en el pasillo todo lo largo que era y tapado con una manta de flecos. Esta vez le había robado del hotel tres o cuatro lonchas de salmón marinado y un huevo duro que me agradeció con su efusión natural.

–Basilio, tú eres mi ángel de la guarda.

–Calla, calla, menuda responsabilidad. Y más aún para alguien que se dedica a conducir un autobús.

Tú, que padecías de esa frialdad con las relaciones personales, envidiabas que entre él y yo, tan diferentes, se estableciera esa complicidad que nos llevaba a bromear a menudo.

–¿Qué os traéis vosotros entre manos?

Pero ya intuías que toda mi familiaridad y campechanía eran la pose de un monarca que quería llevarse bien con los súbditos, sin poner en las relaciones nada que tuviera el mínimo calado. Si vivimos en la era de la superficialidad, tonto sería pretender alcanzar algo más hondo. En las relaciones, también, bastaba con una simulación del buen trato, nadie exigía nada más. Esa mañana Rómulo me enseñó de su móvil varias fotos con personas famosas a las que había llevado en el autobús. Fue cuando puse cara al dúo aquel, Conjuntivitis. Eran dos efebitos con gorra de béisbol, leotardos de fantasía y chaquetas futuristas que bailaban acompasados unas coreografías agotadoras en cada vídeo.

–¿Son pareja?

–No, no, son hermanos.

–¿Seguro?

–Pues claro, toda España lo sabe.

–¿Les has contado que su canción es nuestro himno de campaña?

Rómulo me dijo que sí, que les había escrito un mensaje, pero que no había recibido respuesta. El pobrecillo, para justificar ese desprecio, me dejó caer que quizá andaban de gira por Latinoamérica, donde también eran muy populares. En la carretera, organicé un pequeño vídeo en el que tú, Amelia, rodeada de tu equipo íntimo, cantaras a voz en grito su canción fetiche y le pedí a Rómulo que se lo hiciera llegar.

–Así verán que nuestra pasión no es fingida.

Efectivamente, los tipos contestaron de inmediato, lo colgaron en sus propias redes y entablaron con Rómulo una renovada comunicación.

–Diles que vengan a tocar a nuestro mitin final de campaña.

Pero cuando lo propuse, Carlota tosió. Me miró con esa estricta belleza suya y me transmitió por telepatía que, en determinados aspectos, mis ideas podía metérmelas por el culo.

En Vitoria tuvimos un breve discurso en la Biblioteca Bajo Ulloa donde volviste a insistir sobre la importancia de reducir el número de funcionarios del Estado. Te había gustado mucho lo que te había escrito durante la noche.

–El número de funcionarios en España roza los 2,7 millones de personas. Ocho de cada diez ni siquiera trabajan para el Estado central, sino para poderes locales o autonómicos. Es equivalente a la población de Lituania, estamos hablando de un país entero más poblado que Eslovenia, por ejemplo. Es un país dentro de nuestro país que pesa a la hora de alzar el vuelo económico, somos una empresa que después de pagar los sueldos del personal carece de fondos para el recibo de la luz.

Recordé que en la primera reunión que tuve con Candi fui sometido a un examen. Me pidió una línea general de por dónde irían mis aportaciones de campaña. Era sencillo, le dije.

–Tenemos que hacer crecer a la gente. Enseñarles a pensar con solidez. Tenemos que mostrarles un camino para que dejen de pedir dinero prestado que luego no pueden ni saben devolver. Animarles a que abandonen el regodeo en sus traumas y corran a recuperarse de ellos de una santa vez. Enseñarle a la gente a disfrutar de su poder y no a maldecir cansinamente aquello que le oprime. A todo eso me comprometo con mis discursos, ah, y no usar nunca el latiguillo *en base a*.

Después de tus palabras apresuradas pero contundentes, y que fueron muy del agrado de los empresarios locales, salimos con prisas para el acto masivo en el viejo pabellón de Mendizorrotza. La actualidad del día volvía a estar capitalizada por el general Cojo y la decisión de su partido de vetar a tres grupos mediáticos que le eran hostiles. Habían prohibido su presencia en los actos de campaña y en sus ruedas de prensa. La Junta Electoral acababa de dictar que esa prohibición era ilegal y yo mismo tuve que incluirte la aclaración según el artículo 66.2 de la Ley Orgánica del Régimen Electoral enlazada con el artículo 20.1 de la Constitución sobre el derecho a informar. Los políticos no pueden ejercer el derecho de admisión y veto con medios hostiles. He ahí una clave democrática. Comprobé el grado de felicidad que te provocaba hablar con tecnicismos, con citas de textos legales. En el fondo, eso te acercaba a la actividad académica frente a tanta abstracción emocional de la campaña.

Para nosotros era formidable que partidos con los que rivalizábamos optaran por posiciones radicales. No nos preocupaba demasiado el avance del Santo, aupado por las inventivas estrategias de Juan Veloz, pues no competíamos con ellos, sino que debilitaban más bien al flanco izquierdo de la Cachorra y le forzaban a unos equilibrios en ocasiones ridículos. Nuestra estrategia se centraba en no ceder ante el Mastuerzo y el general Cojo, distinguirnos con categoría frente a ellos y proponernos como el único partido de gobierno de sosiego conservador.

El graderío quedó desangelado. Carlota se encaró con los responsables locales y les afeó la pobre convocatoria. Aunque no querías enterarte, supiste que entre la sede central de Los Cuervos y la agrupación vitoriana había una guerra que se prolongaba desde hace años. Los líderes locales defendían una cierta autonomía propia. Vivían el día a día en una situación particular y consideraban que las consignas de Madrid no les servían para seducir a sus pocos votantes locales. Era duro perder de manera constante en casa para sostener otras victorias territoriales.

–Tengo la certeza de que se me escapa toda la vida interna del partido.

Me lo dijiste antes de salir a hablar, cuando ya Carlota se había despachado a gusto con los organizadores por el pinchazo de público. Sin embargo, fuiste cordial con el cabeza de lista por la provincia y te abrazaste a él con cierta calidez cuando terminó el acto con la habitual ducha de aplausos. Pretendías dejar claro que te situabas por encima de esas rencillas. No sé si por encima, quizá lo real sería decir que eran asuntos laterales, sobre los que no tenías responsabilidad. Qué poco ibas a mandar, Amelia, en medio del telar del partido.

En mitad de tu discurso me asomé por la parte trasera del escenario y te vi al contraluz de los focos. Recordé que en aquel mismo sitio, muchos años atrás, vi cantar a Ella Fitzgerald. Yo tenía quince años y vine con mi hermano mayor, durante un viaje con mis padres por todo el norte. Nuestra forma de viajar consistía en apretujarnos en el coche y pasar el día en las playas y las noches en los campings más cercanos a las ciudades. Mi hermano se había enterado de que en Vitoria actuaría Ella Fitzgerald y no dejó de insistir a mi padre para que cuadrara la jornada de viaje con la actuación. Nos iba a acompañar el otro hermano de nuestra edad, pero conocía a una chica en la ciudad y se perdió con ella, muy típico en él. Nosotros dos ni siquiera teníamos entrada, pero rondamos alrededor del pabellón mucho antes de que se abrieran las puertas. Las localidades estaban agotadas, pero la frustración no entraba en nuestros planes. Tampoco la renuncia.

No sé muy bien cómo, mi hermano detectó unos chalecos de empleados abandonados en la caseta adyacente. Pertenecían a los operarios del festival, quizá de la instalación del escenario. El caso es que me tendió uno de ellos y él se puso otro. Faltaban tres horas para que empezara el concierto, pero logramos acceder al recinto y nos dedicamos a no ser vistos, a tratar de quemar los minutos sin que nadie reparara en nosotros.

Puede que esas condiciones heroicas, ese terror a ser descubiertos, el riesgo y la adrenalina nos ayudaran a presenciar el concierto como si se tratara de un hito en nuestras vidas. De mi hermano mayor me encantaba su grado de mitificación, que estallaba cuando hablaba de personajes que admiraba o cuando sostenía que íbamos a asistir a algo inolvidable de por vida.

–Basilio, de esto te vas a acordar aunque pasen mil años.

Como así fue. Me bastaba verle en trance cuando aquella mujer, que pasaba de los sesenta pero parecía una anciana, enlazaba juegos de voz de compleja armonía. Llevaba en la mano un pañuelito rosa y abroncó a los fotógrafos por dar la lata en las primeras filas y también a su pianista al acabar un tema. Pero todo fue medido y preciso. Supongo que una estúpida como la Paradita necesita visualizar un metrónomo para entender ese mando en plaza. Pero la artista lo llevaba incorporado, era sencillamente afinación y gusto. Y en el mejor de los temas, que se llamaba «Cry Me a River», mi hermano me rozó el codo y vi que tenía lágrimas en los ojos.

Yo nunca tuve esa capacidad para fascinarme por algo. Durante mucho tiempo me esforcé por poner cada cosa en su justa medida de relevancia. Nada había de ser demasiado importante. Beatriz me dijo una vez que de ese modo le quité a la vida su potencia evocadora, pero también logré que los episodios pasaran sobre mí sin hacer daño. El metrónomo oscila entre lo bueno y lo malo y yo no quiero ser presa de ese balanceo incontrolable. Lo pensaba mientras te veía en el escenario de Mendizorrotza, con esa distancia con la que lo miro todo, el grado cero de implicación. Tú no eras aún dominadora de la escena, cambiabas de pie de apoyo con cierto nerviosismo, no sabías qué hacer con las manos. Si aprendías a manejar la respiración de un auditorio a tu antojo, entonces ese veneno del escenario ya nunca te lo podrías sacar de dentro.

8. Bilbao

Le tenías miedo a esta ciudad. Venir aquí en campaña te recordaba los años de plomo del terrorismo. Asistíamos por televisión a esa tensión espesa en la que pedir el voto te costaba la vida. Una concejalía te costaba la vida. Una empresita que no liquidara el impuesto revolucionario te costaba la vida. Una plaza de guardia civil o policía te costaba la vida. Hasta una columna de prensa te costaba la vida. Pero ahora la ciudad es un parque temático del neoturismo y Arroba ya había elegido cuidadosamente el posado frente al perrito de flores de Jeff Koons y la fachada blanda del Guggenheim. La luz de la una de la tarde bañaba la escena. No había nada que temer, salvo que la melaza te atrapara y no pudieras moverte.

Llegó para incorporarse la nueva estilista y ya nos esperaba en el hotel cuando aparcamos el bus. Todo un fichaje del que Carlota se hacía responsable.

–Es una joven *influencer* con muchos seguidores.

Aunque su nombre, Aitana Banana, y su aspecto algo barroco me pusieron en guardia, Carlota aseguraba que nos iba a encantar.

–El primer día no quiero ser muy atrevida, hasta conocerte mejor.

Pero ya en Bilbao la chaqueta dejó de ser el atuendo de jubilada prematura que llevabas a diario y al menos tenía otros colores. Rómulo la describió mejor que nadie.

–Esta nena es *rock&roll.*

Aitana Banana masticaba chicle, pero no hablaba con diminutivos. Tenía no más de veinticinco años, con una precocidad para las relaciones humanas que le llevó a darme la mano y decirme sin soltarla que llevaba tiempo sin encontrarse a nadie tan gordo como yo.

–Me encantan los gordos, ya te lo digo, la ropa os luce el doble que a los demás.

Y como yo tengo sentido del humor, me lo tomé por las buenas. Me cayó bien la muchacha. Así que le pregunté, como quien no quiere la cosa, si prefería que la llamara Aitana o la llamara Banana, porque las dos cosas me parecían un poco largas para el uso cotidiano.

–Lo bonito es que lo digas del tirón, Aitanabanana, si no, pierde la gracia.

Acepté y ella luego decidió que me llamaría B. en lugar de Basilio. También se lo acepté y le expliqué que durante años firmé B.B., por la inicial también de mi apellido, y porque me hacía gracia replicar a Brigitte Bardot con otro cuerpo para el recuerdo. Luego me acarició la chaqueta con los dedos de uñas pintadas de verde césped.

–¿Te los haces en Inglaterra?

–Londres.

–Se nota. Pero te iría bien arriesgar un poco más en el estilo.

He de reconocer que la incorporación de Aitana Banana en la trasera del autobús, con su burro de ropa y complementos coloridos y risueños, nos animó bastante. Qué diferencia con la predecesora. Como buena jovezna no le importaba un carajo ni tu ideología ni tu partido, no pensaba votar, nos dijo. Pero en la conversación práctica siempre tenía opiniones coherentes, y ese primer día, cuando le pregunté qué tenía que tener un candidato para atraer al voto joven, me dijo que bastaba un guiño.

–Nos consolamos con muy poco. Haz que Amelia se ponga esto y se los mete en el bolsillo.

Tú acababas de dar una charla en el hotel Ercilla para empresarios y prensa, y aunque íbamos con el tiempo justo, te convencí para que te vistieras con el chándal dorado de Adidas que Aitana Banana me había enseñado entresacado de su armario. Yo tenía mi mesita de trabajo en el bus pegada al ropero, con mi archivador y la impresora portátil, y le había visto colgar sus ideas innovadoras traídas de Madrid. El chándal refulgía entre otras prendas. A mis queridos niños iba a encantarles verte vestida con él, pues son ciudadanos eufóricos de la República Zopenca del Chándal en Domingo.

Arroba estaba de acuerdo conmigo. Fingir delante de la prensa que corrías todas las mañanas una hora era una buena idea. El día anterior había salido un reportaje en *Pis&Caca* sobre el estado físico de los candidatos y, por abrumador acuerdo, los expertos consultados coincidían en que eras la que lucía peor forma física. Era el modo sutil de llamarte gorda y abandonada que tienen Los Miserables. No se atrevieron a medir en el estudio al general Cojo para que no los acusaran de despreciar a discapacitados, pero decían de ti que eras víctima del sedentarismo del profesor y las muchas horas de silla y despacho. Hubo una ligera discusión. Junco había querido acusarlos de machistas en las redes, pero impuse mi plan. En la hora de la siesta, cuando la ciudad se amodorra por el abuso de vino en la comida, echaste a correr desde la puerta del hotel. La prensa convocada para el hito se mostró feliz de grabarte. Por suerte nadie te siguió para descubrir que manzana y media después ya estabas de vuelta en la habitación sofocada y hermosa bajo la lámina de sudor.

Tuvimos el acto de primera hora de la tarde, otra miniconferencia sin mucho sentido en una asociación de sordomudos. Teníamos un concejal del partido que era sordomudo y eso nos permitía salir a su lado en los noticiarios y explotar la anomalía. El genio de Candi había decidido la agenda posterior, para él droga dura de campaña. Consistía en meterte en una aldea potente, donde semanas atrás había habido un incidente entre jóvenes del pueblo y unos guardias civiles de paisano que habían salido a pasear con sus novias por el lugar. Ya solo la visión de los carteles que anunciaban la entrada en Alzurrarte impusieron un silencio tenso en el autobús cuando llegamos al lugar. Todas las risas que habíamos hecho a costa de tu imagen con el chándal dorado eran ahora miradas furtivas hacia el exterior, donde las ikurriñas ondeaban en balcones. La calle que tomamos desembocaba en la plaza de los Fueros y a esa hora la luz empezaba a bajar y la piedra refulgía hermosa y pedía sangre. Te pitaron desde los balcones nada más poner el pie en el estribo del autobús. Rómulo me tranquilizó al verme dispuesto a bajar pese a las prevenciones.

–Yo tengo asegurado el autobús, espero que tú tengas aseguradas las piernas.

–Solo me llegó el dinero para asegurarme los cojones.

Me encanta cuando percibes que aciertas en el humor elegido para relacionarte con una persona. Rómulo celebró mi comentario con una risa de conejo tartamudo.

–Lo primero es lo primero.

Al otro lado de la plaza del frontón te gritaban fuera fascista y tu misión consistía en alcanzar la tarima donde se alzaba un micro. Los periodistas habían rodeado el lugar y pugnaban por tener una buena panorámica de conjunto. Distinguí a Fresitas entre los apostados en la cercanía y me sonrió con cierta sorna.

Un representante local elogió tu valor por haber desviado la ruta del autobús de campaña para entrar en el lugar, su humilde pueblo. Citó una frase de Brecht pero no llegué a entender nada porque los abucheos eran sonoros, con silbatos y sirenas y esas bocinas que llevan al fútbol para dejar sordo al abonado. Te pusiste detrás del micrófono y el círculo policial daba garantía de seguridad, aunque la agresividad era más sonora que física.

Arroba permanecía activo. Si escuchaba a alguien gritar de manera desmesurada iba en su busca y lograba un plano del energúmeno que resultara fotogénico. En plazas así te ganabas el salario, porque el acto no tenía ningún sentido más que el de ofrecer una imagen de resistencia viril frente a la intolerancia. No se rentabilizaba *in situ* sino en el efecto de la retransmisión. Y aunque apenas se entendía nada de lo que decías, hablaste durante quince minutos sin papeles y citaste el nombre de Alexander Meiklejohn para explicar su visión de la libertad de expresión como una necesidad imperiosa de la democracia. Tuve durante unos instantes la sensación de que te dirigías a la concurrencia en las peores condiciones posibles con el mismo ahínco con el que lo harías en una clase rebelde, en la esperanza de ganarte su atención y su interés sin levantar la voz del tono educado y sutil. No tuviste el menor de los éxitos pedagógicos.

Una vez capturadas las imágenes que nos habían llevado hasta allí, volvimos al autobús. Nos tiraron huevos al salir por las calles del pueblo hacia la autovía. Me sentí como un futbolista rival antes del derby. Arroba no dejaba de grabar fragmentos que luego colgaba aquí y allá. Carlota no dijo esta vez que daría muy bien por la tele, pero estoy seguro de que lo pensó. Le pedí a Rómulo que pusiera a todo volumen la canción del dúo Conjuntivitis, eso nos ayudó a cambiar de ánimo y a abandonar Alzurrarte casi en una burbuja de buen rollo.

Los de seguridad habían preferido que durmiéramos en el hotel de Santander para quitarse preocupaciones. Ese día habían venido los tres. En el autobús aproveché para relajarme. Pero rápido nos llegó la alarma de las nuevas promesas del Mastuerzo, que había jurado aplicar sobre las pensiones la subida anual del índice de precios. Según los estudios económicos más acreditados, esa medida destrozaría el balance, ya de por sí arruinado por la crisis sanitaria, y en menos de una década no habría fondo de recursos. Sin embargo, la consigna desde Madrid era que nos sumáramos a esa propuesta.

–No podemos enfrentarnos a los pensionistas, son un zurrón de votos muy relevante.

Carlota lo dijo cuando me vio fruncir el ceño. Por mucho que el Mastuerzo fuera nuestro rival directo por el votante conservador más o menos civilizado, Bruselas había lanzado un informe sobre nuestro país en el que advertía a los candidatos de que esa promesa rompería la sostenibilidad de las pensiones y yo defendía que nos aplicáramos en esa dirección. No hay que ser un genio para saber que es una promesa dañina al corto plazo.

–Olvídate, Basilio, ¿sabes cuántos pensionistas nos votan?

–No hace falta que me lo recuerdes, pero también tendremos que pensar en los niños y en los jóvenes actuales, digo yo... De hecho en Bruselas nos recuerdan que tenemos pendientes políticas que favorezcan a los jóvenes.

–Los jóvenes apenas nos votan, nos votan los mayores...

Tiempo atrás, cuando la crisis obligó a reescribir las ideas económicas para salvar a la población, resultaba sencillo saltarse cualquier norma lógica. A medida que los gobiernos regresaron a la contención de gasto, ganar las elecciones era una tarea imposible si no venía acompañada de mentiras piadosas.

–Yo creo que no debemos caer en tecnicismos ni numerología, la gente no nos va a entender. Es mejor que hablemos de conceptos claros, compartibles.

Al escucharte me eché a reír. Claro, claro, a mis queridos niños solo hay que mostrarles los números cuando les ayudan a seguir manteniendo en pie sus cuentos de la lechera. La falsedad irracional de siempre, que obliga a sostener las campañas sobre tres ideas bandera, todas ellas o bien inanes o bien irrealizables. Nunca tratar a tantos como tontos dio tanto rédito.

Lo más difícil fue dar con el tren local con el que pretendíamos denunciar el abandono en infraestructuras de la región. Nos condujeron hasta el vagón anticuado y sucio que la organización en la ciudad nos había localizado para esa última hora de la tarde. Fue en una estación cercana a Torrelavega donde nos habían apartado un tren maltrecho. Arroba se puso muy contento cuando pudo sentarte en una plaza desgarrada con la ventanilla pintarrajeada. Este es el estado en que se encuentran los trenes cántabros, y cargaste contra los rivales locales, que manejan el orgullo regional de una manera habilidosa. Hay en esos regionalismos de moderada intensidad una increíble capacidad de poder hacerse pasar por izquierda o derecha según les convenga, pero sin perder jamás el centro. Explotan su indefinición política para abarcarlo todo con una perfecta avaricia regionalista. Cantabria era una zona de relativa intrascendencia numérica, pero los cinco diputados en juego se cotizaban muy caros, con muchísima igualdad. Nos acusaban de tan solo representar al poder madrileño, por eso era importante sentarte en la locomotora y fotografiarte a través de la ventanilla en la que se leía un cartel de ruta entre Cabezón de la Sal y Castro Urdiales. Arroba nos había pasado, como hacía casi siempre, un recordatorio con las tres líneas maestras sobre las que martillear. Yo empecé a llamar a sus informes, con cierta sorna, el menú del día.

–Arroba, ¿qué tenemos en el menú del día?

Y él contestaba:

–Paro, inmigración y pensiones.

En la sede de Los Cuervos se había organizado un grupo de trabajo que se añadía al Comité de Estrategia y Análisis, como llamaban pomposamente al conciliábulo de planificadores de campaña. El nuevo organismo se llamaba Centro de Revisión y se aplicaba en analizar los puntos positivos y negativos del día anterior, de cada acto, comparecencia, entrevista o declaración que habíamos llevado a cabo. Relacionaba las repercusiones en medios y redes, centraba los comentarios generales y redactaba un informe crítico. Más papeleo con el que arrancar por las mañanas, otro condicionante para cada minuto en el que te sentabas a escribir.

El Mastuerzo nos retaba entre esa saca de votantes que considerábamos fieles. Una de nuestras misiones era despertar la animadversión hacia él. Sabíamos que gran parte del voto nace de un impulso negativo, de ese odio visceral que impulsa a ir a las urnas para castigar a alguien. Si levantábamos esa ola contra él, nosotros podríamos quedar más guarecidos de las críticas. En los días anteriores nos había concedido una veta de castigo, pues se había mostrado con su esposa en varios actos y había pronunciado sobre ella ese tipo de elogio bobalicón que tanto gusta a mis queridos niños, todos potencialmente cónyuges fieles. El Mastuerzo se había atrevido incluso a definir a su esposa como una mujer de las de antes, algo que emparentó con la entrega absoluta a su marido y las labores del hogar. Ese comentario había levantado críticas y chanzas a su costa que nosotros acrecentábamos. Tú dijiste que preferías representar a la mujer de hoy y no a la mujer de antes, lo cual tuvo muy buena acogida. Pero todas las estrategias podían quedar en nada frente a la nueva información que me había llegado por la vía de Luisa Paz, la espontánea que se me había acercado en el casino de San Sebastián. Ella se había creado un nombre falso para ejercer de puta en la aplicación de ligues llamada Empareja2. En esas aplicaciones los hombres rastrean tras mujeres dispuestas y las prostitutas más avispadas se ofrecen allí para quienes no tienen otro recurso al alcance. Al día siguiente de conocerla, me había enviado su enlace a esa aplicación. Me limité a ver su perfil. En pelotas, con la pierna sobre una silla y con un culo prometedor, se cubría los pechos postizos con el brazo. Bajo el nombre falso de Camila se definía como transgresora y sin horarios. Entramos en contacto y me dejó ver un adelanto del tesoro que guardaba para mí. Consistía en un par de mensajes remitidos desde un móvil particular. Según ella, eran mensajes del Mastuerzo.

Pero mi olfato me advirtió de la posible trampa. Por eso no te dije nada ni moví mis hilos. Le dije a Luisa Paz que me dejara tranquilo.

–Si eso es todo lo que tienes, lo que tienes es una mierda.

–Pues algunos ofrecen buen dinerito.

–Pues véndelo, sin dudar. Ese es mi consejo.

Se enfadó conmigo y estuvo distante hasta esa noche en Santander cuando volvió a la carga. Le pedí más evidencias. Me envió dos nuevos mensajes del Mastuerzo con destino a su móvil que me copió en pantallazos. En el último, el tipo se presentaba con el dorso desnudo. Podría ser una foto sacada de contexto o trucada, pues no se le veía la cara. No me fiaba, pero tampoco tiré a la basura el contacto. Le pedí a Lolo Prados todos los números de teléfono que manejaba del Mastuerzo y uno de ellos coincidía con el que me enviaba Luisa Paz. Bingo. Ahora tocaba gestionarlo con calma.

Teníamos un rato fijado para atender a la prensa. Tania estaba preciosa, relajada y oronda frente a la histérica actividad de Carlota. En una mesa cercana esperabas a un reportero local que juraba conocerme de alguna charla de verano. Yo hacía esfuerzos de memoria, hasta que lo ubiqué en una borrachera astronómica durante unos cursos en La Magdalena en torno al legado de Larra. Fue otra de mis intervenciones caóticas y mal recibidas, porque acusé al padre de los periodistas nacionales de corrupto, ventajista y ególatra. Lo que no sabían quienes me abuchearon en directo y los que luego me machacaron por escrito es que usaba esos tres adjetivos como elogios personalísimos, casi como una definición de mí mismo. Don Mariano era continuador de la senda quevediana, esa en la que el talento se usa como hoz de avance, sin reparar en daños, condenada a abrirse un camino propio al precio que sea.

Arroba nos había proporcionado datos nuevos y las encuestas señalaban una tendencia al alza, aunque mínima, pero que le servía al muy insensato para arrogarse el mérito. Quise percibir en el ambiente una mayor euforia que otros días, los asistentes a la cena te aplaudían en las frases elegidas, esas que levantabas de tono, y hasta se quedó gente fuera, lo cual era inexplicable en un evento tan poco estimulante. Muy desgraciada tenía que ser la jornada de una persona para ir, sin interés mediante, a un acto de campaña. Pero empezabas a generar curiosidad y paseé entre la gente al salir y escuché a dos señoras muy abrigadas que hablaban sobre ti.

–Es alguien de quien se puede aprender, habla muy bien.

Me sentí halagado, te lo confieso, porque hablabas con muchas palabras mías. Desde pequeño detesté a los ventrílocuos. Me daban miedo en una escala parecida a los mimos. Imaginaba una intimidad esquizoide y turbia, particular a todos los oficios que muestran una cara amable al público pero por detrás esconden frustración y trauma. Algo parecido a lo que luego encontré en la política, que se parece al teatro en que por detrás todo es cartón, calcetines agujereados y ropa vieja. Cuando te oía hablar con mis palabras no podía evitar sentirme como esos ventrílocuos que entregan a sus creaciones de madera la inteligencia, el talento y el carisma, vaciándose ellos mismos en una amarga renuncia. En su número de rutina son siempre los imbéciles cara blanca, los vacuos petulantes que son abofeteados dialécticamente por sus muñecos. Huía de esa imagen aunque te escuchara en escena argumentar con mis argumentos, hablar con mis palabras y sonar brillante.

En el hotel nos sentamos un instante en un saloncito feo y mal amueblado. Tú pediste un gin-tonic, flojito, y yo un café cargado. Hablamos del Mastuerzo y la tendencia cada vez más acusada en las encuestas hacia un gobierno de coalición con él y su partido, que era una agrupación poblada de arribistas. La idea de compartir gobierno con ese personaje no te agradaba, pero Carlota estaba convencida de que íbamos a quedar por encima en votos y eso nos garantizaría el liderazgo.

–No tiene otra posibilidad de tocar gobierno que juntarse con nosotros.

Me gustó esa expresión de tocar gobierno. Tú y yo sabemos muy bien lo que quiere decir. Alcanzar algunas partidas desde las que ejercer el poder, en lo que el poder tiene de dinero e influencia.

–Sí, pero es un político joven, ambicioso, febril, no me gustan sus maneras, tiene prisa por morder.

Ahí demostrabas tu buen olfato pese a la inexperiencia profesional. Te hablé del asesor de imagen norteamericano que dijo esa frase tan memorable.

–«La política es la fama al alcance de los feos.» No te olvides de eso. La mayoría están en esto para ser famosos.

–¿Para ser famosos?

–Ni cantan ni bailan ni escriben ni pegan patadas a un balón con pericia, pero son famosos.

–Ay, Basilio, qué cosas tienes. Nadie está en política por eso.

–Pues claro que están en política por eso.

–¿Yo incluida?

–Lo tuyo es distinto. Eres un accidente de la naturaleza.

–¿Como una riada?

–No tanto. Como un hermoso día de lluvia y sol, digamos.

Te miré y hubo algo que nos aisló pese a la compañía. Efectivamente, como pensaste tras las pestañas, se trataba de un piropo. Uno de esos viejos piropos que ahora son penados con multa o arresto. Jamás he piropeado a una mujer, porque tengo un civismo de bandera, y al hacerlo me sentí tan extraño como tú al recibirlo. Dos extraños en la noche. Cuando llegué a la soledad de la habitación saqué la botella que llevaba escondida y bebí con ansiedad mientras estudiaba los fragmentos de noticiarios en que daban cuenta de nuestros actos. Pasado un rato, intenté masturbarme, pero mi polla era de goma elástica, tonta y desobediente. Detestaba, como su amo, el placer entendido como un trámite.

6. Asturias

Esta campaña tenía mucho de turismo atropellado. Llegamos a las nueve de la mañana al paseo marítimo de Gijón. El autobús de Rómulo entraba por las calles y lo revolucionaba todo con su presencia algo mastodóntica. Aún no había conseguido desayunar cuando entramos en una cofradía pesquera a denunciar el abandono del gremio, las cuotas de la Unión Europea y la dureza para llegar a fin de mes. Una de las más ágiles conquistas de nuestro discurso era apelar a las clases desfavorecidas con la promesa de algún día escalar hacia una mejor situación que nosotros representábamos, pues nuestro aliado era el capital eterno. Lo aspiracional es una medicina que no falla. Lo hacíamos con un elemento diseñado con pericia. Todos tenemos derecho a ser ricos. Pero no equivoques el camino para lograrlo, para ser rico hay que votar a los ricos.

–La izquierda está obsesionada con hacer a los ricos pobres. Eso es lo que pretenden cuando hablan tanto de igualdad.

A estas alturas ya leías todo lo que yo te escribía sin rechistar, sin apenas correcciones, eliminado el rastro monjil de la Paradita. No tenías ni tiempo ni cabeza para pensar por ti misma y eso me encantaba. Como mucho borrabas frases, porque a mí me gustaba escribir como un vómito, especialmente al llegar el momento de la borrachera en la madrugada. Me quedaba ese afán de los años de trabajar en prensa con los plazos superados o escribir esos novelones torrenciales. Yo funcionaba como los volcanes. Tú leías las líneas y bajabas del autobús mientras aún Aitana Banana te retocaba la cara con la borlita de algodón del maquillaje o mientras enlazaba una bufandita amarilla a tu ropa novedosa que realmente te quitaba años y kilos de encima.

Te expliqué cómo en los Estados Unidos comprendí que vivimos en la feria del dinero y nadie puede oponerse al dios contemporáneo. Una divisa estable es todo lo que le pedimos al país en el que nos toca envejecer.

–No sé si el dinero es Dios, a tanto no llego, pero el dinero es el deseo y el deseo es el motor.

–No estoy segura, Basilio, creo que las personas son

más inteligentes de lo que crees. La gente común coloca por encima el amor, la familia, la felicidad.

–Por supuesto, en su corazón lo hace, pero el dinero condiciona también esos sentimientos. Sería mejor llamarlos amordinero, familiadinero y felicidinero, de tanto como han mutado.

Para tranquilizar a tu auditorio, algo hosco y desconfiado, les hablaste del hombre que regiría nuestros destinos financieros, don Lázaro Abad, pero no les contaste nada de su beatería y sus ínfulas, sino que insistimos sobre la grandeza de hacerse grande, la riqueza de hacerse rico y la popularidad de hacerse popular.

–Nosotros no tenemos rencor de clase. Nosotros soñamos con convertir a los desfavorecidos en personas con recursos. ¿Qué se necesita para eso? Un país que funcione.

Pensar como ricos, acercaros a los ricos, que os gobiernen los ricos. La riqueza, les decíamos en cada discurso, es contagiosa. También la pobreza es una enfermedad infecciosa. Elige cuál de ellas quieres padecer. Conocíamos al dedillo la explosión electoral de algunas de las grandes fortunas italianas o norteamericanas cuando quisieron irrumpir en política. Golfos que se hicieron populares por una simple ecuación. Si funcionan sus empresas, pondrán a funcionar el país como una empresa exitosa. Y ahí golpeábamos, en ese rinconcito del subconsciente.

–No vamos a competir por subir los impuestos, sino por bajarlos. No es justo que mueran tus padres y te tengas que hipotecar para conservar el piso en el que creciste. Vamos a rebajar el impuesto de sucesiones, el impuesto de patrimonio, el impuesto a la riqueza, porque fulmina el mejor espíritu de una sociedad competitiva. Sencillamente vamos a gastar menos, ya está bien de que el Estado sea una losa para las economías familiares.

No me expliques por qué habíamos elegido Asturias para soltar esas soflamas. Las transformaciones sociales habían difuminado al sector obrero. Esa categoría desapareció del discurso público. Roy Carlton me explicó que cuando las distinciones perjudican a tus intereses es inútil combatirlas, lo que hay es que generar distinciones nuevas. Si hace falta se enfrenta a jóvenes con viejos o a rubios con morenos, pero es preciso romper la dicotomía que no te beneficia. Para aprovechar la tensión subterránea es conveniente reformar las placas tectónicas, que jueguen en favor de la quiebra que más te interesa.

–No te olvides de que yo creo en el Estado estacionario y el arte de vivir del bueno de Stuart Mill –me dijiste.

–Si te psicoanalizaras, el resultado sería terrible: deberías militar con los socialdemócratas.

–No permitas que el hábito del análisis acabe con tus sentimientos, Basi.

–Y tú no cedas a la progre que llevas en las venas.

–Acepto las estrategias, pero no tengo que creérmelas todas. Ya te dije el primer día que para mí el asunto es más sencillo. Si algo nos hace ganar votos, adelante.

Los socios de la cofradía pesquera, que te escucharon educadamente, no sabían que nada más terminar teníamos cita en el centro cultural Jerónimo Granda, para sumarnos a un foro con las fuerzas empresariales. Es decir, nos acostábamos a escondidas con la amante y luego íbamos a cumplir con la esposa, ese era nuestro secreto. En la segunda plaza, el discurso fue algo distinto.

–Crear riqueza no es un accidente, es la conclusión de un trabajo económico bien elaborado.

Te dejaste llevar en volandas por lo escrito.

–El gobierno es el problema. No tengan ninguna duda. Cuanto más invisible es entre los negocios, mejor nos va a todos. Tenemos que limitarnos a poner las infraestructuras, las líneas de comunicación, el contexto y las posibilidades, pero hay que dejar que la sociedad crezca sin paternalismos. Como el joven que se va de casa hacia un mundo sólido, sin ataduras ni lastre cargado a su espalda.

Os guié hasta el local en el que años atrás me había desplomado en el suelo a causa de la sobredosis de sidra. Los dueños, muy amables, me dejaron dormir la mona y no vendieron fotos de mi desplome a ningún buitre. Por aquel tiempo empecé a tomarme en serio lo de tan solo beber en mis dominios, para evitar escenas tan ingratas. Logramos acomodo en el privado del restaurante gracias al cariño del dueño. Contaba con un sistema de bebida muy bien elaborado. Posabas el vaso junto al grifo cercano a la mesa y se rellenaba de una sidra deliciosa. Yo no probé la bebida, pero me arrojé sobre la comida con fruición. Carlota, al verme disfrutar sin recato, me repitió eso de que yo comía como si no hubiera un mañana. Sé que no te gustó mi tono, pero tuve que contestarle con autoridad.

–Perdona, Carlotita, pero es que no hay un mañana. No hay un mañana, a ver cuándo te enteras.

No, los ojos de Carlota no se inundaron en lágrimas por la revelación. No fue como la niña aquella a la que le dices a la muerte de su mamá que esta no irá al cielo, que irá a la nada, porque es lo único que hay. No, no lloró. Al revés, se hizo fuerte tras su carpeta imaginaria cogida entre las manos y me dijo, con cierto desprecio, no sabes lo desagradable que puedes llegar a ser. Pero estabais tan contentos conmigo que ni se le pasaba por la cabeza echarme como hizo con la cursi de Cuca. Se aguantaba la repugnancia ante mi barriga y mi glotonería porque confiaba en mi forma de tejer las consignas que llegaban de Los Cuervos en un discurso potable. Hasta Candi te había señalado mi antigua afición a la bebida, pero tú le habías asegurado que lo había dejado y que era un hombre nuevo. Así que en ese aspecto andábamos confiados. Hasta que todo se fue al infierno.

Sucedió exactamente en el trayecto de poco más de treinta kilómetros entre Gijón y Oviedo. Estábamos en el autobús, como casi todo el tiempo en esos días de miles de kilómetros recorridos. Yo viajaba tan plácido, medio dormido en esa siesta placentera tras una buena comida, mientras escuchaba cómo Aitana Banana trataba de convencerte para que te probaras un pantalón y una chaqueta floreados.

–La flor se lleva mucho este año y protege a las mujeres del mal de ojo.

Nunca pensé que los estampados de flores tuvieran poderes esotéricos, pero me encantó escuchar la vocecilla de esa joven que se había creado un espacio en las redes gracias a su talento para combinar, criticar y aconsejar sobre vestuario. Puede que los genios del futuro surjan por ahí. No cuesta imaginar a Picasso colgando en redes su visión personal de *Las meninas* o a Lorca sus poemas andaluzoides hasta hacerse un nombre. Estaba pensando en esas musarañas cuando Carlota cabalgó desde la cabecera del autobús hasta nuestro lugar.

–Mira esto, es terrible.

El informativo del mediodía había emitido una grabación en la que se distinguían con claridad tu voz y la mía. Me desperecé al escucharme. ¿De dónde salía esa conversación? El móvil de Carlota no dejaba de sonar sin que se atreviera a contestar. Tenía el ordenador abierto en la mesita de su asiento y Tania y Arroba habían llegado a su lado. Tú también te acercaste y os asomasteis todos por encima de su hombro. Entonces reconocí el diálogo. Había tenido lugar en el camerino del programa donde te entrevistaron la noche del sábado. Puede que te hubieras dejado abierto el micrófono de solapa, aunque tú estabas segura de que te lo habían quitado. Quizá fue un móvil oculto o sencillamente que esa habitación era un lugar de espionaje perfecto. El caso es que yo salía diciendo aquellas cosas que tanto asustaban a mis queridos niños.

Carlota estaba pálida y cuando me miró con gesto interrogante me limité a decirle:

–Así hablo yo.

–¿Cómo han grabado eso? Esto tiene que ser ilegal –se quejó Tania.

Daba igual, en campaña no importa lo ilegal si sale rentable. Te vi la cara de alarma y recliné el respaldo de mi asiento. Todo el país había escuchado una conversación que me degradaba de manera formidable. En la emisión del noticiario habían colocado unas figuritas que reproducían tu contorno y el mío y en letreros se transcribía la conversación. El texto exacto era el siguiente:

> Yo: ¿Ves como no tenías nada que temer?
>
> Tú: Ya, ya.
>
> Yo: Los periodistas son lelos. Son narcisos que si les alcanzara el cuello se la chuparían a sí mismos.
>
> Tú: Bueno, bueno, entonces ha ido bien, ¿no?
>
> Yo: Claro, claro. Joder... Y cuenta con que al otro lado de la pantalla es aún peor, solo hay memos que se tragan todo lo que les ponen delante del hocico...
>
> Tú: *(Risas.)*
>
> Yo: Los ladrones de tu partido te tendrían que hacer un monumento. Les vas a salvar el culo para que puedan seguir robando a manos llenas.
>
> Tú: Yo salgo contenta, creo que ha ido bien...

Yo: Ha ido de coña. A la tele hay que venir a mear fuera de la taza. A marcar territorio. Te ha faltado dejar un zurullo en mitad del plató, para que sepan quién manda. Esto es el reino animal, es *(ininteligible)*...

Tú: Tú sí que eres un animal...

Yo: De verdad, Amelia, trátalos a bocados y te comerán en la mano...

Carlota atendió las llamadas que recibía desde Madrid. Vimos el corte del noticiario varias veces. En la transcripción en rótulos mis frases eran rojas y las tuyas azules, por si quedaba alguna duda de quién era peor persona de los dos. Tú te acordaste del momento aquel en el camerino.

–Es una conversación privada, fue en el camerino tras la entrevista de noche.

Arroba estaba pálido. Las gafas se le habían deslizado hasta la punta de la nariz y su cara parecía una polla asustada. Yo no dije nada. Me impresiona, siempre me ha pasado, escuchar mi voz grabada. Porque me parece tan blanda que me asusta, tan de víctima, tan de idiota. Por eso cuando encarnaba a El Rey Catódico fingía un tono entre pijo y gilipollas para decir burradas con libertaria autoridad. Suerte que lo que decía en la grabación furtiva era tal desbarre que compensaba el soniquete. Qué asco de voz, pero al menos el contenido era demoníaco.

En mi móvil también empecé a recibir llamadas, pero Carlota gritaba que teníamos que consensuar una respuesta y no me dejaba contestar. Eran Los Miserables quienes más insistían en localizarme. Querían conocer mi reacción a la filtración. Al llegar a Oviedo nos iban a acribillar. Tania se mordía el labio. Era un gesto de preocupación, pero esa mujer hasta en un velatorio resultaba pornográfica.

–Es una conversación privada. –No dejabas de repetir esa idiotez, como si no vieras los noticiarios donde la policía, los jueces, los abogados, quien sea, filtra llamadas, conversaciones, cualquier material que les convenga.

–Les importa un carajo. Todo es público. Bienvenida al mundo sin intimidad.

Mientras lo decía, pensaba: ¿cómo vamos a salir de esta?

El resumen era sencillo. Yo aparecía como un energúmeno que insultaba, por el mismo precio, a los periodistas, a los votantes y a nuestro propio partido. Es decir, salvo cagarme en Dios, había atentado contra todo lo sagrado. Así que me cagué en Dios, para no dejarme nada fuera del drama.

–Basta –me gritaste–. Vamos a reflexionar todos juntos.

Pero Carlota hablaba por teléfono con Candi. Ella solo respondía sí, sí, vale, sí, sí, lo entiendo. Iban a despedirme, pensé. Entonces esperé a que colgara y me puse de pie en el pasillo del autobús. Noté hasta la mirada de Rómulo en el retrovisor, callado por una vez en medio del pasmo general.

–Carlota, no me vais a despedir. Si me despedís estáis muertos. Os van a crujir. Estamos a días de las elecciones. Me tenéis que respaldar, tenemos que atacar, si te pones a la defensiva os comen. Yo hablo así, yo soy así. Déjame que me coma yo todo el marrón. Pero si me echáis, estáis muertos.

–Habla tú con Candi, habla tú con la dirección del partido. Les llamas ladrones. Dices que van a seguir robando.

–Pues claro, es mi forma de hablar. No digo nada que la gente no piense. Todo el mundo sabe que es un partido de ladrones manirrotos, por eso Amelia es la candidata, joder. No seas ingenua. Vosotros mismos lanzasteis así su candidatura, porque no tenía historial delictivo detrás.

–Pero insultas a la gente, a los periodistas.

–Están llegándome mensajes indignados. –Esa fue la aportación de Arroba a una conversación entre adultos.

–Esos putos mensajes son oro para nosotros. ¿No era lo que querías? ¿No querías llamar la atención? ¿Que se hablara de nosotros? Ahí lo tienes.

Tú suspiraste bien profundo. Estabas a medio vestir de floripondios y te derrumbaste en uno de los asientos. Aitana Banana trataba de tranquilizarte, pero se había esfumado el poder de amuleto de su vestuario botánico. El bus seguía a toda marcha. Hubo un silencio, todos sacudíais la cabeza. Rómulo se puso a canturrear, porque era de esas personas que temen un silencio prolongado. Yo mismo pensé que lo mejor era que me sirvieran como un cerdo ensartado y que el país hiciera conmigo la matanza que acostumbra. Pero vi al fondo de tus ojos un atisbo de rabia. Y ahí me agarré. A la indignación que te provocaba que nos hubieran grabado en ese camerino, como si hubiéramos estado en un plató de la tele soviética en los años de la Guerra Fría.

Nada más descender del autobús dejamos que te rodearan las cámaras y las grabadoras. Por suerte en aquella ciudad la patulea de reporteros no era tan nutrida como en otras capitales. Yo me coloqué a tu lado, pero te dejé hablar. Tú contaste la parte noble.

–No hay derecho a que graben las conversaciones privadas de la gente, no hay derecho a ser espiado, no hay derecho a emitir eso, no todo vale en política, no todo vale en campaña.

Era una defensa contundente, pero errónea. Todo vale en campaña, Amelia, todo vale. Así que, como habíamos pactado, me señalaste y dijiste este mi ayudante, es una persona que me asesora y escribe algunos de mis discursos. Su intención era permanecer siempre en la sombra, pero creo que tiene derecho a defenderse, ¿no os parece?

Los periodistas asintieron y dirigieron hacia mí los micros como dagas. Era tal la sensación de debacle que incluso dieron un pasito atrás para dejarme un espacio en el que desplomarme. Entonces comencé a hablarles.

–Eso que habéis oído es una mínima parte de las burradas que puedo decir a diario. Es mi forma de expresarme, me sirve para desahogar toda la presión de la campaña. Hablo así, no dejo títere con cabeza. Por eso, en dos minutos, me cago en los periodistas, los votantes, el partido y en todo lo que me pongan por delante. ¿De verdad vamos a ser tan tontos para no distinguir la campaña política y la batalla de las ideas del territorio de la conversación privada? ¿De verdad hay que fingir ante la gente y hacerles creer que cuando estamos a solas hablamos con corrección y cuidado? Soy una persona crítica y libre, si algo tiene Amelia, por lo que me gusta trabajar para ella, es que me permite ser yo mismo. Esa sinceridad la tiene como candidata, por eso acepté el trabajo.

Vale, el primer asalto quedaba en tablas, pero luego vinieron con la riada de preguntas. Aquí la cosa se puso incómoda. ¿Te parecen narcisos los periodistas? ¿Consideras a la gente imbécil? ¿Son unos cerdos los votantes? ¿Trabajas para un partido de ladrones? Lo peor tras esas preguntas era arredrarse, echarse atrás.

–Os voy a confesar algo: Superman tampoco vuela.

Dejé que masticaran mi frase y luego sonreí.

–¿Estáis preparados para escuchar la verdad? Porque el Ratoncito Pérez también esconde sus secretos.

Dejé que se desfogaran. Que acabaran con toda la batería de dudas y sospechas formuladas como preguntas.

–En fin –concluí–, la verdad es que he tenido suerte,

porque no me habéis pillado en ninguna blasfemia, ni he soltado algún comentario racista o machista. Para estar grabado a traición por un canal de televisión que usa métodos propios de Stalin he salido muy bien parado. Y no os digo Amelia Tomás, ella queda como la mujer más educada del mundo, porque lo es. Cosa que yo no soy. Si pretenden hundirla con esta maniobra es porque tienen miedo a que gane, algunos no quieren que gane estas elecciones. Alguna gente muy poderosa tiene miedo de que ella gane las elecciones, eso es lo que debería preocupar a la gente, no mi forma de hablar.

Y con ese colofón pudimos romper el cerco y volar hasta nuestro acto en el teatro Campoamor. A la entrada nos silbaron y eso preocupó mucho a Arroba y a Carlota. Si se transmitía una sensación negativa en la población estábamos perdidos. Por fortuna, el interior del lugar estaba poblado por nuestros afiliados. El problema estalló de nuevo en el escenario, cuando menos lo esperábamos. Los actores de una compañía que andaba de gira por el lugar irrumpieron en escena con pancartas bien preparadas. En sus letreros denunciaban la poca implicación en cultura de tu partido y el maltrato al arte. Aquello parecía la tormenta ideal para sacarnos los colores. ¿Qué coño habíamos ido a hacer allí?

Lo peor de la grabación de nuestra conversación no fue su emisión mil veces repetida. Lo peor eran los comentarios alimenticios alrededor. Esto es la infrapolítica, esto es el colmo del desprecio, esto es lo que piensan realmente. Pronto empezó una cierta compensación, que apuntaba hacia el modo en que se había obtenido la grabación. Y hasta una pequeña defensa de nuestro malhablado hipopótamo gris y gordo.

Arroba me mantenía al corriente de las repercusiones

en redes. Las más interesantes comenzaban a preguntarse quién era yo realmente. Ese gordo deslenguado tenía un historial detrás. Periodista, novelista, crítico. Algunos destacaron mis momentos gloriosos. Aquella vez en que escribí que prefería los culos de las mujeres a las tetas, pues resultaban más fiables. Era pues machista. Aquella vez en que escribí que ser de izquierdas en España era una muestra de pereza mental. Era pues un facha. Aquella vez en que escribí que el deporte era la pasión de los necios. Era pues insalubre. Aquella vez en que escribí que la fecundación in vitro tendría que ser delito con tantos niños abandonados por el mundo. Era pues insensible. Aquella vez en que escribí que los voluntarios en África eran misioneros laicos que llenaban sus vidas vacías con vacaciones en la pobreza ajena. Era pues insolidario. Aquella vez en que escribí que España solo funciona por intercambio de favores. Era pues un salvaje. Aquella vez en que escribí que las películas con discapacitados eran como las postales pintadas por gente sin brazos, arte malo pero rentable. Era pues un indecente.

Me sacaron a relucir todo el almacén de burradas que podía haber redactado o dicho durante veinte años de frecuentar las tribunas patrias. El esfuerzo había merecido la pena, quedaba una imagen de mí bastante certera. ¿Que no les gustaba? ¿Y? ¿Bastaba todo eso para derribarme? Porque yo era un hipopótamo, pero con el alma de Gene Kelly, y cuanto más llovía, yo más silbaba chapoteando entre los charcos bajo la lluvia. Soy un gordo ágil, no te olvides. Mis caídas favoritas son las caídas en desgracia.

La cadena de televisión donde se había producido la grabación emitió un comunicado serio y afectado en el que juraba que la filtración no había partido de ellos ni tenían conocimiento de que se hubiera llevado a cabo por sus técnicos. Apuntaban hacia algún descuido en nuestras propias redes de comunicación, algún móvil trampeado. No faltaron los que mencionaron la interferencia rusa en los procesos electorales y la larga mano de los servicios secretos españoles. Comenzaba la novelita de género tan tonta como poco sustancial.

Fue en los pasillos de aquel teatro Campoamor, justo antes de que empezaras a soltar frente a los mil quinientos asistentes un discurso inaguantable sobre tu plan cultural de cuatro años, con ayudas, subvenciones, propinas y regalías como promesa para el gremio, cuando Carlota te pasó el teléfono para que oyeras la iracundia de Candi desde el nido de cuervos de Madrid.

Yo tenía que abandonar la caravana, me contaste que te exigió. No, no voy a hacerlo. Lo necesito y no voy a dejarlo tirado, recuerdo que usaste esa digna y limpia expresión. Lo reconozco, Amelia, en ese momento me ganaste del todo. Había que ser valiente para jugarse la carrera por un idiota como yo.

Candi iba en el coche durante la conversación fallida entre vosotros. Varias horas y dos multas de radar después entró en nuestro hotel de Avilés. Habíamos suspendido el acto de calle en Oviedo porque nos advirtieron de que habría protestas. Así que el miedo se apoderó de nosotros.

Yo preparaba el discurso que esa noche ibas a endilgarle al personal en el auditorio Niemeyer. Me bebía mi whisky a solas mientras mis ojos vagaban por la pantallita del ordenador en busca de versiones variadas de aquella misma conversación desvelada. Estaba por todas partes. Caí en la cuenta de que estaba borracho y bajé al bar del hotel para tomarme siete cafés. Entonces vi entrar a Candi desde mi privilegiado lugar en la barra. Fue a buscarte a tu habitación, directo hacia el ascensor, iba acompañado por dos Alejandros o Borjas o Pelayos de los suyos. No sé lo que ocurrió allí arriba, pero fueron veinte minutos tan tensos que Tania vino a mi lado y puso en mi regazo toda su ternura.

–En menuda nos ha metido tu lengua –me dijo.

Me gustó que pensara en mi lengua metida en algún sitio.

–Son unos cobardes y unos mierdas. Así no se ganan elecciones.

Mi amigo Lolo me envió la página que preparaba para su periódico del día siguiente. Estuvo a la altura, se lo tengo que agradecer. No eludía mi perfil más problemático, decía que yo podía ser intolerante, arrogante, cínico y faltón. Pero que yo era así y siempre había sido así.[15] Lolo, por mensaje de móvil, me rogó que aportara al menos una línea de declaraciones para que pudiera presumir de haberme contactado. Le escribí lo siguiente: «Digo lo mismo que decía Tina Turner en aquella inolvidable canción: ¿qué tiene el amor que ver con esto? ¿Qué tiene que ver el amor con una campaña electoral, con la cabeza de un escritor de discursos, con la conversación entre dos adultos en privado? Si quieres amor, vete al zoo y dale por culo a una cebra.»

Quitó la última frase en el periódico del día siguiente pero reprodujo el resto. Su reportaje, que contaba detalles de mi vida y mi carrera bastante precisos, tuvo un efecto inesperado. Mantenerme en el puesto reafirmaba tu independencia del partido. En el ojo público lo malo puede ser bueno y lo bueno malo.

Cuando Cándido bajó de tu cuarto acompañado por Carlota vino a mi encuentro a la barra del bar del hotel.

–Esto nos hace mucho daño, y lo sabes. Te voy a pedir por última vez que des tú mismo un paso atrás para no perjudicar al partido y a quien, precisamente, más te defiende, que es Amelia.

Mastiqué una última gominola del platito que me acompañaba frente al café y muy despacio, para que Tania y Carlota lo oyeran y aprendieran algo, ya que estaban en la edad de aprender, respondí al jefazo de Los Cuervos.

–Si Amelia me lo pide me voy ahora mismo.

–Te lo pido yo. Que des un paso atrás, por todos.

–La última vez que yo di un paso atrás fue para coger impulso y pegarle una patada en el culo a alguien mil veces más poderoso que tú. Yo soy radiactivo, si preferías la energía limpia entonces te equivocaste de persona cuando me contrataste a mí.

–Mira, Basilio, tú conoces tan bien como yo el funcionamiento de una campaña. Tienes que dimitir.

–Conozco cómo funciona la cabeza de la gente, tengo que quedarme.

–No, tienes que dejarlo, tienes que irte honrosamente. Limpiar nuestro nombre.

Lo que le enfurecía es que hubiera llamado banda de ladrones a Los Cuervos. Pero eso podía superarlo de una manera muy sencilla. Bastaba con ir al primer paseante que cruzara la calle y preguntarle por lo que pensaba de su partido. Le diría lo mismo. Ah, sí, son una banda de ladrones. Y hasta podría añadir: y yo les voto, porque son de los míos, y les seguiré votando. No nos hagamos demasiadas ilusiones, el voto es de una rara viscosidad mental que se apodera de mis queridos niños al nacer, al crecer, en el cole, que va por dentro de una intimidad inconfesable, mezclada de ideales y carencias, de honestidad y profunda corrupción moral.

Lo increíble del asunto es que, Amelia, tú resistieras el acoso. Te vi surgir diez minutos después con ese combinado de floripondios y dispuesta a cabalgar hasta el Niemeyer, ese edificio entre lunar e industrial que regaló el arquitecto brasileño a la ciudad. Allí, puede que liberada, hablaste en confianza a los militantes del partido que te rodeaban con cierta calidez fingida.

–Todo el mundo tiene manchas, todo el mundo comete errores, todo el mundo mete la pata, pero lo que nos tiene que importar es lo esencial. Que trabaja, que se esfuerza, que ayuda a levantar este país. No pido santos en mis listas, como hacen los partidos de izquierdas, que parece que quieren presentar a San Juan Bosco y a Genoveva de Brabante por cada circunscripción. Yo trabajo con personas, con sus defectos privados, pero seguro que con una valía profesional y social que ya quisieran muchos.

Reconozcamos que eso lo escribí yo y aunque era para defenderme a mí mismo quedó muy lindo en tu boca. La pregunta que nos hacíamos todos en tu equipo íntimo era la misma. ¿Habíamos superado el problema? ¿O el problema nos comería vivos?

Me acordé de eso que nos contó Cuca del presidente que solía decir, cuando se veía acosado por algún escándalo, que ojalá se cayera algún avión al día siguiente y se olvidaran de él. Si hubiera podido, yo mismo habría derribado un avión de pasajeros para salvar mi pellejo.

Lo pienso ahora y en el fondo creo que lo que sucedió a continuación fue algo parecido. Nada más salir del mitin, de vuelta en la ciudad, cuando caminábamos por el empedrado hacia el mejor restaurante del entorno que aún me diera una fabada a las doce de la noche, Arroba nos dijo, como si no importara mucho, que un Ave acababa de descarrilar cerca de Lugo. Podría haber muertos.

Carlota consultó en sus móviles la información terrible del accidente. Sí, había muertos. Al parecer por un descuido del conductor, la alta velocidad del convoy y la lluvia densa en la zona. Entonces Tania, la divina Tania, la tanísima Tania pensó como piensan los dictadores latinoamericanos. Que un político que se gana la vida con esto tiene que correr a donde está la gente, porque si no la gente correrá a donde estás tú y será peor. Fue cuando dijo:

–¿Y no sería bueno que fuéramos allá? No estamos tan lejos.

7. Lugo

Era obvio que no podíamos usar el bus de campaña. Rómulo estaría a esas horas durmiendo y no convenía presentarnos en el luctuoso lugar con la pancarta publicitaria. Uno de los cachorros de seguridad se ofreció a llevarnos. Tania se apuntó al viaje, pero Carlota prefirió quedarse a apagar el fuego con Candi. Yo viajaba en el asiento delantero, junto a Zunzu. Siempre me han fascinado estos tipos de seguridad, algunos en el entorno policial, profesionales, aseados y finos en su aspecto externo, pero con un historial de filtraciones y trabajos sucios que completan su personalidad.

En el asiento trasero ibas con Tania repasando el listado de entrevistas pendientes. Al padre de Zunzu, nuestro conductor, lo había conocido años atrás. Era un comisario veterano, Ernesto Zunzunegui, que trabajaba en San Blas y tenía una divertida fama de gafe. Había entrado en contacto con él por algún asunto periodístico, pero cuando fundé *La Causa Popular* encontramos la forma de retroalimentarnos. Me redactó dos informes falsos, validados con los sellos policiales, que utilicé de manera jugosa.

Cuando era un joven periodista ya sabía que alguna de

la información más valiosa venía escupida de esa lenta rueda de molino de los archivos policiales. Podía incluso fabricarse si encontrabas seres receptivos como el papá de nuestro conductor, al que no dejaban ir al palco del Calderón porque siempre que acudía, el equipo local perdía indefectiblemente. Se puso tan contento al saber que yo había sido amigo de su padre que hasta se emocionó al contarme la muerte reciente, atragantado en casa con un pedazo de carne.

–Mi padre enderezó mi vida, cuando yo era un chaval y jugaba con fuego –me dijo Zunzu, y se le humedecieron los ojos rasgados–. Me enchufó en la policía municipal cuando yo andaba cegado por los peligros habituales.

Esos peligros habituales, según él, consistían en la noche, las chicas, las drogas, ya sabes tú. Y con ese ya sabes tú que me soltó me sentí satisfecho, porque, efectivamente, lo sabía, bien lo sabía yo. Déjame que te diga algo, Amelia, vi tu mirada por el retrovisor, con ese aprecio por mi capacidad para hilvanar complicidades incluso en un viaje a deshoras en coche. La vida es eso. Sembrar relaciones de mutua utilidad. Una buena agenda es el mejor amigo del hombre.

La noche era cerrada y en la radio seguíamos algunos boletines de noticias que eran perezosos, desinformados y tentativos. A mitad de nuestros doscientos kilómetros que Zunzu encaraba sin respetar los límites de velocidad, había empezado a llover y ya no paró cuando alcanzamos por carreteras secundarias el tramo de vía que buscábamos en los alrededores de Lugo. Las sirenas policiales demarcaban la zona en la noche oscura y nos detuvimos. Zunzu sacó un paraguas enorme del maletero. Cabíamos los cuatro debajo, pero os lo dejamos a ti y a Tania mientras nos aproximábamos al lugar de la tragedia.

Recuerdo tu cara cuando vimos el amasijo de hierros y nos prohibieron el paso. Esa era la realidad, y nosotros estábamos acostumbrados a una etérea versión discursiva, juguetona. La realidad es muerte, dolor, barro. No teníamos la información correcta, ni la radio ni la primera llamada nos habían ofrecido otra cosa que aproximaciones erróneas. En realidad el accidente se había producido en un olvidado tramo de vía de la red secundaria. Un convoy de mercancías, nada de un tren rápido, había arrollado a una furgoneta blanca de la que no quedaba otra cosa que una escultura de hierros rodeada de bomberos armados con sierras y palancas. Había muertos, claro, pero todos pertenecían a una familia que dormía refugiada dentro de la furgoneta. También podía ser que el padre no se hubiera percatado de que cruzaba la vía o que la furgoneta se hubiera detenido por una avería inoportuna.

Habían sacado cuatro cadáveres de las tripas de aquel chillida. Los operarios los habían dejado en el suelo, tapados de cualquier manera, pero dentro esperaban aún tres más. Siete muertos de una familia rumana de origen gitano que al parecer se dedicaba al menudeo de chatarra y habían comprado esa furgoneta a un antiguo propietario que aún figuraba como dueño y al que despertó la Guardia Civil en plena noche para que diera los pocos datos que conocía de los ocupantes. Alguien escribiría al día siguiente que robaban cobre de la línea férrea cuando el accidente sucedió, pero poco importaba la mentira o la verdad a siete cadáveres sin reclamo.

Habían llegado tres periodistas locales con cara de sueño y tan solo un operador de cámara que parecía más un videoaficionado que un enviado especial de algún canal de interés. Me acerqué a los dos más jóvenes, siempre hay que entrar por los menos ajados y que menos sepan de ti, y se identificaron como mandados del canal municipal. O sea que la distancia entre ellos y el Pulitzer se medía en años luz. Llovía de manera copiosa y al señalarles tu presencia se excitaron algo más que con los muertos ordenados en el suelo, eso era noticia sobre noticia y hasta ellos eran capaces de percibirlo con su pizca de instinto profesional. Fue ahí cuando llegó ese momento de magia que uno siempre aguarda.

Al lado de los cadáveres cubiertos, empapándose bajo la lluvia pese a la manta térmica que la cubría, había una niña de siete años, de pie. Nadie entendía muy bien si era una mirona del vecindario, hasta que un policía que sostenía la cinta de precinto nos dijo que era hija de la familia fallecida, la más pequeña, que había tenido la suerte de salir despedida por el cristal delantero y que, salvo algunos cortes menores, estaba milagrosamente ilesa. Había vagado desorientada por el lugar durante un rato y la había localizado un vecino sentada bajo un árbol. Estaban esperando una ambulancia para trasladarla a un centro médico. Tú miraste a la niña y te desplazaste hasta su lado sin importarte levantar la banda de plástico que cercaba el lugar. La abrazaste y le hiciste alguna pregunta. Te sorprendió, me dirías luego, que no hablara una palabra de castellano. Tampoco lloraba, aunque los bomberos sacaban aún con fórceps a algún miembro de su familia del interior de la furgoneta. Entonces la tomaste en brazos, pese a que ya no era una niña de llevar cogida en brazos, y gritaste hay que alejarla de aquí, es un horror lo que está viendo, es su familia.

Y te la llevaste hasta el interior de nuestro coche sin que el cámara de tele local dejara de grabar ni un instante. Se acercó al coche y te filmó a través de la ventanilla mientras la acariciabas en el asiento trasero y le dabas a beber de una botellita de agua. Luego, cuando vi esa imagen reproducida en las televisiones, caí en la cuenta del parecido que guardabas con aquella actriz, Jeanne Moreau, que a ratos se mostraba como una señora fría y distante y en otros como la mujer más abrasadora y pasional.

Sacaron los tres cuerpos restantes, dos de ellos por entregas de pedazos casi irreconocibles. Esperaban al juez local, pero se anticiparon más ambulancias y en una conseguiste que se llevaran a la niña, después de discutir con quien manejaba el dispositivo y repetía que la niña estaba bien, que no tenía nada grave y aún podía salir alguien vivo del interior con peor pronóstico y más urgencia. Los golpes así son muy peligrosos, decías tú, tienen que examinarla cuanto antes, no puede seguir aquí ni un minuto más. Y todo eso, bajo la lluvia, te empezó a dotar de un aire épico, sobre todo cuando alguien trataba de calmarte y repetía señora, señora, cálmese, cálmese.

–Deje de pedirme que me calme y hagan algo con esta niña.

La niña se fue, pero nosotros estuvimos allá casi dos horas más. No había manera de que llegara un rayo del amanecer a esa noche negra. Te presentaste a la juez de guardia cuando apareció. Llegaron más cámaras y al ver que la presencia de periodistas ya era abusiva, volvimos al coche y regresamos a la autopista. Tania decidió que no nos merecía la pena volver hacia atrás. Así que Zunzu buscó en sus orientadores la distancia a Coruña y allá que pusimos rumbo. Tania nos reservó hotel de categoría, mientras yo notaba mis piernas entumecidas bajo los pantalones mojados y los calcetines empapados. Dirigí hacia mi cuerpo el aire caliente que salía entre las láminas del salpicadero. Llevabas el pelo mojado pegado a la cabeza. La laca que te lo abultaba había quedado pegajosa e inerte, pero estabas hermosa con esa naturalidad fresca, lejos de la señorona que postulábamos al voto, empeñados los asesores de imagen en presentarte como alguien formal y artificioso cuando una mujer hermosa gana en la intemperie de ser solo ella.

8. A Coruña

Lo que sucedió mientras dormíamos o tratábamos de dormir responde al mecanismo del espectáculo. Nadie sabía muy bien cómo funcionaba el sistema, pero de una hebra de noticia se tejía un relato conmovedor. La imagen en que abrazabas a la niña y la levantabas en el aire bajo la lluvia se incorporó a los rulos de vídeo de cada informativo y desde las siete de la mañana de ese nuevo día ya eras el personaje favorito de la jornada. Hubo de inmediato interferencias masivas de los rivales, que trataron de dinamitar tus supuestas buenas intenciones. Que no se podía hacer eso en campaña, que era demagogia en el drama, que no podía ir uno a hacerse la foto en la tragedia ajena. Dio igual, porque las imágenes dejaban claro que en aquel momento ni sabías que estabas siendo grabada y que fue el azar el que te colocó tan cerca del accidente. Incluso entrevistaron al cámara y contó que tardó en reconocerte porque nadie les había avisado de que estabas allí.

La consecuencia primera tuvo que ver conmigo. Candi había decidido la noche anterior que si yo no dejaba la comitiva de campaña, suspendería los actos y convocaría al consejo federal de Los Cuervos para plantear tu cese como candidata. Pensaba llegar a la guerra contra ti, contra ellos mismos, antes que transigir. Ni tan siquiera Carlota pudo refrenar su instinto criminal. Consideraba que insultar a mis queridos niños en plena campaña era insuperable como afrenta. Yo debía desaparecer.

Con el impulso que ya llevabas acumulado en tu popularidad a las diez de la mañana, llegó Carlota a nuestro hotel de Coruña. Milagrosamente ninguno de los tres estábamos con neumonía. A mí me salvaron los dos botellines de whisky mediocre que encontré en el mueble bar. Me los bebí tras darme una ducha caliente a las cinco y media de la madrugada. Carlota nos dijo que la consecuencia viral de la presencia en el accidente nos daba margen de maniobra. Candi había vuelto a Madrid y esperaba la evolución del día. Si los medios seguían presionando contra mí, tendría que actuar, pero de momento el comité federal había sido desconvocado.

–¿Y tú, Carlota, con quién estás?

–Yo estoy con Amelia.

Su respuesta me gustó, era una chica valiente. Le ofrecí munición. La tarde antes me había llegado una información curiosa. Vino de parte de Correoso. Tenía que ver con la estudiante que en su día te atacó con el spray y había pintado de rojo tu cara y tu cuerpo en la facultad. Al parecer, Kris Kintero ahora trabajaba en la agencia de comunicación que llevaba la campaña del Mastuerzo. Según me contó era solo una becaria sin responsabilidad ninguna, pero te escribí un pequeño parlamento sobre el asunto que soltaste al periodista matinal que te incordió con mi presencia.

–¿No le duele tener de asesor a una persona que habla así de todo el mundo, incluido su propio partido?

Respondiste con lentitud, como hace uno cuando las tiene todas consigo.

–Lo que me duele y debería doler a los demás es que

la misma persona que atentó contra mi dignidad en el recinto sagrado de la facultad sea ahora la asesora de comunicación de uno de mis rivales. Porque aquello fueron actos y esto de ahora son solo palabras, una forma de hablar relajada en la intimidad. No seamos hipócritas. Esa chica tenía el odio en su mirada y se comportó como una salvaje. Deberían fijarse más en esas cosas y menos en mi colaborador, que jamás ha levantado la mano contra nadie.

La rueda de la acusación empezó a funcionar. El mentecato de nuestro rival lo negó con rotundidad.

–No conozco a Kris Kintero, no trabaja para mí. Ni siquiera recordaba ese incidente en la facultad del que habla la candidata.

Los políticos, como los niños, tienden a mentir como primera reacción. Es natural. La mentira es un manto que resguarda en primera instancia. Pero la verdad es terca y muerde con dientes afilados. Las negativas del Mastuerzo se volvieron en su contra a media mañana. Tuvo que rectificar y reconocer que Kris Kintero trabajaba en un departamento de la agencia, aunque aseguraba que nada tenía que ver con su campaña.

Era cierto, pero conseguí que Arroba cediera a mis presiones y colgara en la red oficial de nuestra campaña la siguiente pregunta retórica:

–¿Acaso el departamento en el que trabaja es el de ataques violentos a los rivales?

Cometió el error de jurar que jamás se había visto en persona con Kris Kintero. No sé ni cómo es, dijo. Dos horas después Fresitas me hizo llegar la foto en que se los veía en la misma reunión en la sede de la agencia, con otros colaboradores. Hizo falta que un equipo de tele se plantara en la puerta de la empresa y cuando vio salir a Kris Kintero la persiguiera durante doscientos metros, algo que acostumbraba a ocurrir con personajes de la prensa del corazón pero casi nunca con una anónima pieza de nuestro ajedrez. Aquella carita, que ya nadie recordaba del episodio en la universidad, ahora con el pelo crecido y bien peinado, se encaró al cámara y comenzó a gritar dejadme en paz, tengo derecho a trabajar donde quiera.

El Mastuerzo actuó con contundencia y pidió la cabeza de la chica a sus empleadores. La pobre niña rebelde fue puesta de patitas en la calle por esos azares impredecibles de la vida pública. Abrir fuego sobre el rival nos dio un respiro para curar las heridas propias. Candi dejó de dar la tabarra con su mandato de exterminarme. Eso sí, algo se rompió para siempre entre tú y él, por más que lo disimularais en los días siguientes. Se dio cuenta de que si alcanzabas el poder, quizá no serías la sumisa obediente que él había imaginado. ¿Lo serás? A esa pregunta te tocará contestar algún día. Es, permíteme que te lo diga, la pregunta clave.

Ese mediodía el acto tenía la gracia que les faltó a otros escenarios. Visitamos la aldeíta donde se rodaba la serie local de más éxito en la televisión gallega, *Meu pobo.* Era la historia costumbrista de un pueblín rural, que los guionistas habían convertido en un microcosmos con su talento para la nadería. Allí había una pareja de ancianos tradicionales, un negrito emigrado, una ecologista febril, el cura, el rico, la maestra, el constructor desalmado y su amante tonta pero honesta. Siempre los arquetipos utilísimos para calmar la conciencia de mis queridos niños: la aldea funciona, el mundo funciona. Todas las mujeres representaban lo bueno y los hombres lo malo. El emigrante era un santo y el cura era bobo pero virtuoso, para no decantarse. La ficción contemporánea de éxito tiene que fomentar ese equilibrio estudiado de contentar los prejuicios de unos y otros y no retar ninguna inteligencia por pequeña que sea.

El productor, mi viejo conocido Caco Laguna, viajó desde Madrid para hacernos de anfitrión en un día tan señalado. Había ordenado que repintaran los despachos de oficina y que asearan las zonas de rodaje, de habitual espacios degradados y fríos. Tú elogiaste la creatividad, la potencia económica de las series de televisión y hasta te permitiste el guiño de dejar caer que tu favorita siempre había sido *The Good Wife*.

Se había pactado que en el capítulo de *Meu pobo* que rodaban ese día te interpretarías a ti misma. La idea había sido mía y a Lautaro le pareció maravillosa. Mi relación con Caco nos abría esa puerta y habíamos logrado introducir la fecha de rodaje en la planificación de campaña.

–Meterte en una serie familiar y popular es un punto a nuestro favor.

Caco no se opuso, sino todo lo contrario. Vivía de exprimir las relaciones con el poder, porque las cadenas establecían en sus contrataciones unos vínculos espesos e inexplicables. Él mismo, pese a ser canario de origen, se había convertido en el productor de referencia en Galicia. Para la popularísima serie se rodaba un episodio al día, a un ritmo frenético, apenas con una semana de margen para la emisión. Al público le daba igual, porque la trama era estática, una repetición constante del mismo conflicto alargado hasta la apoplejía. Tiempo atrás, durante el confinamiento por la crisis sanitaria, no habían podido grabar nuevos episodios, y se habían reemitido capítulos antiguos con picos de audiencia imbatibles.

Encarnaste el papel de una candidata política que visitaba la aldea para pedir el voto, con lo cual en un momento dado aquello parecía un juego de muñecas rusas. Tú eras tú misma en una ficción que simulaba ser copia de la realidad, pero la realidad era otra ficción en la que habías llegado para pedir el voto a lomos de un personaje ficticio más que real, así que nos encontramos en un salón infinito de espejos frente a espejos.

Los actores de la serie posaron contigo para las fotos de prensa y alguien bromeó sobre lo bien que lo habías hecho. Fue un secundario pelota, muy conocido por sus papeles de cura de aldea y el deje castizo al soltar sus frases.

–Tiene madera de actriz.

Descubrí para mi espanto que la comida programada consistiría en esa cosa que llaman catering de rodaje. Desplegadas sobre mesas plegables algunas propuestas tan poco estimulantes como las de un comedor colegial, tuvimos que engullir nuestros platos de pie con tenedores de plástico, mientras unos y otros hacían fotos y charlaban con un olor recio a macarrón con tomate. Por suerte la chica que estaba al mando de la empresa de comidas se apiadó de mí y me ofreció una sopa parecida a la bullabesa, hecha con restos del pescado.

Caco Laguna también había ido a Estambul a implantarse pelo y lo llevaba desordenado y escaso como el de un recién nacido. Le acompañaba un joven cachazudo que me contó que le hacía de amante y guardaespaldas por el mismo precio. Habló contigo de detalles sin interés y luego te hizo las peticiones de costumbre. Te tomaba del brazo confianzudo y te exigía que aplicaras nuevas exenciones fiscales para rodajes. También insistió en que sacaras adelante una ley de mecenazgo, que es la matraca habitual de la gente del espectáculo. Como si en España a la gente del dinero le importara la cultura o el arte, son de otra especie, prefieren jacuzzis y cortijos. Tú ya habías rechazado la propuesta tras estudiarla en tu época del ministerio, alegando que era una forma nada sofisticada de blanqueo de dinero.

Recuerdo que de tu época de ministra del ramo tan solo me habías comentado la triste decepción que te había supuesto conocer el mundo cultural y artístico por dentro. Recibías a las delegaciones sectoriales y de lo único que se hablaba era de dinero. Me confesaste que casi lo más divertido era la maledicencia, pues en reuniones y actos oficiales los artistas practicaban el deporte de hablar mal unos de otros y eso te resultaba muy divertido.

–Parecían catedráticos universitarios burlándose de sus pares.

El bus de Rómulo llegó a recogernos puntual y dejamos atrás esa aldea levantada en falso en un elevado polígono industrial a las afueras de Coruña. Tania aún estaba tratando de organizar el plan de tus siguientes horas, pues todo se movía a espasmos. Pero tú estabas preocupada por el mitin de la tarde. Desde seguridad nos habían advertido que encontraríamos protestas en el exterior. Grupos ecologistas y de la oposición llevaban años en lucha contra una fábrica de papel que envenenaba la ría. El partido estaba situado de manera nada sutil al lado de la empresa, que era contribuyente poderosa a las finanzas de Los Cuervos, lo que le servía para lograr prórrogas de actividad. Así que me rogaste que hilara algo inteligente sobre el equilibrio ecológico y la economía, esa eterna guerra sin resolver. Otra placa tectónica que sirve para mantener la pugna. Cuando la política decidió imitar a la narrativa, se encadenó sin saberlo a lo que sostiene todo relato, la creación de un conflicto. Sin esa presencia del opuesto, del enemigo, no hay cuento y hoy ya no hay campaña electoral.

Me hubiera echado a dormir en la última fila de asientos del bus, pero esos trabajos me desvelaron. Carlota andaba por allí empeñada en elegirte la ropa del acto y discutía con Aitana Banana en una especie de griterío cordial de colegialas. Arroba se volvió de pronto a la carrera por el pasillo, con un gesto de epifanía virtual. El crecimiento en tu cuenta de seguidores era notable, pero lo mejor del caso es que acababan de publicar una encuesta en una de las cadenas poderosas de televisión y les habías comido dos puntos de distancia a la Cachorra y al Mastuerzo. Por primera vez se empezaba a hablar de la posibilidad de un triple empate.

9. Pontevedra

No mentían los responsables de seguridad con su alarma. El bus fue recibido por los manifestantes con el lanzamiento de globos de agua que estallaban contra los cristales. Pudimos acceder al aparcamiento subterráneo del pabellón deportivo para ponernos a resguardo. En una de las pancartas que sostenía un barbudo leí este eslogan: No hay planeta B.

Me pediste el discurso y te dije la verdad, que no tenía nada elaborado. Me senté a tu lado en la parte trasera del bus.

–En un ambiente de protesta, lo primero que hay que hacer es desacreditar la protesta –me dijiste–. Arranquemos por ejemplo con la denuncia de que todo esto del ecologismo muchas veces no es más que una pose. Que uno está dispuesto a ser ecologista con los recursos de los demás. Queremos que tú apagues la calefacción, que tú no conduzcas, que tú no vueles, que tú no produzcas algo costoso para el medio ambiente. Pero que no me toquen nada de lo mío.

Me gustó cómo planteabas el asunto y tomé nota mentalmente. Ecologismo en cuerpo ajeno.

–El sacrificio de una ciudad que cierra una de sus empresas punteras no es una broma de cuatro exaltados, necesita el acuerdo global de todos, los que se benefician de ella y los que no.

–Podríamos plantear un referéndum en la localidad, eso a lo mejor les gusta.

–No, no, déjate de referéndum.

–A mis queridos niños les pirra que los convoquen a votar. Entienden la democracia como el derecho de una mayoría a aplastar a una minoría. Piensan que se trata de mera contabilidad. Eso los tranquiliza. Qué lejos se han quedado de aquel sueño de Kant en que la democracia sería tan solo el imperio de la ley de la moralidad.

Atendiste a Carlota, que vino a reiterarte que la posición del partido a favor de la fábrica era algo innegociable. Busqué en la tableta datos sobre la industria del papel y sus efectos contaminantes. La lucha llevaba décadas sin resolverse en la ciudad y era estúpido que nosotros nos planteáramos afrontarlo en un discurso de campaña. Carlota se empeñó en presentarme a dos majaderos locales que me podían informar de todo al detalle. Defendían, a machamartillo, que aquella empresa proporcionaba más de mil puestos de trabajo directos y cinco mil indirectos en la zona.

–Cuéntame algo que no sepa –le dije a uno de ellos–, cuéntame cuánto dinero os meten en las cuentas.

El tipo me miró como si yo fuera el enemigo. Carlota le calmó.

–Basilio lo que quiere decir es que le deis material para decir algo que suene a conocimiento cercano, que no sean frases manidas.

–Gracias por traducirme al castellano.

Me resumieron la historia de la familia fundadora, la serie de generaciones de trabajadores que significaban tanto en la ciudad, la imbricación que la empresa tenía en la zona, su participación social desde patrocinios y subvenciones, hasta iniciativas directas. Pero no fue hasta ver la pancarta sostenida en el aire con eso de No tenemos planeta B que se me disparó la inventiva.

Acerqué el ordenador al único enchufe en la salita. Estaba en una esquina desoladora del pabellón que se llenaba de acólitos con ganas de contrarrestar los gritos que venían de fuera. Los organizadores pusieron tan fuerte la música que para acallar el ruido me metí la miga de pan de un sándwich en los oídos.

–Ahí fuera he visto a una niña que sostenía un cartel donde me quería transmitir su mensaje desesperado. No tenemos un planeta B para mudarnos cuando hayamos destrozado este. La he visto por la ventanilla del autobús.

Así empezaste esa zona rugosa de tu discurso.

–Y me ha conmovido, porque tiene razón. He pensado en sus padres, que la han mandado a significarse en la manifestación, que le han convencido de que yo soy su enemigo, de que yo estoy en contra de su futuro. Y me he dado cuenta de lo peligroso que es manipular así a los chicos, adoctrinarlos desde pequeños. Me he preguntado por qué esos padres no les cuentan que algunos de sus amigos del colegio viven gracias a esa fábrica que ellos quieren cerrar. Que a lo mejor sus abuelos levantaron la casa gracias a ese salario y que así ha sido en muchos y muchos rincones de esta ciudad, beneficiada por tener una fábrica tan importante asentada ahí durante décadas.

Hablabas con convicción y ya había notado de otras veces que te gustaba enfilar los discursos con la cadencia de los cuentos de la abuelita. Tu hija no te ha dado aún nietos, pero lo vas a hacer muy bien cuando llegue el tiempo de formarlos con cuentitos morales.

–Yo nunca mandaría a mi hija o a mis nietos contra un rival político, como hace el alcalde de esta ciudad contra mí.

Entonces los aplausos fueron abrumadores y los dejaste subir, subir hasta el cielo como era el plan. Para cortarlos de lleno.

–Pero tengo algo que deciros, esa niña tiene razón. Y voy a trabajar con todas mis fuerzas para que ella sepa que vamos a salvar este planeta, el único que tenemos, el planeta A. Pero lo vamos a hacer sin destruir la vida y el futuro de sus compañeros de clase, de los que tienen también sus derechos. Vamos a limar lo que está mal y vamos a fortalecer lo que está bien. No vamos a dejarnos vencer por discursos infantiles ni hipócritas, porque yo no soy tan hipócrita como mis rivales. Yo he captado el mensaje, me llevo su pancarta en el corazón y voy a trabajar para que esté orgullosa de mí como presidenta de su país y máxima defensora de todos los intereses de su región.

Y repetiste ese «todos» varias veces entre los aplausos de la parroquia. Realmente es tan sencillo ganarse a un auditorio proclive que me dio pudor ver el estallido de júbilo. El ecologismo y la crisis climática se habían apoderado de esa jornada de campaña, pues el candidato más extremo, el general Cojo, había reconocido que cerrar fronteras al comercio, recuperar el producto propio, defender el campo nacional, extremar el autoritarismo local era lo más ecológico del mundo. Ese giro de un asunto progresista hacia los intereses de la derecha marcaba un nuevo signo de futuro frente al negacionismo cazurro que habían sostenido hasta hacía unos meses.

El resto de tu alocución fue un irritante muermo de datos económicos locales que te habían preparado Los Cuervos. Estuve a punto de gritarte que no había un mitin B, que te estabas cargando el único mitin que teníamos. Pero me di cuenta de que mi mal humor estaba directamente relacionado con las ganas de encerrarme en el cuarto de hotel y beber.

Mientras recogían y te hacías mil autofotos con toda esa gente que empezaba a confiar en tu liderazgo, me senté a estudiar con Arroba sus imbecilidades numéricas. Si crecías desde esa mañana a una media de dos mil seguidores por hora, significaba que tu personita estaba presente en la conversación global. Aunque usar expresiones así resultaba vomitivo, con Arroba no se podía hablar de otra manera. Me confesó que por primera vez estaba pensando en serio que podíamos ganar. Los veintitrés diputados de Galicia eran un botín que queríamos disputar a fondo y en las previsiones actuales salíamos favorecidos. Si seducíamos a la genética conservadora de gran parte de su población, el trabajo sería fácil. Eso me dijo Arroba y le pegué una palmotada excesivamente fuerte en el hombro.

–Así me gusta, que tú también creas en nuestras posibilidades, para eso llevas cobrando meses, pedazo de anormal.

Entonces me miró desde detrás de sus gafas de plasta y me preguntó, con ingenuidad, si yo creía en tu victoria desde el primer día.

–Desde el primer día. Desde el día en que conocí a Amelia.

–¿En serio?

–Ella es el secreto.

Esa noche en Pontevedra volví a escaparme con Lolo, Correoso y Fresitas a un local de copas. Ellos también eran conscientes de tu ascenso y me felicitaban a mí por la idea del viaje a la línea férrea del accidente.

–No fue idea mía, ya me hubiera gustado. Fue idea de Tania.

–¿La gorda venezolana?

Que Lolo la llamara así me ofendió y tuve que encararme con él.

–¿Tú también estás a favor de la gente delgada? ¿Sigues saliendo a correr por las mañanas?

–Sí, diez kilómetros cada día. Y tú también deberías hacer deporte, Basilio. Vas a acabar diabético perdido.

–Pero si tu mujer te dejó por un instructor de yoga, Lolo, deberías abominar del deporte por principios.

–No, no, una buena forma física es esencial.

Borracho, presumí de que me estaba tirando a Tania, y ya sé que esta confesión te resultará ofensiva, pero los hombres juntos somos así, una pandilla desoladora de proyectos viriles empantanados a mitad de camino. Y aunque te parezca aborrecible esa salida mía a emborracharme con antiguos colegas, resultó muy útil, pues uno de ellos me contó algo que resultó trascendental. Al parecer, al día siguiente iban a sacrificar al perro de uno de tus contendientes, porque sufría desde hace años la leishmaniosis. El Mastuerzo se oponía en redondo a abrir el debate de la eutanasia, pero había decidido aplicársela a su perro. ¿No podíamos usar eso en su contra? Era el candidato que más nos disputaba el voto católico y teníamos que aprovechar cualquier grieta en su discurso para arrebatarle un puñado de electores.

No encontré cómplices para prolongar la noche y la paliza de los viajes me recomendó irme a dormir. Me desveló la película en la tele, mi favorita de siempre, *El tercer hombre.* No ha habido ocasión en que pueda dejarla a medias, porque necesito mirar la cara de orgullo de Alida Valli en la secuencia final. Para eso se hace cine, imagino, para depositar sobre un rostro la senda oculta del carácter humano. El resto es filfa.

10. Orense

En el autobús, de buena mañana, Rómulo se empeñó en explicarme que él era una encuesta viviente. Fíate de mí, me dijo, desde que trajeron la democracia a España siempre he votado por el candidato que luego ha salido ganador. Siempre. No supe interpretar si se vanagloriaba de que su voto ungía al triunfador o de que decidía votar a quien tenía más posibilidades y las cuentas le salían. Me contó que en esta ocasión iba a votar por Amelia y se puso a silbar al volante. Tenía la costumbre de silbar con adornos y gorgoritos, lo cual en mi estado de resaca podía considerarse un atentado terrorista. Estaba a punto de mandarlo callar cuando me pediste que me sentara a tu lado. Te había contado en el desayuno lo del perro del Mastuerzo pero descartaste usarlo con tu prudencia habitual.

–No quiero entrar a saco en lo de la eutanasia, es algo demasiado serio.

Conocía la rutina. Cuando se trabaja para los partidos conservadores, ya sea como político o como escribidor, lo que era mi caso, tienes que identificarte con un tipo de votante fiel y encastillado. Por eso, durante años, fue imprescindible mantener un discurso público contra el divorcio, mientras los representantes del partido se divorciaban sin problemas. Sucedió lo mismo con el aborto, había que combatirlo, pero no renunciar a ese derecho en el ámbito privado. Luego fue idéntica la posición con el matrimonio homosexual, tan protestado como utilizado, o la investigación con células madre. Tú no querías someterte a esa contradicción hiriente, así que preferías dejar de lado el asunto de la eutanasia. Estabas obligada a oponerte de manera frontal, aunque pensaras de modo distinto en tu conciencia. No quise bromear con ello, pero pronto tendrías que dar el descabello a tu marido para quitártelo de encima. Al dejarme caer, agotado, hice temblar las dos butacas y tú sonreíste.

–A saber qué haces por las noches, siempre estás cansado.

–Trabajo para ti, aunque no lo creas.

Luego me tocaste en el pantalón, sobre el muslo y me dijiste que le estabas dando vueltas a lo del perro del Mastuerzo.

–Al fin y al cabo es lo que tú dices siempre. Lo importante es hacer daño al rival directo en asuntos donde los votantes no nos diferencian. Creo que tenemos una oportunidad.

–¿Qué quieres decir?

–Que vamos a golpearle con eso de que practica la eutanasia a su perro, podemos decir que seguro que se pondrá de acuerdo con la oposición para aprobarla en humanos.

–¿No es demasiado rastrero?

–Pensé que eso precisamente es lo que te gustaba, ser rastrero –me dijiste con un aleteo de pestañas infalible.

–Pues entonces déjame que piense. Lo primero es darle el pésame por lo de su perro y lo envolvemos todo en algo que suene lleno de bondad. Los mejores golpes vienen siempre con un lacito de buenos sentimientos.

Tania se mareó en el bus y vomitó entre las curvas que nos llevaban al lugar de nuestro primer acto del día. Yo había empezado a trabajar en el ordenador, pero me levanté para preguntarle si se encontraba bien a través de la puerta frágil del váter del autobús. Cuando abrió tenía una carita paliducha, perdido ese color gris perla que la caracterizaba. Se sentó a mi lado y por un rato pensé que estaba embarazada. Cuando me atreví a preguntárselo se echó a reír.

–Eso es imposible.

Esa mañana visitábamos una escuela infantil en una aldea de montaña y aproveché para bromear sobre el asunto.

–Ya verás, cuando veas tanto niño junto, si alguna vez tuviste ganas de ser madre se te pasarán de manera automática.

La escuela a la que acudíamos había puntuado con la más alta calificación en esos informes internacionales de nivel educativo que tanto gustan a mis queridos niños. Todo lo que no sea clasificación deportiva son incapaces de entenderlo. El secreto de su éxito resultó una obviedad en cuanto nos adentramos en una clase en curso. Tan solo había doce chavales, cada uno de distintas edades, pero las maestras eran inteligentes, apasionadas y al tanto de la necesidad de cada uno de sus discípulos.

–Eso es un algoritmo de éxito –le dije al bobo de Arroba, que no pareció enterarse de a qué me refería.

Tú te asomaste a los cuadernos de los alumnos, preciosas obras de orfebrería a boli. Ellos, en cambio, estaban más pendientes de las cámaras y del hecho sacramental de que iban a salir por la tele.

Afuera seguía cayendo una llovizna pertinaz, que me devolvió algo del sabor de la infancia. Mi infancia no fue feliz, no fue feliz en el cole, ya te dije. Solo era feliz en casa. Puede que de ahí provenga mi fobia a lo colectivo. Pero déjame que te diga algo. Mi infancia no me hizo ser como soy. Cuando me marché a Estados Unidos yo aún era un tipo con ideas positivas y una herida única en el corazón, la muerte de mi hermano. Lo que era dramático, siento decirlo, es que era virgen.

Fue en Washington donde perdí la virginidad, con una compañera de clase que tenía mi edad, veinticinco años. Sí, perdí la virginidad a los veinticinco años, y aún resuenan las carcajadas en mis oídos. Pero quien llega a esa edad sin desflorar, creo que le pasó también a Warhol, es el único que sabe lo que es adorar al sexo como se merece, como un fuego inalcanzable. La chica, llamada Maddy, cosa que yo no interpreté como una señal de lo loca que estaba, me sedujo una mañana en la que coincidimos en la biblioteca del Kennedy Institute of Ethics. Nos habíamos observado en la distancia en alguna ocasión anterior en que coincidimos por el campus, pero aquella vez me vio relajado y me extendió un libro de poemas que estaba leyendo abierto por un verso en concreto. Le sonreí y me preguntó si me gustaba. Lo leí. Era de Larkin.

Don't read much now: the dude
Who let's the girl down before
The hero arrives, the chap
Who's yellow and keeps the store,
Seem far too familiar. Get stewed:
Books are a load of crap.[16]

Me pareció una escena casi romántica. La chica de la biblioteca que te invita a dejar de leer, a escapar de esa piel de rata culta que te has echado por encima. Para hacerme el interesante le expliqué que curiosamente Larkin se había pasado la vida como director de la biblioteca de la universidad. El dato le intrigó, sobre todo el hecho de que yo lo conociera. Luego Maddy pasó unas páginas y me dio a leer nuevos versos. En este caso hablaban de flujos y derrames. Yo pensé: si una chica te hace leer sobre pollas enhiestas y semen a borbotones quedará ridículo que la invites al cine.

La primera vez me corrí sobre su vientre. Madison, que era el nombre real de Maddy, gritó de asco y frío, pero la leche le llegó a tapar los senos hasta solo dejar a la vista la aréola. ¿Por qué te cuento estas cosas? Porque un día quisiste saber qué me hizo ser como era. Pues bien, Maddy recibió todo el semen retenido de un hombre de veinticinco años y, en lugar de estar agradecida por la exclusividad y por el caudal, se dedicó durante un año a volverme tarumba. Me decía que no quería un noviazgo, cosa que me parecía de perlas si consistía en vernos tres noches a la semana para fornicar, pero luego me pedía más implicación, más emociones. No me la chupaba porque le daba asco y prefería ponerse con la cara contra el colchón durante el coito porque le molestaban los granos de mi cara, entonces no eran las marcas que lucía con gravedad cuando me conociste, sino granos purulentos de cierta actividad volcánica. Yo acertaba a ensartarla como ella me pedía, pero luego me rogaba entre lágrimas que dejara de tratarla como a una perra.

Más tarde empezó a gritarme en público, cosa que siempre odié. Ella me gritaba en público como una forma de relación compleja y satisfactoria, no se daba cuenta de que yo odiaba esos episodios de histeria y si no la dejaba al instante era porque no quería regresar a mi dieta exclusiva de tres pajas diarias. Tampoco tenía a nadie más en mi círculo de seducción, ninguna otra piel humana que rozar. Así que tras meses de corridas y venidas, de cambios de humor y discusiones sin sustancia, la mandé a la mierda con cierta acritud. Pasado el tiempo le tomé cariño de nuevo, y siempre que leo a Larkin me empalmo pensando en su culo tan blanquecino y las pecas de su espalda.

Otra cosa que le tengo que agradecer a Maddy es que introdujo las armas en mi vida. Un tipo la había intentado violar en el instituto. También en el metro le había gritado de manera grosera un inmigrante al que ella llamaba infi. Le gustaba llamar a los inmigrantes infis, por inferiores. Luego descubrí que Naipaul también lo hacía y le dieron el Nobel, por suerte no solo por eso aunque también. Ese miedo al infi, al extraño, al violador, al asesino múltiple es el miedo que corroía los Estados Unidos y que luego llegó a Europa a lomos de las crónicas de crímenes y la televisión de sangre. Maddy me regaló una pistola que compró por catálogo.

–Es ideal como primera pistola –me dijo.

Me llevó a un club de tiro asociado a la universidad y cuando esnifé por primera vez el aroma de la pólvora recién disparada entendí algún concepto más de libertad. Mi hermano había muerto a tiros en Madrid y su muerte era tan rara en España como común en los Estados Unidos. Guardé esa pistola en la mesita de noche de todas mis camas, y cuando conocí a Carlos Leal, él me empujó a comprar una Smith & Wesson de mayor categoría que repatrié a Madrid cuando me vine de vuelta. Tres noches en mi vida, ya separado de Beatriz, la saqué de la mesilla. La primera, porque oí ruidos y ladraron los perros. La segunda, ya vivía Erlinda conmigo y cuando me vio bajar con el arma por la escalera se echó a mi espalda y noté que me respetaba, como respeta la gente a los hombres con pistola, porque lo han aprendido en millones de horas cautivas de enseñanza *made in* Hollywood. En esa ocasión, el intruso en el hogar no era más que el viento fuerte que presagia lluvias, pero fue esa noche la segunda vez que tuvimos Erlinda y yo ese formato de contacto carnal que ahora hemos establecido como rutina de auxilio.

La tercera vez que saqué la pistola fue para volarme la cabeza, pero no sé muy bien por qué decidí devolverla al cajón sin usar. Suicidarme es una fantasía secreta desde los trece años, cuando tres compañeros de colegio me patearon mientras los demás niños arremolinados reían. Cuando mi madre fue a protestar ante el jefe de estudios, don Armando, nos dijo algo que no olvidé nunca:

–La vida escolar son pruebas para luego resolver tu vida de adulto. Si yo intervengo, estropeo tu formación humana.

Entonces yo no era rencoroso ni justiciero sino una gran persona. Hoy quizá le habría descerrajado cuatro tiros para completar su formación humana.

Reconozco que tener los peores profesores del mundo fue una bendición. Fomentó mi espíritu crítico en la edad en que los niños se hacen crédulos y respetuosos de la autoridad. Ahora todo es demasiado blando, y cuando los chicos buenos salen a la calle, se echan a llorar al descubrir que el mundo es malo y despiadado.

La visita al cole rural tuvo un clímax inesperado, cuando uno de los niños se levantó y te habló en alemán. Luego dijo que no entendía cómo los políticos españoles hablaban tan mal idiomas. La cara de orgullo de la profesora revelaba que todo había sido un plan urdido por ella. La buena suerte fue que con las cámaras delante tradujiste lo que el niño había dicho, que era una memez del tipo soy un niño español y me gusta mucho hablar alemán. Además añadiste que te defendías en inglés, francés, italiano y portugués y que en alemán sabías pedir la comida, porque diste clases cinco meses en Tubinga cuando estabas embarazada de tu hija y completabas un curso sobre Herder.

Esas cosas, Amelia, no te ganan a la clase obrera, pero al menos te colocan por encima de tus rivales. Los cámaras se frotaban los ojos, porque, acostumbrados a que acompañarte fuera el más soso de los retos profesionales, en las últimas jornadas les dabas de comer pienso de calidad. Justo el día antes, la Cachorra había acudido a un colegio en Madrid y no había sabido responder a una niña que le preguntó por la capital de Suiza. Se equivocó y dijo Zúrich cuando todo el mundo sabe que es Berna. Yo te escribí una frase un poco malévola que soltaste en el mitin de la noche.

–A Zúrich habrá ido más a menudo por la cosa de las cuentas bancarias, aunque le recomiendo ir a Berna, que es la capital del patinaje artístico, ya que ella patina casi todo el rato.

Pues claro que nos habíamos hecho malos, es en lo que consiste la campaña. Entra una doncella y sale una bruja. Y esa era la razón inconfesable por la que me habías ido a buscar para enrolarme y tenerme a tu costado.

11. León

Llegamos a comer a León a las cuatro de la tarde, pero mereció la pena porque en el parador nos calentaron unos platos de caza que resultaron deliciosos. La huella que dejaba el vino en tus labios hizo reír a Tania. La lengua se te quedó morada, porque el tinto tenía la densidad de un solomillo. Yo lo había rechazado y en tu presencia solo tomaba agua con gas. Pero tú bebías bajo un soplo de optimismo, porque los datos de Arroba eran positivos. Cada vez que colgaba sus espantajos de vídeo, recibía respuestas masivas y eso le convertía en un hombre feliz. Por supuesto que yo también festejaba tu ascenso en popularidad, pero soy más de ver el vaso medio vacío.

Carlota estaba preocupada. De profesión: preocupada, debería decir su carnet. Había saltado otro escándalo de corrupción que apuntaba al inepto del vicepresidente, Mario Nieto.

–Esto nos echa todo a perder, todo el esfuerzo regeneración –dije entre risas.

–No te burles, nosotros no tenemos nada que ver con ellos.

Carlota estaba cansada de que los mayores de su partido hubieran robado con tanta dedicación que no les dejaban un frente por corromper a las juventudes que llegaban sedientas de su propia oportunidad.

En esta ocasión se había descubierto el desvío de parte de un fondo europeo de ayudas a la digitalización para pagar artículos elogiosos con la gestión del vicepresidente en la prensa más afín. Conozco esas campañas de autoprestigio, en los años de *La Causa Popular* llegué a sacar tanto dinero por ellas que me dio hasta para pagar una columna fija de todo un premio Cervantes. El tipo era encantador y escribía puntual y correcta su columnita semanal. La única exigencia era que le pagara en metálico y en mano. Quería reservar ese dinero a salvo del control de su esposa. Tenía un vicio apacible consistente en dejarse atar y orinar encima por una *maîtresse* del barrio de Nuevos Ministerios.

El asunto de los publirreportajes pagados nos lo iban a sacar en la rueda de prensa que acompañaría nuestra visita a las obras de restauración de la catedral, según me advirtió Correoso en un mensaje urgente.

–Es solo material de desgaste, vais repuntando en las encuestas y eso se paga.

Los rivales querían identificarnos con el latrocinio partidista y según Carlota eso lo teníamos que contrarrestar con una comparecencia cargada de humor, frases de doble sentido y un vodevil dialéctico. Y todo ese festival del humor se tenía que representar en una hora a la puerta de la bella catedral gótica, que como recinto humorístico no ofrecía muchas ventajas.

Masticaba la caza con el placer de saborear algo que horas antes andaba volando por la comarca. Su plenitud reciente dotaba de gusto al guiso. Pero al mirarte vi en tu rostro el amargo desencanto de la política. Por cada minúsculo paso adelante que dábamos retrocedíamos dos pasos atrás a la arena movediza de ese partido que representabas. Parecías un futbolista con estilo fichado por un equipo que juega al patadón. Pero ya habías aprendido, en tu propia carne, que una noticia tapa otra noticia y que vivimos en un mundo acelerado y superficial, por lo que el reto es flotar, siempre flotar. Te enfrentaste con Carlota para aprovechar uno de esos pocos instantes en que tu joven ayudante se mostraba desmoralizada.

–Seamos sinceros, Carlota, lo que más nos perjudica es que tengamos que arrastrar hasta cuatro ministros del antiguo gobierno en nuestra candidatura.

–Cinco si te incluyes a ti, Amelia.

–Hay que hablar con Candi, tenemos que proponer una ruptura absoluta. Ningún ministro repetirá con nosotros de los que estuvieron en la etapa de Marioneto.

–Se puede comentar, pero son pesos pesados del partido. No va a ser fácil.

–Habla con él, sería estupendo anunciarlo esta misma tarde. Quiero decir esa frase en voz alta, no vamos a heredar ningún ministro del gobierno.

Carlota se quedó pensativa. Repasó los nombres de

los que arrastrábamos con nosotros. Se detuvo en Genaro Centeno y comenzó a negar con la cabeza.

–De Genaro no nos vamos a poder librar.

–¿Por qué no? Es un gesto a los votantes, es una ruptura absoluta.

–Pero Genaro es imposible, es una figura del partido, Candi consiguió que no se presentara contra ti en las primarias a cambio del compromiso de mantenerlo de ministro del Interior.

Me vi obligado a intervenir. Conocía demasiado bien a Genaro como para no saber que representaba todo aquello con lo que tú querías romper.

–Precisamente cargarse a Genaro sería todo un gesto. No tiene más que cadáveres en el armario.

–Estáis locos, no sabéis lo que representa en la organización, lleva años trabajando dentro, ha fabricado una telaraña en la que no se le escapa una mosca.

Compareciste ante los periodistas en la explanada de la plaza de la Catedral. El sitio ofrecía un encuadre apoteósico, la gótica política. Hablaste de los planes para la región, de tu agotadora gira para conocer los problemas de cada rincón del país con ese lema que habíamos acuñado de España Regresa. Luego llegaron las preguntas y ahí siempre te resultaba más costoso avanzar. La primera que hacía referencia al caso de corrupción recién destapado.

–Como saben, yo represento la independencia, mi llegada al partido es muy reciente, estoy segura de que hay personas más informadas que yo para aclararles cualquier asunto. Pero les puedo garantizar una cosa. Ninguno de los ministros va a repetir en mi gabinete si llego a formarlo.

Carlota se estremeció, que yo la vi. Y luego añadiste la matraca del respeto a las investigaciones judiciales, la presunción de inocencia y la buena tarde que se había quedado.

Fuimos hacia el teatro donde iba a tener lugar la charla. Por el camerino habían desfilado las glorias de la escena nacional a lo largo de doscientos años de vida. Me imagino que te sentirías un poco actriz invitada al acicalarte ahí. Aitana Banana te había preparado un conjunto de colores pardos, con un jersey acogedor de cuello vuelto que te hacía parecer una perdiz esperando un disparo. Para el día siguiente escondía un arma secreta, quería vestirte con una cazadora de cuero rojo que te probó en ese momento y que contó con la entusiasta aprobación de Tania y Carlota.

–Sí, sí, te rejuvenece mucho.

Yo fui más escéptico y te recordé que los políticos con cuero son la culminación de una impostura. De broma, Aitana Banana me golpeó en los brazos y me pidió que dejara de representar mi papelón de reaccionario cínico. Me sentí elogiado, me pagaban bien por ser el reaccionario cínico.

–Los cínicos sencillamente vivimos dos semanas por delante de los demás.

Para captar la atención de la cuadrilla de zombis que llenaba el teatro media hora después, te había inventado una historieta divertida sobre la ocasión en que viniste de estudiante de Historia a conocer la catedral de León. Me lo habías contado tú misma. Te trajo el que luego sería tu marido y te pegó una lección monumental donde exhibió lo mejor de sus conocimientos. Fue en la época en que eras seducida por el talento maduro y la seguridad del hombre que se convertiría en el marido de tu vida. Yo adorné un poco la anécdota. Tú eras una joven estudiante de Historia, sí, pero llegaste sola, con el interés desatado por conocer las riquezas de tu país. Te deslumbró lo que viste, pero más aún que en la pensión donde te quedabas la dueña te invitara a cenar y te dijera lo que aún, tantos años después, seguía marcándote a fuego. Que los españoles humildes lo único que quieren es saber que sus esfuerzos cotidianos no caen en saco roto. A eso habías venido tú a la política, a coser los bolsillos del país, para que dejaran de perderse por el camino las monedas ganadas con tanto ahínco por ciudadanos anónimos.

–Esta ciudad pierde población cada año, pierde su potencia de futuro, su lugar en el mundo, vengo dispuesta a frenar esa degradación en memoria de aquella señora leonesa tan generosa y perspicaz. Vengo a coser los bolsillos de este país.

El público no parecía muy receptivo. León era un bostezo. Quizá ya había pasado por allí tal cantidad de liderazgo político que estaban vacunados contra la ilusión. Unos años antes habían asesinado a un alto cargo en mitad de la calle por rencillas entre amistades colocadas a dedo y el país sufrió un espasmo. Hubo que tapar la ramplona verdad con tramas sentimentales y dolores del corazón. A mis queridos niños no les gusta saber la suciedad que hay en la letrina política, prefieren los crímenes pasionales.

En previsión de un mitin incómodo, habíamos preparado una batería de cañonazos contra los candidatos rivales. A la Cachorra te recreaste en presentarla como una mujer ambiciosa, pero solo ambiciosa. Es la perfecta representación del trepa para abajo. Alguien con los valores y la dedicación del trepa inagotable, pero cuyos esfuerzos no la conducían a otra cosa que hundirse cada vez más.

La gente gozó con tus dardos. Al Mastuerzo lo definiste como un político de corcho, que flotaba en las situaciones sin llegar a nada.

–¿Le han visto? Con él nunca sabes si te aparta la silla para que te sientes o para quitártela por sorpresa. Yo voy prevenida.

La descalificación y la burla del rival son una disciplina que hay que saber ejecutar con maña. En los primeros actos te costaba asumirlo. Me tachabas las frases más hirientes. En León te vi entregada al género. Como quien ha descubierto para qué sirve un machete y ya no lo quiere soltar de la mano.

Para concluir el ataque frontal contra el Mastuerzo, llegó la hora de sacar a pasear el asunto de la eutanasia. Me tapé la nariz.

–Esta mañana me dijeron que había sufrido un drama doméstico, murió su perro y me precipité a mandarle un mensaje de condolencia. Pero luego me he enterado de que el perro ha sido sacrificado por enfermedad y he pensado que alguien que toma esa decisión no va a ser capaz de frenar la ola a favor de la eutanasia que empuja el progresismo mundial. En Holanda, en Suiza, en Bélgica ya están matando a los viejos a demanda y nosotros tendremos que encarnar los valores cristianos. Sé que soy la única candidata capaz de resistir el ataque contra los valores morales de nuestra sociedad, otros empiezan sacrificando a su perro y luego siguen con su madre, se dejan llevar por la corriente terrible de la dictadura progresista.

Acabaste contenta y cansada. Nos fuimos a cenar a la salita trasera de un asador. Es la noche en que te vi comer con más apetito. Te dolía de nuevo la espalda y Tania y tú bromeasteis con la llamada al fisio. Arroba había hecho circular el asunto de la eutanasia del perro del Mastuerzo y se había prendido fuego en la comunicación virtual. El tipo aún no había contestado, pero ya era objeto de una discusión candente.

Carlota se vio obligada a levantarse de la mesa porque Candi la llamaba por la línea roja. Al parecer estaba indignado con el anuncio de que ningún ministro del anterior gobierno repetiría contigo. No es que se lo creyera del todo o lo tomara en serio, lo que le fastidiaba era el hecho de no haberle consultado antes de decirlo en público.

Genaro Centeno no iba a morir sin luchar. Lo conocía bien. Trabajaba para el partido con ahínco y su hoja de servicios era sucia como el babero de un niño. Cándido lo había rescatado del inodoro de la historia para el ministerio del Interior en un periodo convulso, en el que muchos cargos del partido iban a ser pasto de investigaciones que convenía controlar.

Tania nos recordó que estaba comprometido para acudir con nosotros a dos mítines de la semana próxima, además de sumarse al acto de final de campaña en Madrid. Si me hubieras preguntado por él te habría dicho lo que pienso. Es un profesional. Tú sabes tan bien como yo que las tareas de gobierno contienen un lado oscuro que conviene no descuidar ni dejar en manos de aficionados.

Arroba retiró el vino de la mesa y colocó papeles sobre el mantel, revueltos de cualquier manera. Quería hacer un retrato para colgar en las redes.

–Que parezca que estamos en pleno trabajo.

Nos pusimos de pie todos menos tú. Yo me abracé a Tania, y aunque la tomaba por el hombro, trataba de que mis dedos alcanzaran el rebose de su seno. Arroba le pidió a un camarero que hiciera la foto para incluirse él en el retrato, y ahí la cosa se torció, porque el pobre muchacho tenía poco ojo para la fotografía. Dejó tanto aire sobre nuestras cabezas que a ti te cortó a ras de cuello y más que una futura presidenta parecías un pavo servido en bandeja. Recuerdo que cuando lo dije te echaste a reír y me dabas la razón. Fue en ese momento cuando Carlota soltó el latigazo que no me esperaba.

–Para colgar en redes sería mejor que Basilio no apareciera en la foto.

Yo tragué saliva. Por un instante conté con que fuera a añadir una broma. No lo hizo.

–Claro, claro –dije–. Ya hago yo la foto.

–Aún está demasiado reciente lo de tu grabación.

Le quité el móvil al camarero tan poco dotado y os hice una foto. Salió un Goya aseado, de los que pintaba cuando aún tenía que ganarse el salario en la corte. Pero Carlota había logrado echar a perder el momento. Yo la excuso, pensaba en lo mejor para ti, pero me sentí un apestado. Condición que conocía bien desde los tiempos escolares. Sabía que Candi le habría hecho ver que yo era la peor influencia sobre ti. Seguro que me culpaba incluso del intento de apartar a Genaro.

De vuelta al hotel, adonde fuimos caminando en la noche gélida, te interesaste por el estado de la niña huérfana de la noche anterior. Tania logró que te pasaran con el director del hospital y al parecer se quedó mudo cuando después de informarte de que la niña estaba en perfecto estado le respondiste con dureza:

–¿Perfecto estado? Recuerde que ha perdido a toda su familia.

Tania se anotó lo de hablar con los servicios sociales a la mañana siguiente. Carlota dijo que aquello podría ser una baza electoral para ti y entonces te recuerdo reprendiéndola con dureza:

–Eso no lo digas ni de broma.

Y fue como un rasgo de dignidad a deshoras que me hizo entrar en el hotel con cierto optimismo. Emoción que pereció al reparar en la habitación y quedar hipnotizado por las cortinas color moco. Otra vez ese desamparo espeso y frío que solo curaba un buen trago de whisky.

12. Zamora

Rómulo había puesto el autobús rumbo a Zamora mientras yo vaciaba la caja de palmeritas de chocolate que Carlota había comprado antes de salir de León, en una confitería recomendada por no sé qué *influencer* glotón. No la compartí con nadie porque Carlota había bromeado a mi costa.

–Esta caja es para Basilio y esta otra para todos los demás.

Rómulo silbaba la melodía del dúo Conjuntivitis. Recuerdo que mi hermano silbaba todo el rato y a su muerte asocié el silbido con la fatalidad.

–Rómulo, no silbes –le grité–, que trae mala suerte.

También en el teatro lo tienen prohibido, le expliqué para no sonar tan ogro. Aitana Banana estaba feliz de verte desfilar con la cazadora de cuero rojo y cremalleras plateadas arriba y abajo del autobús.

–¿Seguro que no parezco una vieja intentando quitarse años? –preguntaste.

Y era exactamente lo que parecías, pero todos lo negamos. Arroba nos informó de que el Mastuerzo había reaccionado con solemnidad a tu comentario de la noche anterior sobre la eutanasia practicada a su perro. Estaba rabioso.

–Me pregunto si podemos llevar una campaña hasta cotas tan bajas de indignidad...

Era lo que buscábamos. Nos bastaba con haber sembrado la duda sobre su firmeza cristiana, algo innegociable para el núcleo duro de los electores. En la única conversación que tuve sobre religión contigo, cuando te dije que yo creía en Dios pero no en su organización armada, tú me confesaste que rezabas por las noches. Era tu pequeña superstición privada que conservabas desde la niñez. Fuera como fuese no podíamos dejar que nos robara un votante católico ese candidato con aire de dependiente, que además mantenía relaciones peligrosas con personajes como Luisa Paz, a la que aún seguía cortejando para obtener más información. Respondiste al Mastuerzo con un gancho cruzado:

–Solo quise unirme al dolor por su perro sacrificado, Litus. Nada más lejos de mi intención que ofender su memoria. Todos sabemos que un perro es para una familia como uno más de sus miembros.

Si habíamos jugado a comparar el sacrificio de su perro con el sacrificio de su madre, no íbamos a soltar el bocado tan fácilmente. Cuando te pasé la respuesta por escrito sonreíste, pero al pronunciarla en voz alta le añadiste ese tono tuyo angelical que logró descolocar al rival. Aprendías rápido.

Arroba sentenció que la polémica nos había resultado propicia y sus datos bastaban para cerrar cualquier discusión. La encuesta es la nueva religión. En lo que estábamos todos de acuerdo es que lo mejor era pasar el menor espacio de tiempo en Zamora, donde según nuestros datos los tres diputados ya estaban repartidos entre los tres partidos mayoritarios sin opción de sorpresa.

Me sonó el teléfono. Era mi hijo. No me llamaba jamás y cuando yo lo hacía no me contestaba a la primera. Era una manera de dejar claro que mi desprecio tenía sus consecuencias. El amor entre nosotros era una mercancía en rebajas. Sin embargo le respondí a toda prisa, no fuera que se hubiera muerto su madre. No sé por qué pensé esa bestialidad, tan inacostumbrado estaba a que me telefoneara. Por suerte, lo único que quería Nicolás era dinero. La empresa en la que trabajaba se trasladaba a un polígono en las afueras de Madrid y quería comprarse un coche.

–Lo voy a necesitar, papá.

–Si Madrid es la ciudad mejor comunicada del mundo.

Lo tomó como una broma mía. Se hizo la víctima tres minutos más y luego le dije que sí, que hablaría con Palomo, que era un amigo íntimo que llevaba un concesionario de coches de segunda mano en Leganés. Protestó porque estaba pensando en un coche nuevo y rutilante, pero le saqué del error bien rápido.

–Mira, hijo, cuando te compres algo con tu dinero ya decides por ti mismo.

–Pero un híbrido...

–¿Qué es un híbrido?

–Un coche que no contamina tanto.

No le dije que traerlo al mundo fue una forma de contaminación imposible de compensar con sus pequeños gestos. Le quiero demasiado como para hacerle sufrir gratuitamente. Pero me gustaban esas victorias morales sobre una de las pocas personas que se creía con derecho a entrar en mi vida sin delicadeza. Hay algo en la paternidad que me repugna, es como si firmaras un contrato voluntario para ser extorsionado de por vida. Ese chantaje se llama cariño. Pues bien, Amelia, yo no acepto ese acuerdo.

Tras colgar el teléfono, me di cuenta de que nuestra escena tenía que ver con el asunto que me había desvelado por la noche. Me habías encargado que preparara un acercamiento a los jóvenes y yo había sido incapaz de otra cosa que ventilarme la botella del etiqueta azul a traguitos lentos. La seducción de los jóvenes pasa por darles dinero. Caí en ese momento en la cuenta. Es lo único que reciben con aprecio. Llamé a Carlota y le pedí que se sentara a mi lado. Le propuse que presentáramos un cheque juvenil, como una especie de paga de arranque para que iniciaran su vida profesional. Me miró asombrada. Le dije que podíamos establecer un cheque despegue de, pongamos, mil euros, cuando un joven termina los estudios o se lanza al mercado laboral.

–Es como la iniciativa del general Cojo de ofrecer un cheque a las mujeres para que tengan hijos –le hice ver–. Es algo que han copiado de los radicales cristianos de Polonia.

–No estoy segura de que podamos ofrecer eso sin que el equipo de economistas haga un estudio serio. Hablaré con Lázaro.

–Lázaro y su equipo de economistas son un coñazo.

Carlota se puso seria. Me explicó, no era la primera vez que lo hacía, que yo no estaba contratado para dar ideas programáticas. Lo dijo así. Ideas programáticas, y me sonó a introducir por el ano objetos puntiagudos. Limítate a adornar nuestras propuestas, me dijo para zanjar la conversación y volver a la burbuja de su móvil. Pero tú habías escuchado fragmentos de mi discurso. Te quitaste la cazadora tan favorecedora y te sentaste con la rodilla apoyada en el asiento de delante del nuestro.

–¿Cómo era eso del cheque despegue que estabas contando?

–Cuando el Santo habla de suprimir la herencia, como único acto decente de la humanidad contemporánea, tú sabes que no hay país que lo acepte. Porque la propiedad privada es intocable. La gente que tiene algo, por miserable que sea, se aferra a ello y no lo suelta. Por eso los más pobres defienden las posesiones de los millonarios, porque sueñan con llegar a serlo algún día. Esa es la tragedia ridícula de mis queridos niños. Pero les gusta también que el dinero entre en campaña, propuestas contantes y sonantes.

–Pero yo tengo las manos atadas en lo económico, mi pacto con Lázaro Abad es que él...

–Lo sé, pero en mi propuesta es un cheque que funcione como incentivo. Y no sería tan costoso. A Lázaro podría gustarle, es caridad cristiana.

El asunto de la renta básica universal se había discutido, porque el Santo lo había propuesto en su programa electoral. Pero en las primeras reuniones de diseño de campaña la decisión era apostar por la contención del gasto. Según Candi, vuestro electorado consideraba que las ayudas sociales contribuyen a fabricar vagos y era el momento de empezar a recortar prestaciones y subsidios establecidos durante la crisis.

–No puedo salir ahora ofreciendo cheques cuando hablamos todo el rato de volver a la senda de la austeridad –me dijiste–. Pero lo de los jóvenes puede estar bien. Los demás partidos compiten por bajas de maternidad cada vez más largas, pero se olvidan de los jóvenes que terminan estudios.

La Cachorra estaba ofreciendo tres semanas más de baja a padres y madres. Se sabe que rozamos el 1 % anual de nacimientos, que es una manera de decir que el país se va poniendo viejo minuto a minuto. Luego discutimos si darlo en bonos de consumo y demás variantes. Pero te vi durante un cuarto de hora entusiasmada, como si por una vez la política te interesara como invención. El programa te lo habían redactado y encuadernado delante de tu puñetera cara sin dejarte meter apenas algo de literatura barata. Eso te dolía y yo lo notaba a diario. Fue Tania la que vino desde el fondo del autobús como una camioneta sin frenos y empezó a gritar eso es comunismo, apesta a comunismo, ya me lo conozco.

–Empiezas subvencionando una cosa y acabas subvencionándolo todo y poniendo a comer de la mano del poder a la población tutelada que espera su cheque.

Yo me resistía a dejarlo caer pese a ese fervor desconocido en Tania. Me gustaba la idea de que los jóvenes pudieran disponer de un dinero para su comienzo profesional, me parecía que por ahí agarrábamos a votantes que según Arroba hasta ese día nos ignoraban.

–Nuestro plan juvenil es para emprendedores, no para vagos y fiesteros –dijo Carlota, con una interpretación generacional basada en sus rencores de niña pija.

Agitó en mis narices el programa del partido. Veinte folios redactados en un estilo literario similar al de los prospectos de medicinas y los pliegos de instrucciones de montaje de muebles. Me gritaba que haría bien en leerme el puto programa y me buscó las páginas dedicadas a los jóvenes. Incentivos a la contratación de menores de treinta y seis años, becas para prolongación de estudios, plan de estímulo a emprendedores y la martingala copiada programa a programa desde dos décadas atrás. Es literatura de último recurso que hay que redactar a toda prisa para presentarlo a los cuatro electores con ganas de saber qué se cuece detrás de la oferta electoral. Siempre, en el último momento, hay alguien que cae en la cuenta de que se han olvidado de añadir algo sobre los jóvenes y escriben cualquier cosa a vuelapluma. Sí, porque los jóvenes en campaña son tratados como un ente accesorio, viscoso y volátil, que responde al unísono a estímulos bobos.

–Pues no, no me he leído el programa porque valoro demasiado mis neuronas –le grité–. Lo que te estoy pidiendo es que te rasques la cabecita para encontrar algo que atraiga a algún joven hacia una candidata de sesenta años profesora de universidad.

Un rato después dijiste esa cebollinada que capitalizó tu encuentro con jóvenes en Zamora. Que ibas a abrir una oficina especializada en ellos, y que cada viernes, al terminar el consejo de ministros, instaurarías un foro de jóvenes, en el que cincuenta elegidos por sesión tendrían derecho a formular sus peticiones y críticas ante ti en el Palacio de la Moncloa. Sería tu consejo de ministros alternativo. Lo dijiste con un entusiasmo tal que Arroba aplaudió desde su asiento.

–Gran idea, jefa.

Había tomado la manía vomitiva de llamarte así.

–Consejo de ministro guay –dije yo, que ya había puesto a movilizarse a mi inteligencia para despellejar tu proyecto, para imaginar lo que harían los rivales con él en cuanto llegara a sus oídos–. Guardería monclovita, esfuerzo adoctrinador, populismo barato, juvenalia bobalicona.

¿Y sabes lo peor? Que funcionó. Al menos ante un foro de alumnos de bachillerato que se pusieron a aplaudirte. Ese sí fue un aplauso espontáneo, porque en los mítines estamos acostumbrados a que el público funcione como los figurantes de los programas de tele, que por un bocadillo siguen la orden del regidor como esclavos ridículos. Aquellos muchachos percibieron tu entusiasmo algo sobreactuado. Porque era sobreactuar, Amelia, no vamos a engañarnos.

Escuchar las necedades de los jóvenes puede ser divertido durante tres viernes, pero al cuarto te arrastrarás a la sala de reuniones como si acudieras a una sala de ejecuciones. Pasa con los programas esos de tele donde los ciudadanos de la calle preguntan a los políticos. Durante las tres primeras emisiones disfrutas de los aprietos que tienen los candidatos para saber lo que vale un café. Al cuarto programa, ya comienzas a darte cuenta de que en realidad los políticos no son más que una prolongación obscena y simétrica de la propia sociedad. No hay otra. Y entonces mis queridos niños se asustan, porque si no piensan que ellos son mejores que sus políticos les da un pasmo depresivo. Su autoindulgencia no tiene límites. Es casi tan potente como su soberbia.

–Escuchar a los jóvenes es algo que hago en mi puesto universitario –dijiste, y señalaste a Carlota como un ejemplo vivo de que escuchas y hasta obedeces a tus alumnos–. Carlota era una joven alumna que ahora es mi mano derecha, porque está llena de ideas, de energía.

Lo cual no dejaba de ser cierto. Y luego aceptaste el lacito que te propuse de colofón.

–Voy a ser la presidenta de los jóvenes, porque los aprecio, convivo a diario con ellos, trabajo desde hace décadas con ellos y porque soy, de todos los candidatos, la única que los conoce de verdad y sabe lo que necesitan.

Ese mediodía, los noticiarios abrían con un rótulo sobreimpresionado en las imágenes tuyas y que decía: se postula como la presidenta de los jóvenes. Las chanzas de tus rivales no hicieron sangre. Solo el Mastuerzo dijo algo con filo. Que para ser la presidenta de los jóvenes te habías puesto una cazadora de cuero, pero que ya sabía él que esa tarde volverías a tu ropa de marca y a tus fulares caros para representar la vieja política de siempre. Reconozco que aprecié su observación.

En Zamora nos llevó de paseo el líder local. Le apodaban la madre de *Psicosis,* y tenía un aspecto viejuno y grisáceo, pero se trabajaba un humor descacharrante. Te metió en la casa de una señora viuda para que probaras un guiso que se olía desde la ventana. Hablaba como un cacique encantado de conocerse, y lo mejor es que aquello le funcionaba. A mis queridos niños les gustaban los políticos con los zapatos gastados, que iban a preguntar por las alcantarillas del barrio y ordenaban que les cambiaran la bombilla de una farola al instante después de que vinieran a decirles que se había fundido. Ese paseo con tu cazadora de cuero roja bajo el sol de la mañana fría zamorana tuvo algo de catártico. A mí me empezaron a doler los tobillos, así que Tania me sentó en un bar y me dijo que luego mandaba a Zunzu a recogerme.

Miré el reloj de la pared y eran casi las doce. La cara de los parroquianos fijos del local invitaba a ponerse de anís hasta el culo. Sin embargo pedí un café y me leí los dos periódicos deportivos.

Un viejo, desde la mesa mellada por los golpetazos del dominó, me preguntó quién era la política que había llegado esa mañana.

–Amelia Tomás –le dije.

Se encogió de hombros.

–Me da lo mismo que lo mismo me da –dejó caer.

Fingí que no tenía nada que ver contigo. Pedí un poco de anís para echar al segundo café. Al beberlo, el mundo comenzaba a ser más agradable.

La madre de *Psicosis* te dio un paseo por las calles principales, para que te viera el personal. Según me contó Tania te repetía todo el rato que él era político de cercanía, que no te dejaras vencer por el síndrome de la Moncloa, que castiga a los elegidos con la lejanía del mundo terrenal.

–La política no es un tren rápido, su ritmo es de convoy lento y seguro.

El hombre era tan terrenal que te llevó al parque y te hizo abrazar un árbol, porque decía que si apretabas el oído contra el tronco, se escuchaba la voz de los mayores, de los que nos habían precedido.

–Los árboles llevan aquí mucho tiempo, conocen todos los secretos.

Tamaña fantochada fue portada de la prensa de la zona al día siguiente. ¿Te acuerdas? Había que verte abrazada al árbol. Yo, que no había presenciado el momento, me sorprendí por la imagen.

–Pero ¿cómo fue que te abrazaste a un árbol, Amelia?

–En campaña hay que abrazar a todo lo que te pongan delante.

13. Palencia

Había una vez una mujer que sufría una extraña enfermedad.

Cada vez que un hombre le echaba un piropo, acababa acostándose con él.

Fue al médico y le preguntó:

–Doctor, ¿qué tengo?

El médico se lo pensó un instante y le dijo:

–Lo que tiene usted son unos ojos preciosos.

Este fue el chiste con el que abriste la comida. Valiente. Te confesé que yo odiaba los chistes, pero que aquel me parecía muy apropiado para la sesión en Palencia ante el foro de mujeres profesionales de Castilla y León. Una comida demasiado seria y pomposa donde se había reunido a más de cien mujeres empresarias y autónomas, desde bodegueras hasta farmacéuticas, incluida una conductora de camión y hasta dos hermanas gemelas que tenían una red de supermercados. Un esfuerzo de convocatoria de la agrupación local del partido, que además nos permitía esquivar la presencia del líder regional, enfangado en otro charco de comisiones. El tipo era tan necio que había llamado a presionar a un testigo en el momento mismo en que le tomaba declaración el juez instructor.

Ayer me contaron este chiste, arrancaste. Y para acabar le diste un sentido algo forzado.

–Este es el estereotipo que nos aplasta a las mujeres trabajadoras. El deseo de agradar, de ganarnos el puesto pero sin perder nuestro destino de víctimas, de cazadas, de sumisas. Es una exigencia doble. Y es hora de que nos reivindiquemos por nosotras mismas, por lo que logramos hacer, sin esperar la bendición ni el elogio de nadie.

La comida fue tan ruidosa y tan incómodo el pabellón del polígono donde nos habían embutido que ya con escuchar al que tenías al lado se daba uno por contento. Había dos micrófonos que las azafatas pasaban a quien quisiera dirigirse a ti. Te obligaron a mostrar cintura con los problemas cotidianos, los que tiene la gente que madruga, como habías aprendido a repetir, en un latiguillo que ya usaban todos los candidatos. Como si los que no madrugamos no tuviéramos mérito. Trasnochar requiere valientes a los que no se les caiga la cara de vergüenza por levantarse tarde. Ya no seguimos los relojes de sol, como los salvajes, ¿a qué viene esta reivindicación del despertador?

El mejor momento en la sesión de agasajo femenino tuvo lugar cuando las dos hermanas dueñas de la cadena de supermercados se agarraron una tajada formidable y se levantaron a interpretar un éxito de Pili y Mili que les había marcado la infancia. Se titulaba «Con permiso de papá» y lo bordaron. Ellas, obviamente, ya no iban a cumplir los sesenta, pero su entusiasmo cuando cantaron te hizo brotar una sonrisa cargada de lágrimas. En un programa de humor de la noche se enamoraron de esa imagen, ellas cantaban y tú llorabas de risa. A mí me pareció que te humanizaba, a Carlota le preocupaba que pareciera que te burlabas de ellas. Para arreglarlo, a la mañana siguiente le soltaste a un periodista una frase que habíamos ensayado en el autobús.

–El que diga que me burlaba de ellas por lo mal que cantaban es que no me ha oído cantar a mí.

A mis queridos niños les gustó el detalle. Me lo confirmó Arroba con los datos en pantalla, las gemelas cantando la canción delante de ti llegó a los tres millones de reproducciones en siete horas.

De la comida de mujeres empresarias tuvimos que desviarnos en el bus hasta una cooperativa cerealera. No podía haber mayor contraste. Aquellos señores hirsutos y seriotes te miraban con recelo. No tanto por ser mujer como por ser política. Estarían cansados ya de escuchar promesas cuando ellos vivían de la tierra, una de las pocas cosas sinceras que quedan en el mundo. Estabas tan incómoda que Tania se puso a bromear con dos de ellos que tenían cabezas enormes. Ni su acento venezolano ni sus formas generosas lograron distender el ambiente. Los tipos estaban emperrados en que se multiplicaran las ayudas europeas y no había manera de sacarlos de esa reivindicación de subvenciones. Finalmente salimos de allí con una lección bien aprendida. Para seducir a los votantes de cualquier edad y condición, nada mejor que prometer dinero.

Al salir de la cooperativa tuviste que grabar un par de vídeos para Arroba y una pequeña declaración para la agencia de noticias nacional. El atardecer era espectacular y al fondo de la tierra plana se alzaba un palomar de adobe medio derruido. Yo te había escrito unas líneas sobre la importancia del paisaje que te saltaste sin escrúpulos, para centrarte sobre lo que preferías destacar.

–Soy una chica de campo, me crié entre ganado y agricultores, y sé que a ellos no les puedo mentir con promesas vanas. Así que les he prometido una sola cosa, trabajar para ellos en Europa, conseguir ayudas para sostener su modo de vida.

En el autobús te empeñaste en que no descuidáramos ese flanco de hombres mayores que, al parecer, seguían ignorando tu perfil y si al final te votaban lo harían por fidelidad de partido pero sin entusiasmo.

–Quizá tengo que hacer un guiño a la dirección, y mostrarme también más sólidamente unida a las siglas –me dijiste–. ¿Qué se te ocurre?

Hasta entonces habías mostrado siempre tu lado independiente, tu deseo de desmarcarte de Los Cuervos, pero al tratar a cierta gente notabas esa fidelidad ancestral. Muchos de mis queridos niños no cambian su voto del mismo modo que no cambian de desayuno. Candi te había reprendido varias veces, en vuestras discusiones, al recordarte que los votos no te llegaban a ti por tu cara bonita, sino por el sello del partido.

–No te olvides de eso, Amelia.

El voto nace de una entraña muy remota, no es un capricho de última hora. Hay votantes que apoyan al candidato del partido aunque les presenten una farola con ojos. Te afeé que quisieras ahora reconducir la estrategia de alejamiento de Los Cuervos. Pero tú me dijiste que la humildad era la mejor consejera en campaña, y la frasecita me hizo pensar.

Podía ser que aun cuando empezaban a tomarse en serio tus números y tus posibilidades reales, en lugar de crecer en vanidad, tuvieras a bien considerar los flancos más débiles. Sería, sin duda, otro rasgo de tu rareza. Te prometí que pensaría algo. Así que volviste a tu asiento y levantaste las piernas en la butaca de enfrente. Aprecié tus pantorrillas, que hasta entonces no tenía procesadas.

Habías cerrado los ojos un segundo, pese que Rómulo no dejaba de canturrear tras el volante mientras extraía proyectiles de su nariz. Carlota te acercó el teléfono y supe que era una llamada de Cándido por el tono a la defensiva que adoptaste. Desde el día anterior se mascaba una cierta tensión por la disputa sobre la presencia de Genaro Centeno como ministro del Interior en tu posible gobierno. Su puesto en las listas le garantizaba el escaño, pero él aspiraba a formar parte de tu gabinete.

–Si ni siquiera sabemos si vamos a poder nombrar gobierno, no creo que tengamos que tener esta discusión ahora.

Tu tono era acobardado y en la distancia buscaste algún apoyo que te brindé con una mirada cargada de ironía. Asentías mientras Candi te hablaba al otro lado de la línea. Luego te dediqué ese gesto internacional de cuando alguien se tiene que comer una polla por fuerza. Tú sacudiste la cabeza. No sé si como señal de fatalidad o como resistencia ante mi derrotismo.

14. Valladolid

Pese a que la jornada estuvo cargada de desplazamientos y nos zampamos la vieja Castilla como quien se zampa un pastelito, la presión de preparar el siguiente debate sobrevolaba cada etapa. Las teles lo empezaron a llamar el *debate definitivo* para calentar a los espectadores. Como llaman el *partido del siglo* a cada partido importante. Esta vez lo organizaba la televisión pública y el formato por tanto estaba regido por la prudencia funcionarial. Los colores de fondo, los turnos de palabra, la ausencia de contrapreguntas, el minutado milimetrado, la altura de la tarima, el sorteo del orden del parlamento inicial y la declaración final, el corsé era tan estricto que quedaba poco margen para la aventura. Aun así el terror iba en aumento porque el debate anterior había tenido picos de 8 millones de espectadores. Faltaba día y medio pero ya por la mañana, desde la sede de Los Cuervos, me había llegado un listado de asuntos mareante. Con todo ello teníamos que componer un discurso coherente.

Arroba estaba excitado, cuando se acercaba el debate se sentía dueño de la varita mágica del encantamiento mediático. Junco no dejaba de dictar doctrina desde Madrid, como si fuera un sabio aventajado de un nuevo lenguaje en el que los demás solo balbuceábamos. La horquilla de la última encuesta publicada nos situaba ante la posibilidad de un empate técnico entre los tres partidos mayoritarios, por lo que acceder al gobierno sería una cuestión de pactos posteriores. El que sacara un diputado más en tu duelo con el Mastuerzo llevaría la voz cantante en la formación de gobierno. Así que en los días restantes de campaña, según Arroba, lo clave era robar votos a ese rival directo con una postura novedosa.

Candi había urgido a Carlota la noche antes para poner en marcha un nuevo plan. Los Cuervos habían creado un hilo de comunicación para el pacto posterior con el Mastuerzo, pero nosotros teníamos que negarlo en público. Se les ocurrió redactar un listado de exigencias generales para cualquier partido que quisiera pactar con nosotros tras las elecciones y ratificarlo ante notario. La ocurrencia de Candi le había parecido una gran idea a Lautaro. Mis queridos niños creen mucho en los notarios y los curas, son gente de costumbres.

La ridiculez de entremezclar a un notario con las mentiras de la campaña les resultaba, con razón, una ágil maniobra. Tú no parecías oponerte, lo único que te refrenaba eran los doce puntos del manifiesto. Son demasiados, dijiste. Así que Carlota y tú os encerrasteis con la tarea de reducirlos a la mitad, como si Moisés se hubiera puesto a negociar con Dios recortar los mandamientos.

Tania fue la encargada de movilizar a los periodistas para que asistieran a la notaría de Valladolid al día siguiente. Nadie del equipo se animó a salir por la noche a tomar una copa conmigo, así que tuve de nuevo que recurrir a Fresitas, Lolo y Correoso, siempre dispuestos. Dimos con un garito que cerraba tarde y ellos me trataron de sonsacar por el conflicto con Genaro Centeno.

–Corre por ahí que Amelia lo odia, pero que él está presionando para repetir de ministro.

–No tengo ni idea, yo me dedico a lo mío, de los asuntos de Los Cuervos apenas me tienen al corriente.

–Venga, Basilio, danos algo, joder, que nos tienes a dieta.

–De verdad, que no hay carnaza, que esta mujer es como la veis. Eso sí, si se pudiera cargar a Centeno no lo dudaba, el problema es que no va a poder.

–Mañana sacamos una entrevista con él en nuestro periódico y da por hecho que estará en cualquier quiniela de gobierno.

–¿Y no tenéis nada para cargaros a ese tipejo? Estoy seguro de que arrastra cadáveres muy malolientes.

Ellos conocían a Centeno tan bien como yo, pero lo consideraban alguien rocoso y resistente, con muy buena relación con la prensa. Desde los departamentos policiales se nutre la información diaria, cada vez más asociada al delito y la carnaza. Me temía, Amelia, que te ibas a tener que aguantar las ganas de quitártelo de encima. Fresitas fue el primero en marcharse a dormir, cuando me quejé, me respondió culpando a la estrategia del partido.

–¿Qué es eso de llevarnos a una notaría a primera hora de la mañana?

–Un paripé, lo de siempre.

El hotel de Valladolid era acristalado y cómodo pese a asentarse sobre un viejo convento. Había cometido el error de emborracharme junto a mis colegas y, envalentonado, pregunté por el número de cuarto de Tania al recepcionista. Era de mediana edad y su aspecto tan adecuado al puesto que hubiera apostado a que al nacer sus padres se miraron y se dijeron: hemos tenido un recepcionista de hotel.

–La señorita Tania está en la 321.

Me planté delante de su puerta y llamé con delicadeza. Tania no debió de oírme o prefirió ignorarlo. Insistí, ajeno al dictado de mi sentido común. Cuando abrió estaba despeinada, hermosa y bajo un pijama sedoso de dos piezas. ¿Estás loco?, me preguntó, y luego me apartó con la mano mientras sonreía.

–Hoy no. Aquí no...

Saqué esa cara de niño goloso que a veces apiadó a los demás durante mi infancia. Me habló en un susurro cariñoso.

–El día que te invite, será con mis reglas, tendrás que obedecerme.

Hice el saludo militar. Dispuesto a dar media vuelta.

–Además, Basilio, si se te nota mucho. Tú de quien te has enamorado perdidamente es de Amelia.

Primero pensé que su frase solo se trataba de una coquetería, luego le di más trascendencia. Subí a mi cuarto y traté de dormirme. Sí, me daba cuenta de que todo este tiempo a tu lado trabajé a deshoras, mi cabeza no descansaba ni un instante. Me caías definitivamente bien y eso era una muestra de aprecio. Porque pensaba en ti, en trabajar para ti, en escribir para ti. Cuando lo normal es que yo no pensara en nadie jamás. Estaba tan desentrenado que la generosidad me parecía un rasgo del débil. ¿Acaso algo había cambiado dentro de mí?

El notario elegido para el posado de esa mañana en Valladolid resultó un ancianito plácido que cuando sonreía dejaba asomar su parentesco con la familia Drácula. Su despacho estaba decorado con cuadros de marquetería que contenían las especies más singulares de mariposas sostenidas por alfileres. Al verlo, Carlota se puso histérica.

–Espero que nadie le saque punta a esto.

Sí, solo nos faltaba la crítica de los animalistas por estos crímenes de coleccionista. Recordé la anécdota de un director que para conseguir hacer llorar a una actriz niña prodigio estrujaba ante su cara indefensas mariposítas. El notario no parecía tan cruel, solo un aficionado a esa avaricia del rapto y la acumulación de trofeos vivos. Yo me entretuve en apreciar las alitas de las mariposas, esa psicodelia colorida milagrosa en cada espécimen.

Recordé los tiempos en que las mariposas inundaban los descampados que bordeaban Madrid, donde no era raro cruzártelas inmensas y hermosas. En apenas unas décadas, habían sido exterminadas no por cazadores avezados como nuestro notario del día, sino por la forma de vivir. Eso me enseñó a aceptar que los fuertes acaban con los débiles y los grandes se comen a los chicos sin importar la belleza y la ternura. Y no quedaba otra que ponerse a remar en esa dirección.

El notario, al confundir mi curiosidad con interés, me llevó a un cuartito refrigerado y me enseñó las tres joyas de su colección. Mariposas exóticas, con alas como sábanas de grandes. Una de ellas la descolgó para mí y me la acercó al rostro.

–A esta le puso nombre Nabokov, el escritor. Se llama

Cyllopsis pertepida dorothea. La llamó así por una joven alumna, Dorothy, a la que daba clases de ruso. De la familia de las ninfálidas.

No era especialmente hermosa, salvo por el reborde de las alas, que presentaba un juego de señalizaciones muy elaborado. Pero, excluidos esos momentos de delectación lepidóptera, la escena del notario resultó fría. Refrendaste el documento de seis puntos donde tú, Amelia, te comprometías a no pactar con el general Cojo y su partido extremista y a no negociar con ninguna agrupación que no asumiera unos principios obligados: el interés por el progreso económico del país, la reducción de la fiscalidad, la protección del ciudadano, la libertad de elección de padres y madres sobre la escolarización de los hijos, el respeto a las creencias religiosas con especial ahínco en el legado cristiano de la nación y la renuncia a aumentar el gasto público. Se me escapaba la necesidad de teatralizar con tanta urgencia nuestra posición, que ya quedaba clara en cada discurso y más que nada en la trayectoria histórica del partido. Pero ahora, al parecer, la guerra se desarrollaba entre hermanos, y como sucede en las guerras civiles, allí ya no hay piedad ni perdón, ya no hay convenciones ni respeto, se ha de matar con más crueldad que en otras guerras, porque al enemigo no se le puede permitir volver a casa.

Al minuto ya éramos ridiculizados por mezclar a ese ancianito notario en la batalla electoral. No fue buena idea recurrir a un espantajo como el señor de Valladolid.

–¿No había otro notario en la ciudad? –preguntó Carlota cuando se dio cuenta del desastre.

Lo había elegido el líder regional, que era un viejo conocido mío, Romero Cucalón, al que encontré envejecido y ajado después de años sin cruzármelo. Tomó la palabra para presentarte en el acto posterior de la feria de muestras. Dijo de ti que representabas la regeneración que necesitaba la política española y contó una anécdota curiosa. Al parecer, durante el proceso de primarias recibió muchas presiones para decantar su voto hacia tu rival, pero una de sus hijas había sido alumna tuya y le insistió para que te apoyara.

–Cuando vi la fe de mi hija en Amelia, la pasión con la que defendía a su antigua profesora –contó Romero a los pacientes militantes de Valladolid–, le pregunté por qué intuía que podría ser una buena presidenta para el país. Y mi hija me contó la siguiente anécdota. Un compañero suyo de clase había enfermado gravemente durante el curso y Amelia iba a visitarlo cada semana al hospital donde estaba ingresado y le ponía al día de la materia. Esas cosas delatan el carácter de una persona. Por eso la apoyé como candidata y por eso creo firmemente que es la mujer que este país necesita.

De regreso al autobús tenías curiosidad por saber si esa historia falsa sobre el alumno enfermo era invención mía. Para evadir una respuesta, te conté el origen de mi relación con Ramiro Cucalón. Cuando estaba al frente de *La Causa Popular* me implicó en un negocio rentable. Se trataba de engordar la cotización de un pintor local, recién fallecido. Al parecer, el hijo había sumado una serie de obras falsas para aumentar la colección del artista. Unos cuantos elogios desmedidos en la prensa ayudarían al plan de Romero Cucalón para subir la cotización de esas obras. Quería montar un museo dedicado al pintor fallecido y para ello pactó de inmediato con el hijo una compra de pinturas por varios millones de euros a cargo del erario público. Luego, bajo la mesa, el hijo del pintor y el cacique local se repartieron el botín alcanzado gracias al hinchado brutal de la valoración. Cuando algún experto reparó en la trampa, la colección ya estaba adquirida por la autoridad competente y seguir el rastro del dinero era imposible. Yo saqué un pellizco importante en inversión publicitaria para mi revista digital por los servicios prestados. Esa fue mi pintoresca aventura con Romero Cucalón.

Al terminar mi relato, volviste a indignarte conmigo. Porque yo daba por supuesto que conocías la mecánica de todos estos años, las maneras impenitentes de robar de quienes ahora te agasajaban y ponderaban como la candidata de la regeneración.

–Amelia, yo soy periodista. Y, como decía el maestro, si a un periódico llegara la noticia de que hay un político honrado seríamos los primeros en celebrarlo por desacostumbrado.

–Yo no sé nada, Basilio, te vas a tener que acostumbrar a mi ingenuidad.

–Ah, la ingenuidad, el refugio perfecto...

–No es un refugio, lo digo de corazón.

–Pues entonces discúlpame por contarte estas cosas, quizá prefieres que no te cuente nada y mantener tu virginidad a salvo. Hay gente que hace de su ingenuidad su bote de navegación por el mar tormentoso.

Tú dudaste un momento, pero luego me repetiste que preferías que te contara. Así que yo te conté y te seguí narrando episodios similares durante los días en que estuvimos juntos. Y, plaza tras plaza y personaje tras personaje, si conocía alguna de sus correrías y vilezas te las contaba para que fueras dilatando el intestino, no sea que cuando llegaras al poder fueras incapaz de digerirlo todo de golpe. ¿Qué irás a hacer de tu ingenuidad? ¿Cómo utilizarás estos conocimientos adquiridos? Nadie lo sabe.

15. Soria

Apenas dio tiempo a aparcar el autobús y ya corríamos a la reunión con una asociación de enfermos de asbestosis. Una fábrica importante de la ciudad, ya quebrada, había contaminado a sus trabajadores durante años y ahora los supervivientes reclamaban indemnizaciones al Estado como corresponsable. Nos reunimos con ellos en una desairada conversación donde mantuviste el tipo. Te miré durante el rato en que te mostraban los informes médicos, la raíz de sus enfermedades, los dramas personales y los años de bloqueo por parte de la administración de toda indemnización o investigación honesta.

–Hace veinte años ya un informe advertía de la peligrosidad, lo pusimos en manos del departamento de Sanidad y nadie movió un dedo por nosotros.

–Hace veinte yo no formaba parte de ningún gobierno.

Esto último lo dijiste con poco aliento, casi arrepentida de decirlo mientras lo decías, paralizada un poco quizá por la indignidad del asunto. No era cómodo, pues Los Cuervos eran cómplices en muchas de las afrentas padecidas por ese grupo de víctimas. Diste la mano con calidez a cada uno de ellos, no les rehuías la mirada jamás y puede que se sintieran reconfortados si aún les quedaba fuelle para creer. Te comprometiste a atender sus peticiones y terminaste el acto con una frase que habíamos ensayado algún rato antes.

–Vamos a dar un giro de 180 grados frente a casos como este, se acabó mirar para otro lado, es hora de asumir las responsabilidades, aunque las responsabilidades no sean nuestras.

Esas menciones a la responsabilidad te gustaban especialmente. Resumía tu determinación por iniciar la nueva era. Ahí estribaba el núcleo de tu campaña. Representar el cambio siendo idénticos. Como aseguraste en la entrevista de radio a la que llegamos a la carrera tras el encuentro, puede que los ingredientes del guiso sean los que ya conoce la gente, pero venimos a darle otro sabor al plato, otra forma de prepararlo, otro concepto de cocina. Y hubiéramos seguido con las metáforas culinarias, pero me entró hambre.

Me adelanté a comer en mi sitio fetiche en la ciudad. Requería la ayuda de Lolo Prados y le llamé por teléfono.

–Necesito que me confirmes un dato sobre el Mastuerzo y que lo publiques.

–¿Sobre el Mastuerzo?

–Sí, necesito saber si tiene un tatuaje a la altura del apéndice derecho, sobre la cintura. El nombre de su esposa, Carmen.

–¿Qué quieres, Basilio, que le baje los pantalones y le revise a fondo?

–Algo así. Te propongo que hagas un reportaje sobre los tatuajes de los candidatos.

–Venga ya. ¿Ahora me vas a marcar tú lo que tengo que publicar?

–Vamos, Lolo, es un buen reportaje. A mis queridos niños les gusta conocer esos detallitos personales de los candidatos.

–¿Y qué gano yo con ello?

–¿Alguna vez has perdido algo por echarme una mano?

Lolo me debía muchos favores y no solo la cura sentimental en el taller de mi casa. No le podía contar toda la verdad. Mi contacto con Luisa Paz había dado resultado. El último mensaje que me había reenviado era la foto de la pelvis de un hombre que agarraba su polla con la mano. Según ella, la mano y la polla eran del Mastuerzo. Al ladito del pubis lucía un encantador letrero gótico con el nombre de su abnegada esposa: Carmen.

Fue Lolo, en esa misma conversación, quien me anunció que Cándido te preparaba una sorpresa. Me habías liberado de la comida, porque el secretario general se acercaba desde Madrid para comer contigo en el hotel. Lolo me contó que no venía solo, le acompañaba Genaro Centeno, por lo que la reunión contigo podía calificarse de encerrona. Corrí a llamarte para que tuvieras la información antes de llegar a la comida.

–Prepárate porque te trae a Genaro, vas a tener que enfrentarte a cara de perro con él.

–¿En serio? ¿Cómo lo sabes?

–Un amigo periodista me acaba de llamar, sabe que viajan juntos desde Madrid.

Te quedaste muda durante unos segundos. Luego me preguntaste por el nombre del restaurante en el que yo me encontraba.

–¿Podrían darte una mesa más grande?

–Claro, ¿para cuántos?

–Digamos unos tres o cuatro más.

Media hora después entraste con Carlota y Tania y detrás de vosotras llegaron Cándido y Genaro, que visto de cerca parecía más molusco que ser humano. El dueño me había trasladado amablemente a una mesa discreta al fondo del salón de paredes de piedra. No me levanté para dar la mano a los recién llegados de Madrid, me había desabotonado el pantalón y me cubría con el mantel el rebose de la barriga. Era innoble incorporarse.

No tardamos en entrar en materia después de las usuales naderías y el repaso a las actividades de campaña. Genaro se adelantó a Candi, para explicar los motivos de su visita.

–Mira, Amelia, yo sé que tú no cuentas conmigo y que tienes todo el derecho a transmitir esa idea de ruptura, de regeneración. Entiendo que es lo que pide una parte de los votantes...

–¿Una parte?

Mi ironía no hizo gracia en la mesa. Carlota se había sentido un poco celosa cuando arrastraste a los comensales a comer conmigo, era una forma de valorarme después de tantos desprecios. Genaro te tanteó, hasta que llegó el momento de presentarte la propuesta.

–Tengo algo entre manos que podría ser un impulso brutal para tu campaña a estas alturas. Pero es algo que solo te regalaría si cuentas conmigo, obviamente. Se trata de la chica esa, Marina Lemos.

Todos conocíamos la historia de Marina Lemos. Era una chica de apenas veinte años, díscola de buena familia, que había viajado a Senegal para traer a España un alijo de drogas. Una historia donde se mezclaba su propia dependencia con una alambicada trama de seducción y engaño por parte de un amante con conexiones con la mafia local. El caso es que la muchacha había sido detenida y llevaba más de un año en la cárcel, en condiciones penosas en el penal de Reubeuss de Dakar. Un lugar que se había hecho famoso gracias a un programa de televisión que denunciaba las condiciones de vida, el hacinamiento, y en el que asomó esa muchacha destrozada y arrepentida a la que el gobierno español no lograba traerse repatriada pese a las negociaciones permanentes.

–Pues bien, he establecido línea directa con el presidente de Senegal y la chica puede estar de vuelta en España en veinticuatro horas. Solo yo puedo ir hasta allí y traerla.

–Ya estás tardando.

Me sorprendió tu dureza ante el anuncio de él. Era

evidente que te proponía un chantaje sofisticado y mediático. Traer de vuelta a España a la joven Marina suponía algo que mis queridos niños iban a adorar. La muchacha, según últimas informaciones sobre su estado de salud, apenas pesaba cuarenta kilos y sus desesperados padres recorrían los canales de televisión para reclamar alguna ayuda. Candi quiso inclinarte definitivamente a favor del plan de Genaro.

–El plan es el siguiente, Amelia. Esta misma tarde, en tu siguiente intervención, presentas a Genaro y anuncias que será el ministro de Interior en tu futuro gabinete. Y el éxito de la repatriación de la chica te lo apuntas en unos días en plena subida en las encuestas.

–No me parece que las cosas tengan que hacerse así. Si esa chica puede volver con su familia, hay que traerla, sin mediar más cálculo.

Genaro tomó la palabra. Sacudió la cabeza con incredulidad.

–No lo entiendes o no lo quieres entender, Amelia. Si consigo algo del presidente de Senegal es gracias a las relaciones personales que me he trabajado durante años. Es algo que te ofrezco con total generosidad, pero no te confundas...

Carlota dijo algo que no recuerdo, porque lo dijo tan bajo hacia ti que no se compartió con los demás. Yo sabía de los negocios de Genaro en África, porque años atrás terminó en un juicio con varios socios por un tejemaneje de chatarras en el Congo, pero logró que aquello no le importara a casi nadie. Tania me miró y yo me atreví a intervenir.

–Amelia, creo que es una oferta que no puedes rechazar.

En Soria tocaba hablar de infraestructuras, de la comunicación vertebradora del país. Visitaste una estación de tren abandonada donde planeabas instalar una de las grandes plantas de almacenamiento digital, enormes silos refrigerados donde se preservaría el tráfico ingente de datos. Puede que hablaras de gigas, bytes y algoritmos, pero yo solo visualizaba aquello como el almacén donde se guardarían todos los vídeos de gatitos y caídas de niños que la gente tuviera a bien seguir haciendo circular. Vivíamos un tiempo triste de desborde que invitaba a añorar la labor discreta y selectiva de los escribas medievales. ¿Qué va a dejar nuestro tiempo a los que vengan después? Una riada. La misma perplejidad de los familiares de un Diógenes que muere con el piso a rebosar de cosas inútiles. Lo mejor, mandar llamar a una patrulla exterminadora y que acaben con todo.

Uno se puede enfrentar al progreso, pero no se puede enfrentar al mito del progreso. Esa idea está ensamblada a las esperanzas de mis queridos niños. Tan solo te había escrito una frase que consideraste brillante para cerrar el acto. Es el futuro quien vendrá al rescate del presente, no el pasado. Sonó a terrible ironía después de la escena con Genaro y Candi. Ellos te habían hecho sentir que del pasado no podrías desprenderte aunque quisieras. En la siguiente parada, durante un acto ya programado, tendría lugar el anuncio de vuestro compromiso mutuo.

16. Segovia

El equipo de fútbol de la ciudad, comandado por un empresario temerario y hábil, había puesto en marcha un plan de reubicación del estadio y los campos de entrenamiento. La buena marcha del conjunto en la competición de este año prometía un impulso al mayor de los anhelos de mis queridos niños, tener un equipo de fútbol de alta categoría para representar a su ciudad. Una de las cosas que rompía España, dijiste en tu alocución, es que la Liga de Primera División dejaba a grandes zonas del país infrarrepresentadas, frente a otras en las que se concentraban varios equipos de alto nivel. Madrid y su periferia habían llegado a tener seis equipos en Primera frente a autonomías sin representante. El dinero tiende a la concentración. Era algo que querías solucionar.

Por supuesto, en la recalificación de terrenos del equipo segoviano el amor al deporte era algo secundario. Aunque el plan de obra incluía un nuevo parque de ocio y un gran centro comercial, el proyecto había desatado una guerra frontal entre la administración municipal y el gobierno autónomo, que había recalificado los terrenos en litigio. Cada cual iba por su lado y nosotros teníamos que inclinarnos del lado que indicaban Los Cuervos del lugar. Una agrupación de protección de los montes calificaba el asunto de aberración y pelotazo, nunca mejor dicho. Así que nos enfrentábamos a esa facción iracunda, apoyada por la propaganda de Los Lobos, que se habían hecho fuertes en el ayuntamiento. Lo peor fue que te obligaron a ponerte la camiseta del equipo, a rayas verdes y blancas. Un bochorno que soportaste con una sonrisa. Aitana Banana lloraba de vergüenza y quise consolarla.

–Son momentos grotescos que todo candidato tiene que atravesar en campaña.

–Pero has visto cómo le queda la camiseta encima de la blusa y el pantalón... Santo Dios.

El disparate estético era imprescindible para situarnos del lado de los que creen que el desarrollo económico pasa por encima de cualquier sutileza frente a los preservadores de la nada, como los llamé en el discurso que te preparé.

–Algunos cobardes se enfrentan al progreso. Se llaman preservadores, pero preservan la nada. Como mucho, la despoblación y el atraso.

Pisábamos lo que en un futuro próximo sería el césped del estadio, aún solo tierra removida y grava. El presidente del club de fútbol te agradeció el apoyo con unas palabras desmesuradas. Que si eras la esperanza nacional, la salvación del país, la lideresa del futuro. Hasta tú misma te ruborizaste.

Política es caminar sobre aguas movedizas y nunca te vi tan fuera de sitio como en aquel barrizal vestida de futbolista. Pero aún faltaba tu peor trágala. Te dirigiste hacia la concurrencia, que eran mayoritariamente periodistas. Fue entonces cuando presentaste a Genaro, que esperaba junto a Carlota el momento de ocupar un lugar a tu lado.

–En días pasados he hablado mucho de regeneración y de cambio. Me comprometí a variar todos los puestos ministeriales si accedía al gobierno. Pero no dije una cosa. Habrá un ministro que repetirá conmigo, que es un colaborador fiel y leal y que conoce bien la tarea de la seguridad del país. Es, además, nacido en Segovia y creo que un orgullo para todos vosotros.

Era todo demasiado doloroso. Genaro Centeno se colocó a tu lado para pronunciar unas palabras viscosas sobre su infancia en el lugar. Nunca me confesarías lo que sentiste en ese instante, yo tampoco te pregunté, pero entiendo que fuera alguna de las variantes del asco.

De vuelta en la carretera, el silencio se había impuesto en el autobús, pese a los silbidos de Rómulo. Tuvimos además que bajar en mitad de la ruta cuando descubrimos una partida de cazadores pertrechados en el arcén. Arroba lo exigía a voz en grito. Era necesario que te hicieras una foto con ellos, pues representaban un flanco desdeñado que otros andaban cobrándose. El Mastuerzo y el general Cojo se habían reunido en días anteriores con las asociaciones y los datos hablaban de que ese sector podía movilizar casi cuatrocientos mil votos.

Los cazadores que intentábamos cazar eran seis amigos ya muy perjudicados por la merienda copiosa y el vino abundante. Estaban guardando sus escopetas en la trasera de los todoterrenos a la salida de un asador y la irrupción no les resultó simpática. Le dijeron a Arroba que los políticos solo los utilizaban en sus fotos de campaña, pero que no se negaban a darte la mano. Tú bajaste con un abrigo ridículo para protegerte de la ventisca que se había levantado. Te observé por la portezuela del bus, junto al asiento de Rómulo, mientras desplegabas ese ardid llamado campechanía. Resultar campechana era algo para ti casi biológicamente imposible, porque si de algo no eras capaz después de años de tirantez universitaria, era de mostrar cercanía e interés por esos patanes. Pero uno de los cazadores estaba tan pimplado que comenzó a lanzarte requiebros mientras mordisqueaba un puro apagado en la comisura.

–Pues la verdad es que en persona eres más guapa que en las fotos...

Pues ya va siendo hora de que nos mande una mujer, pues tienes unos ojos muy bonitos, y a esos pueses les siguieron otros pueses que culminaron con un pues a mí me vas a dar dos besos ahora mismo. Besos que diste y que animaron a los demás y que desentumecieron el dedo de Arroba, que se puso a lanzar fotos que luego colgó en redes como un encuentro fortuito con unos simpáticos cazadores de la zona, que apreciaron la simpatía y la cercanía de la candidata. Nada demasiado sangriento ni comprometido. No habías tenido que ir a una corrida de toros como el general Cojo ni a una montería como hizo el Mastuerzo semanas atrás.

Mientras posaba para la foto a tu lado, el hombretón del puro apagado te plantó la mano en el culo con descaro. Rómulo y yo nos miramos y él dijo en voz alta lo que pensábamos ambos.

–La cabra tira al monte.

Pero tú supiste soportar con un gesto dulce el mal trago. Aprendías a toda prisa el arte de seducir a mis queridos niños, con sus caprichos y exigencias, con sus boberías y desmanes. Esa es la gente, amiga mía. Viva la gente.

La carretera hasta Madrid se nos hizo eterna, quizá porque estábamos tan cerca y algo deprimidos. Aitana Banana mostró sus propuestas de vestuario para el último debate televisado. Según ella los colores rojos y azules potenciaban la personalidad en la televisión, junto al blanco. Pero quería evitar el negro y los pardos, que eran siempre a los que tú parecías inclinada. Dejaste que Carlota decidiera el conjunto y tú te sentaste a mi lado para preparar la entrevista de esa noche en el canal 24 horas. Ibas a llegar agotada, pero aun así querías repasar las respuestas conmigo.

–Se ha acabado el tiempo de mentir impunemente en campaña.

Esta frase te hizo especial gracia y sentí cómo la memorizabas de inmediato.

17. Madrid

Antes de dirigirnos al edificio de Torrespaña respondiste a preguntas en un encuentro digital con electores y teníamos una especie de cena cordial con una asociación de homosexuales conservadores. No era una entidad demasiado conocida ni poblada, pero según Carlota nos convenía hacernos la foto junto a ellos. En otra muestra de sadismo, la hora de cenar estaba ocupada por esa pantomima. Los gays conservadores defendían de manera entusiasta que no era necesario mezclar la ideología política con la inclinación sexual. Ellos, pese al orgullo homosexual militante, presumían de saber diferenciar entre libertad y libertinaje, por lo que reivindicaban la seriedad de oficinistas y empresarios. Me sentaron al lado de uno de ellos que dirigía una empresa de diseño industrial y le conté que mi hijo se dedicaba sin demasiada fortuna a esas disciplinas.

–Bueno, yo de joven también estaba muy despistado, quería hacer diseño de moda, y fíjate dónde he acabado.

–Sí, él también anda despistado. Su generación entera está despistada.

Convinimos que le pasara su teléfono a Nicolás y podrían encontrarse en su oficina alguna mañana. No sé por qué pensé que mi hijo haría buena pareja con ese joven tan preparado y gallardo. Una vez le pregunté a Beatriz si nuestro hijo era homosexual y ella se sorprendió. Siempre me llamó la atención su escaso interés por las mujeres, jamás un comentario o una mirada apreciativa. Beatriz se ofendió por mi comentario.

–Quizá Nico sencillamente es un chico educado.

–Yo me entiendo...

Tú solventaste el encuentro con cierto dinamismo. Tania soltó en dos o tres ocasiones una de sus carcajadas que atrajo la curiosidad de todo el mundo. Sabía ganarse a cualquier auditorio, pero, llegada la hora, fue inflexible para que nos levantáramos y nos despidiéramos del amigable club. Camino de la televisión, en el taxi, te pasó una llamada. Por la conversación comprendí que hablabas con el director de un centro de acogida en Madrid. Acababan de trasladar, por tu mediación, a la niña rumana huérfana tras el accidente ferroviario. Te interesabas por ella y prometías que en los siguientes días pasarías a visitarla. Cuando colgaste, Tania te dedicó una sonrisa franca. Yo me miré los zapatos.

En la salita de espera que nos habían preparado los del equipo de trasnoche de la televisión pública conseguimos unas latas de cerveza sin alcohol, que ayudaron a acortar el aburrimiento hasta que llegara el directo. En los pasillos me encontré con un joven editor de informativos, que también trabajó conmigo en *La Causa Popular* cuando salió de la universidad. No lo había reconocido, pero el tipo me abrazó con cordialidad.

–Basilio, todos los rumores apuntan a que vas a ser ministro.

–Deja, deja. Mi trabajo termina exactamente a la misma hora en que se cierren los colegios electorales el domingo.

–Pero todo el mundo dice que Amelia come de tu mano. La verdad es que se partió la cara por ti cuando las filtraciones.

–Eso es distinto. Lo que asombró a la gente fue que alguien en su posición recurriera a la lealtad, en lugar de al oportunismo.

Luego se inclinó para hablarme en confidencia. Me soltó algo amorfo sobre su cercanía con Los Cuervos. Yo recordaba que era un muchacho que llegó a mí recomendado por alguien de la política, pero había olvidado los detalles con el mismo gusto con que había olvidado su cara. Me dejó caer que la redacción del canal público era un nido de rojos, pero que algunos como él se estaban esforzando para que Amelia recibiera un buen trato en los informativos.

–Estamos haciendo llegar a los espectadores todo lo bueno de su campaña. Pese a las restricciones de la ley, la estamos tratando superbién.

–Me alegro, ya le diré...

–Y acuérdate de mí cuando busquéis un jefe de informativos. Que luego cuando llegáis al gobierno mantenéis a los de siempre...

Me molestó el grado de descaro, así que le despedí sin cariño cuando logré quitarme de encima su abrazo pringoso.

La entrevista se demoró y eso dio tiempo a que las mujeres del departamento de maquillaje hicieran contigo un experimento radical. Lograron que fuera inapreciable un átomo de tu piel natural, todo era una pasta grumosa a imitación del bronceado hortera que luce todo el mundo en la tele. Carlota asomó por allí con varias consultas, entre ellas un reportaje de *El Mal* sobre los tatuajes de los candidatos para el que pedían tu colaboración.

–Ya no saben ni de qué escribir. ¿Contestamos algo?

Tú te echaste a reír y luego confesaste con abierta naturalidad que no tenías ningún tatuaje.

–¿Decimos la verdad o nos inventamos algo?

Carlota se volvió hacia mí al escuchar la pregunta.

–¿Inventarnos algo?

–Sí, podemos decir que Amelia tiene un pene erecto pintado en el antebrazo. Eso gustará.

Te reíste, pero Carlota desechó mi propuesta sin miramientos. Yo ironicé.

–Diremos la verdad entonces. Que Amelia siempre fue una niña ejemplar.

–No siempre, Basilio, no siempre.

Me lo dijiste con una picardía inédita. Tania se sumó en mi defensa.

–No, pero tiene razón Basilio, quizá deberíamos inventar que tienes algún pequeño *tattoo* para compensar.

–¿Para compensar qué? Déjate de chorradas, Tania.

Carlota y Arroba llegaron a tiempo para la entrevista. Ella te acompañó hasta el pie del plató y se quedó entre los cables de cámara, llevaba zapatillas deportivas y los vaqueros se le ceñían a los tobillos finos. Tania y yo preferimos verte por la tele de la sala de invitados mientras Arroba babeaba en su móvil.

–Está guapa –dijo Tania, pero los dos sabíamos que mentía.

Te sentaba mejor cuando se te intuía la verdad debajo de la máscara. A ratos las preguntas eran más largas que las respuestas y uno de los colaboradores parecía fallecido varios años antes aunque siguiera sentado y erguido en la sillita de invitado. Lo conocía bien, porque era el subdirector de *Pis&Caca* cuando me echaron tras mi artículo de la polémica. La falta de ritmo del interrogatorio era notoria. Solo se animó cuando una tertuliana te atacó con una retahíla de casos de corrupción que rodearon tu ascenso en el partido.

–No deja de ser usted un recurso de última hora en la catástrofe...

–Bueno, bueno, si el recurso funciona ya verá que la catástrofe no era para tanto.

Pero esa mujer estaba colocada en la plantilla de colaboradores por orden de Los Lobos y volvió a insistir en las críticas. Ponía en duda tu idea de ruptura total con el pasado corrupto del partido si ese mismo día habías confirmado a Genaro Centeno como tu candidato a ministro de Interior en caso de llegar al poder. ¿Por qué ese paso atrás?

Cometiste el error de beber agua del vaso que tenías delante. Que un candidato beba agua, ya te lo habíamos dicho, es similar a reconocer la culpa.

–No, no, no –gritaba Tania en la salita–. No bebas, no bebas.

Y Arroba dijo un pareces tonta que me hirió por dentro. Me di cuenta en ese momento de que me empezaba a identificar contigo.

–¿Y qué quieres que haga para tragarse toda esa mierda y seguir hablando como si nada? –grité con tanto enfado que Arroba bajó la cabeza y volvió a su teléfono.

–Yo no vengo a defenderme, porque no tengo nada de lo que defenderme. Todo eso con lo que usted me ataca, más bien me estimula. Porque conmigo nada de eso va a volver a suceder. Nos vamos a quedar con lo valioso y vamos a desechar lo que no engrandece al país y sus ciudadanos. El señor Centeno es un ministro experto, valiente y responsable. ¿Cómo no iba a apostar por él?

Tenías ensayada la respuesta, la habíamos repetido cien veces en el autobús de camino. Tania me guiñó un ojo y yo le palmeé el muslo. Mostraste firmeza y luego parpadeaste de nuevo con esa manera de sonreír tan inocente que me hizo dudar si de verdad eras tan inocente como parecías. Tania recibió una llamada y la oí arreglar la cita con el fisio para tratar esa espalda que te estaba matando.

Hojeó la agenda para confirmarle que os veríais a las nueve de la mañana del día siguiente. Cuando colgó el teléfono me explicó que la espalda te molestaba especialmente en los momentos más tensos de cada jornada.

–Lo malo es que se enganche.

–¿El fisio le da pastillas? –pregunté yo.

–Le da algo más que pastillas. –Y se echó a reír–. Tiene unas manos muy habilidosas.

Tania se esmeró en una pose enigmática. Callaba algo que quería contar. Acosada por mi mirada se dejó ir.

–No cuentes nada, eh, pero creo que la otra vez Amelia le pidió que acabara el trabajo...

–¿Final feliz?

–Ya sabes, cuando te sube la oxitocina te agarras a la polla que tienes más cerca.

–Pero ¿Amelia haría algo así?

–Las mosquitas muertas son las peores.

No te imaginaba en medio de un polvo inesperado con un masajista venezolano, pero aquella información aumentó mi aprecio por ti. La mujer insatisfecha que logra escapar de su destino. Tania me explicó que el profesional en cuestión era un monumento y sentí el abatimiento de los gordos cuando alguien elogia los cuerpos esbeltos, algo así como cuando se habla de Bach delante de un acordeonista.

Si el maromo que ejerció de fisioterapeuta no solo te arregló las vértebras sino que te pegó un pollazo antológico, ahora comprendía las risitas picaruelas que intercambiabas con Tania cada vez que mencionabas tus dolores de espalda. Ella estaba en el secreto de confesión. Traté de sonsacarle más información sobre el fisio, pero se limitó a decirme que lo conocía de Venezuela, que allá trabajó en un hospital, que se habían reencontrado en Madrid en la avalancha de inmigrantes y que ella lo había ayudado muchísimo a hacerse con una clientela fija de ambos sexos, y recalcó tanto lo de ambos sexos que entendí que culminaba finales felices a demanda del masajeado.

–Pero ¿te lo ha contado Amelia o te lo ha contado él?

–Ay, todo lo quieres saber, Basilio.

–No, es que no me cuadra con Amelia.

–A lo mejor es porque ignoras demasiadas cosas de la vida sexual de Amelia.

Te sorprendería que mientras tú terminabas la entrevista, dos de tus más íntimos colaboradores intercambiáramos detalles de tu vida erótica. Pero ahí empecé a conocer ese rasgo de Tania, muy aficionada al doble juego y con destreza en el manejo de cotilleos. Fue en ese instante cuando se inclinó sobre mi oído y me contó otro detalle fundamental de tu vida matrimonial. Todos arrastramos algún secreto, claro. ¿Por qué ibas a ser tú diferente?

Pese al cansancio de una jornada tan prolongada volví a casa sin dejar de darle vueltas a lo poco que sabía de ti. Las pinceladas de Tania, a las que concedía una credibilidad limitada, servían para configurar algo más de tu retrato. Era evidente que yo trabajaba para una desconocida. ¿Qué sabía yo de ti, de tu intimidad? Y sin embargo te apreciaba, te espiaba en cada pose, en cada inflexión de tus discursos. Quería saber más de ti y en la noche silenciosa ni bebí ni leí ni solicité de Erlinda cualquier miserable servicio, sino que acabé en mi cama con la cabeza secuestrada por tu sombra. O quizá por mis propias sombras. Comenzaba nuestra última semana de campaña.

Tercera semana

Cuando considero los sistemas sociales que predominan en el mundo moderno, no puedo ver en ellos, sean cuales sean, más que una conspiración de los ricos.

TOMÁS MORO, *Utopía,* 1516

1. Madrid

Me desperté con tiempo de sobra para darme un baño y afeitarme a cuchilla bajo el agua hirviendo. El hipopótamo se regocijaba en la charca. Me puse algo de música escogida y acerté con la canción de Richard Hawley. Esta noche las calles son nuestras, claro que sí. Aún la canturreaba eufórico cuando Erlinda me recibió en la cocina con el desayuno listo y su tímida sonrisa. Hay mañanas en que uno es un emperador y mañanas en que es una cucaracha. ¿Acaso podía yo ser tan solo un animal si la música me emocionaba tanto?

Estábamos citados a las once de la mañana en la sede de Los Cuervos para ensayar el debate. Aunque bien temprano había contactado con la contable del partido, Pili Cañamero, y logré que me concediera audiencia media hora antes. Es importante, le anuncié.

Conocía su madriguera de las duras negociaciones previas a mi incorporación. ¿De dónde habrían sacado Los Cuervos a una profesional tan cruel e inescrutable? No puedes ir a fichar a alguien así al mercado, tienes que fabricarlo, seguro que había entrado en el partido de cargo adjunto bien jovencita y se había curtido en las tinieblas. Porque frente a la chulería engreída de Candi o de Junco, Caterpili Cañamero era eficaz y atemorizante como la mejor maquinaria industrial.

Quizá ahora sí pueda ya contarte cómo resolvimos el problema de mi salario en las primeras negociaciones. ¿Te acuerdas de que Pili Cañamero se mostraba inflexible? Mis exigencias económicas le parecían desmesuradas por un cargo de consejero externo. Tanto que los mandé a la mierda. ¿Recuerdas? Tuviste que llamarme a casa. Mañana lo arreglo, te lo prometo, me dijiste. Y esa fue tu primera muestra de determinación. Ellos tenían en nómina a cretinos dispuestos a escribirte chistes, discursos, bobadas. Pero tú me querías a mí. Y Pili Cañamero me volvió a citar en la sede y me propuso la fórmula mágica para pagarme la cantidad que yo había exigido.

–¿Sabes algo de la historia del ferrocarril en España?

–¿Cómo?

No tenía ni idea de a qué se refería con esa pregunta. Sonrió con sus desalineados dientes y me explicó que para cobrar bastaría con que redactara unos folios con una idea de documental televisivo sobre la historia del ferrocarril. Tenían un contacto en Renfe y ellos se encargarían de pagarme por ese trabajo ficticio lo que vendría a ser mi salario en campaña.

–Y si ganamos las elecciones, me dobláis el sueldo.

Hasta esa promesa le saqué en la negociación. Pero conocía su dureza y si se ablandó fue por tu insistencia en contar conmigo. Así que esa mañana no tenía esperanzas de encontrarme con alguien comprensivo y cordial. Caterpili Cañamero me juró que jamás trabajaba en domingo, así que confiaba en que lo que venía a comentarle resultara de interés. Yo le mencioné el reportaje que había publicado mi amigo Lolo Prados en *El Mal.* Hablaba de los tatuajes de cada candidato.[17]

–¿Lo has leído?

–Ya no saben qué inventar.

Pili Cañamero ni siquiera miró el ejemplar que le puse delante. Así que le señalé con el dedo la línea que podía interesarle. El Mastuerzo confesaba que cuando empezó a salir con su mujer, en el último curso de bachillerato, se tatuó su nombre en la pelvis.

–Ya ves que el tipo quiere presumir de maridito fiel. Con la misma mujer desde el instituto.

–Me alegro por ellos. ¿Y esto qué tiene que ver con fastidiar mi domingo?

Preferí no contestar, saqué mi móvil de uso privado y le mostré la foto que Luisa Paz me había mandado desde su cuenta bajo el nombre de Camila en la aplicación de ligues. Allí se veía el tatuaje y el escroto presionado por la mano de quien podría ser el Mastuerzo. Creí que la pornografía extraería alguna feminidad reprimida en Pili Cañamero, pero no la había.

–No, Basilio, no vamos a entrar en estas cosas. El juego sucio no es lo nuestro.

–Ni lo mío.

–¿Cómo te ha llegado? Esto huele a trampa.

–Lo sé.

Caterpili Cañamero, además de hosca y siniestra, era inteligente. Así que me permitió contarle las negociaciones que había sostenido con Luisa Paz y la última oferta que habíamos cruzado. A cambio de treinta mil euros, ella prometía enviarme una remesa de material incontestable que ilustraba las infidelidades y el deseo sexual indomable de nuestro rival en el centroderecha cristiano.

–¿Quieres comprarle material privado a una prostituta travesti?

–Transexual.

–Me pierdo en esas distinciones.

–Es igual, pero treinta mil euros me parecen una ganga por una información así.

–En España no funciona el chantaje sexual. Es más, se vuelve a favor de la víctima.

–Ese tipo es muy probable que sea vuestro socio de gobierno dentro de una semana.

Esto desperezó a Pili Cañamero, porque entendió que yo no le proponía una jugada desesperada de campaña, un giro siniestro de la trama en plena competición, sino un material para ser exprimido en el largo plazo, como se exprimen las virtudes lentas de un alimento en la alta cocina.

–Mi idea no es comprarle el material, sino algo más ambicioso.

–¿Ah, sí?

–Tan solo necesito un respaldo económico para ponerlo en marcha.

No era tan estúpido como para negociar con un chantajista. Prefería dejar el asunto en manos del Tano Allegri y que él gestionara el material cuando llegara el momento.

–Cuenta con ello.

La sonrisa de Pili Cañamero equivalía a una concesión. No dio tiempo a festejarlo. La puerta se abrió y entró un joven de la cantera al que no conocía y que Cañamero me presentó como su ayudante.

–No sé si conoces a Alejandro. Trabaja conmigo. Es el novio de Carlota.

Lo saludé. Era la primera noticia de que Carlota tuviera pareja. El muchacho era hermoso, con una mirada soberbia y sobre todo una quijada de galán. Era de esos hombres que sostienen el mundo con la mandíbula. Pero si además se había colocado como mano derecha de Caterpili Cañamero, que era la diosa contable de Los Cuervos, me hacía pensar que Carlota tenía sus propios planes de crecimiento, más allá incluso de ti.

Tú llegaste con algo de retraso. Efectivamente, parecías relajada y con un sosiego distinto al de otros días. Quise adivinar en tus ojos tristes la alegría enorme del orgasmo. Tania bajó los ojos cuando me oyó preguntarte por tu espalda tras el masaje. Poco después, Candi se dignó a salir de su despacho. Contigo fue cordial, pero al saludarte ya no te tomó del codo con la otra mano como hacía siempre. En la reunión, el primero en hacerse con la palabra fue un plomizo Lázaro Abad, que junto a los asesores económicos te dio una lata que asumiste impávida. El ministrable te traía apuntados los datos principales para el debate. Te trató como a una hijita iletrada, pero tú no te rebelaste en contra. Por fortuna, Candi le interrumpió de manera brusca.

–Ha llegado el momento que esperábamos.

Candi nos invitó a ver la televisión en su despacho. Se habían interrumpido los programas de ese domingo para conectar con el aeropuerto militar de Torrejón a las doce en punto del mediodía. Del avión descendieron algunos policías y tras ellos la joven Marina Lemos acompañada por Genaro Centeno en su versión más paternal. Bajó la escalerilla con ella. La muchacha tenía dificultades para sostenerse en pie, aunque estaba aseada. Extremadamente delgada, fue recibida por sus padres y dos hermanos a pie de pista y las lágrimas desbordaron a todos a su alrededor. Me pareció hasta ver llorar a Genaro. Candi estuvo a punto de aplaudir cuando a la locutora de la televisión se le quebró la voz por la emoción. Mis queridos niños iban a apreciar en lo que valía ese acto de heroísmo consistente en traer de vuelta a casa a la hija descarriada. Todos eran ciudadanos orgullosos de la República Mundial de los Buenos Sentimientos.

Carlota no quiso que nos durmiéramos en los laureles. Ella misma usó esa expresión caduca. Había vuelto a organizar con varios colaboradores un ensayo en tiempo real del debate previsto. Luego volveríamos a revisar la grabación con Candi y Lautaro y el equipo de análisis que surtía de datos a Arroba. Eso nos ocupó lo que tendría que haber sido la hora de comer. Degustamos la peor versión posible del pan blando, la mayonesa sospechosa y el jamón elástico.

Tú partías con una desventaja clara en los debates. Tus cuatro rivales eran productos televisivos. Todos ellos habían trepado en sus organizaciones gracias a participaciones habituales en programas. Para mis queridos niños ya no hay un mundo fuera de la pantalla, lo que no sucede allí no sucede. Todos ellos tenían labia, presencia y en el caso del Santo y el general Cojo incluso una carrera detrás que les permitió llegar a la política tras triunfar en las tertulias bajo el papel de alternativas radicales. Tú eras una analfabeta televisiva, por más cursillos que hubieras recibido de un par de memos del partido. Así que había que trabajar contigo para hacerte brillar gracias a esa distinción. Tú no eras televisiva, pues mejor. Podías encarnar el consejo de Aristóteles a Alejandro: intenta llegar a ser lo que quieres parecer.

Los elegidos para interpretar a tus rivales en esta ocasión eran dos creativos de Los Blanditos a los que Lautaro había preparado para la representación y una joven promesa de Los Cuervos que ejercía de secretaria de Candi en la sede. Afilamos tus colmillos. Carlota se había empeñado en que yo interpretara al general Cojo, por más que ese tipo me parecía el candidato con menos interés.

–Pero es el que nos hizo más daño en el primer debate. Amelia tiene que aprender a defenderse de sus ataques. Y no conozco a nadie más malo que tú en nuestro equipo.

–¿Supongo que lo de malo lo utilizas como elogio?

–Por supuesto, Basilio.

Me pareció el momento adecuado para compartir con todos las informaciones médicas que Beatriz me había pasado referentes al general Cojo. Después de consultar los archivos, sabíamos que sufría una leucemia y pronto le resultaría imposible ocultar el tratamiento. ¿Debíamos utilizar algo así? Todos bajaron la cabeza, entre dudas. Carlota fue la más práctica.

–No nos manchemos las manos con esa basura. Lo mejor es filtrarlo a la prensa y que ellos hagan correr la voz.

Volvimos a centrarnos en el debate. Te insistí en dos claves. La primera era que obligaras a los rivales a responderte con un sí o un no a ciertas preguntas concretas que ibas a plantearles. No podías dejarles escapar, ¿sí o no? Responder les comprometería en asuntos donde la Cachorra, por ejemplo, era ambigua y débil. Había llorado el día anterior durante un discurso y eso le había ayudado a trepar en las encuestas, pero a su emocionalidad le replicaríamos con bastonazos que le secaran el lacrimal.

La segunda clave, al estar el debate organizado en bloques temáticos, consistía en utilizar tu primera intervención de cada nuevo bloque para cerrar tu razonamiento sobre el anterior. De esa manera, siempre tendrías la última palabra sobre cualquier asunto.

Me preparé mis intervenciones con maña. Mientras interpretaba a tu rival, te descalifiqué por todos los flancos débiles que habías mostrado en campaña. Te saqué los colores dos veces, incluso te irritaste cuando te dije que irte a hacer fotos con muertos en un accidente era el colmo de la indecencia en campaña. Me miraste con ojos profundos y tuve que aclararte que era algo que tus rivales podían echarte en cara. Carlota detuvo ahí el ensayo y nos empeñamos unos minutos en tratar de escribirte una respuesta contundente. Tuvo su efecto, porque a la noche, como era previsible, la Cachorra te lanzó el reproche por ese asunto, por aquel abrazo bajo la lluvia a la niña huérfana.

–Creo que los espectadores vieron con claridad cuál fue mi papel en esa terrible escena. Tratar de no interrumpir a quienes cumplían con su labor y ofrecer algo de consuelo y calor a una niña que había perdido en el accidente a toda su familia. Si eso les parece oportunista, ahí me tienen, voy a estar en esa oportunidad siempre que pueda, porque la gente nos necesita, no quiere que solo seamos máquinas de recolectar votos en debates como este, tan innecesarios y previsibles.

Luego incidiste en dos ocasiones más sobre la poca utilidad práctica de una discusión como aquella entre los cinco candidatos. Noté la cara de pasmo del general Cojo, el Mastuerzo, la Cachorra y el Santo, que no sabían qué decir frente a tus comentarios contra el formato y el programa. Yo os había convencido de que un buen viraje era adoptar la actitud de crítica contra el debate mismo. Al consultar los datos de Arroba me llamó la atención que siempre que terminaba un evento así, se multiplicaba la crítica popular. A ningún espectador le saciaba el formato. No ha servido para nada, no se escuchan, cada cual suelta su rollo.

–Pongámonos a favor de mis queridos niños –os dije–. Seamos nosotros los que critiquemos el debate desde el minuto uno. De esta manera quedamos por encima de los demás rivales.

Y la estrategia funcionó, porque dejaste de ser atacada por todos a causa de tu pertenencia al gobierno más corrupto de la historia de la democracia, como llamaban de manera rimbombante a la legislatura del saqueo, y pasaste a ser quien llevaba la voz más indócil del debate. Un perfecto cambio de oscilación. Hasta Carlota confesó que había sido una decisión inteligente.

Te pasaste medio debate diciendo que el debate era inútil, que preferías estar en la calle, en los problemas reales de la gente. Criticaste el formato, la tirantez, los límites, pese a que Carlota había estado en la negociación en la que cada partido se partía la cara por imponer sus exigencias. Dijiste que eso no le servía a la gente y que se había transformado en un conjunto de monólogos hueros y sin relevancia.

–Estamos haciendo perder el tiempo a la gente.

En el minuto final lo retorciste aún más, cosa que fue muy alabada por dos o tres articulistas al día siguiente.

–Siento que hayan tenido que asistir a este espectáculo vacío, aburrido e inútil. Yo prefiero acercarme a ustedes sin pasar por este trámite. Pero no se preocupen, yo sigo trabajando, llevo semanas recorriendo España. Hace unas horas, alguien que formará parte de mi próximo gobierno ha conseguido hacer feliz a una familia, al reunir de nuevo a una hija con sus padres. Ese va a ser mi trabajo a jornada completa. Aún quedan días, acérquense a mí, vengan a verme, cuéntenme sus problemas y trataremos de encontrarles solución en la próxima legislatura.

Fue un ejercicio de trampantojo singular. Estábamos en un sitio sin querer estar en él. Pero eso definía tu posición desde el primer día. Yo no pertenezco a esto, yo vengo de otro lado, de vuestro lado, queridos niños. Todo esto me supera y me abruma, pero sobre todo me irrita y me aburre. Lo bueno es que fuiste capaz de decirlo con simpatía y solo hubo un instante tétrico, cuando la presentadora se enfrentó a ti y te pidió que cesaras en tus comentarios.

–No creo que criticar el debate sea lo que esperan los espectadores de los candidatos.

Era una veterana de la casa, a la que por su pelo rubio ensortijado se la conocía como la Oveja. Te descolocó un poco que se defendiera con esa agresividad. Repitió que el debate era una exigencia en beneficio de todos los votantes.

–Es usted la que se presenta a las elecciones, permítame que le diga.

–Gracias por recordármelo, pero no hacía falta.

Creo que tú misma notaste que el comentario sonó tan petulante que podía volverse en tu contra. Por eso luego llamaste a la Oveja tres veces por su nombre de pila y le agradeciste en antena el intento por moderar lo inmoderado.

–Usted hace muy bien su trabajo, pero me reconocerá que estos debates están tan negociados con los partidos que han perdido espontaneidad y verdad. ¿No lo piensa usted también? ¿No lo han denunciado así desde el Consejo de Informativos?

La Oveja respondió con una sonrisa y dijo que ella no estaba esa noche en el papel de responder a las preguntas, pero era cierto que desde el Consejo de Informativos se cargaba duramente contra las condiciones que imponían los partidos y el mero hecho de que el seguimiento diario de la campaña tuviera que graduarse en el orden y el minutaje que marcaba la Junta Electoral. Con esa intervención, de alguna manera, compensabas el horror anterior. Los alemanes que inventaron el cine llamaban a los actores sobreactuados envenenadores de pozos, por esa manía del lucimiento propio para arruinar el agua de la que todos beben. Aquella noche nos tocó ejercer esa función, envenenar el pozo para que nadie pudiera beber de él.

Incluso tuviste arrojo para acallar al general Cojo en la única ocasión en que te atacó directamente. Estaba crecido tras lograr las firmas de apoyo de más de cincuenta altos mandos militares en la reserva. Te acusó de saltar a la política por oscuras amistades y pocos méritos y tú improvisaste una respuesta muy tuya.

–Recuerde lo que decía Pericles. A un general no le basta con tener las manos limpias, también tiene que tener la mirada limpia. Y me parece que a usted eso es lo que le falta para ser un buen profesional.

El tipo se tomó el comentario como un insulto personal y perdió los estribos. Visto por televisión, le hizo mucho daño el modo en que se le hinchó la vena del cuello y comenzó a sudar copiosamente y a arrojar babas iracundas contra el atril. Según Arroba, el sudor en un debate, ya le pasó a Nixon frente a Kennedy, es determinante en la derrota. De las babas y escupitajos nunca se ha dicho nada. Lo peor para él fue que dos días después, en unos breves de prensa, comenzó a especularse con la enfermedad que padecía. Nada desbravaba más su afán de autoritarismo que una salud frágil.

Al terminar el debate aún había que conceder por turnos una pequeña rueda de prensa a los medios convocados. El típico bucle televisivo, donde se comenta lo visto para dárselo masticado a mis queridos niños. Se me hacía insufrible, y más bajo la estúpida prohibición de la televisión estatal de negarnos el alcohol en los camerinos. Así que logré que una azafata me indicara un pasillo lejano donde había una máquina expendedora con cervezas de las buenas. Estaba al fondo de una redacción a esa hora vacía. Saqué tres latas de cerveza y me las bebí una detrás de otra. Oí a mi espalda un ruido peculiar y extraño y traté de disimular.

Me volví a mirar y vi que se acercaba un tipo en silla de ruedas de esas supermecanizadas al modo de un bólido. Aceleró por el pasillo como si quisiera asombrarme de su velocidad.

–Yo también necesito un trago de alcohol verdadero.

Me lo dijo y me tendió sus monedas. Caí en la cuenta de que desde la silla le era complicado alcanzar la ranura del dinero en lo alto de la máquina. Sopesé la posibilidad de dejarle allí tirado, a ver si acertaba lanzando la monedita a la ranura. Pero fui bueno y le saqué su latita de cerveza como mi obra social del mes.

–Gracias, Basilio, tú y yo nos conocemos, ¿sabes?

–¿En serio?

Me explicó que ahora trabajaba para el Santo, pero que antes tenía una empresa de posicionamiento en la red.

–Sólido y Veloz.

Así se llamaba la empresa, y recordé perfectamente que recurrimos a ella al poco de nacer *La Causa Popular*. Se dedicaban a comprar y simular lectores y tráfico en la página, nos multiplicaban los seguidores, toda esa faramalla, por un módico precio mensual.

–Ah, sí, claro. Pero ¿no nos conocíamos en persona?

–No, en persona no, soy Juan Veloz.

–He oído hablar muy bien de ti.

–¿De verdad?

–Le has llevado una campaña digital estupenda al Santo.

–¿El Santo?

–Yo lo llamo así porque va un poquito en olor de santidad, ¿no te parece?

Juan Veloz se echó a reír y ahí dejó salir al ratón que llevaba dentro. Volteamos juntos hacia la zona de camerinos. No tuvo paciencia para regresar a mi paso lento de gordo bamboleante, así que aceleró con su silla y se largó a toda velocidad para humillarme. Me despidió como se despediría a un tonto en esas circunstancias.

–Que gane el mejor.

Supe después que cuando tenía dieciocho, con el dineral que ganó gracias a una aplicación para piratear música en la red, se compró una moto de alta cilindrada y el primer día que se subió a ella se estampó contra el quitamiedos en los altos de la Cruz Verde. Después de una larga estancia en rehabilitación regresó ya en silla de ruedas a una vida de éxitos, se convirtió en un virtuoso de la mediación digital y se cambió el nombre de Juan Fernández por el de Juan Veloz.

Cuando abandonamos las instalaciones de Prado del Rey, entre nosotros no había euforia, ni tampoco se renovó la invitación a la casa de Candi de la ocasión anterior. Las relaciones se habían tensado, pese a que los datos nos sonreían. La victoria separa más que la derrota. Así que nos fuimos al reservado de un local en la Castellana, donde nos trajeron bandejitas de almendras y queso y Carlota nos transmitía los mensajes más destacados del mundo exterior. Se nos juntó el momio de tu marido, pero en lugar de hacerte caso anduvo dando la murga a Tania con la historia remota de los conquistadores españoles al llegar a Venezuela. Supongo que, para tu marido, reproducir la llegada de Colón por las bocas del Orinoco y la toma de la región era lo más parecido a culminar una penosa reconquista viriloide. No le culpo. Lo bueno es que ese interés de tu marido por Tania nos dejó más espacio para hablar entre nosotros aquella noche. Alabaste el giro del debate y lo fácil que te había resultado comportarte como la malvada del quinteto de invitados.

–Te felicito por tu planteamiento, Basilio.

–Ser malo es fotogénico –te dije–. Se roba la función. Hace años que a los niños les seduce más el Joker que Batman.

–No lo había pensado nunca.

–Los demás rivales hacían esfuerzos de bondad, que son poco atractivos. El que zapatea sobre los charcos es el que atrae las miradas.

–¿Me he convertido en malvada gracias a ti?

–Solo un poquito más mala de lo que ya eras.

Sonreíste y me señalaste que nos quedaba la recta final. Creí ver en tus ojos un brillo de alegría por el hecho de que aquello acabaría pronto.

–Si tienes valor, aún puedes llegar más lejos –te reté.

–¿Más lejos? ¿Tienes algún plan?

–Algo tengo. Ya sabes que los estadounidenses llaman *October surprise* a la bomba reservada para la última semana de campaña.

Me encogí de hombros y ahí lo dejamos por esa noche.

Aún me quedaba reunirme con el Tano Allegri y dejar en sus manos las gestiones con Luisa Paz sobre las intimidades del Mastuerzo. Conocía un bar que frecuentaba en la noche. Lo llevaba otro argentino al que me bastó saludar para que activara sus antenas. Veinte minutos después, el Tano Allegri apareció por allí y se sentó en mi mesita.

–Ya veo que te has tomado en serio lo de ayudar a la candidata.

–No creas –le corregí–. Ahora me preocupo más por garantizarle un futuro tranquilo.

–En política la tranquilidad no existe. En eso se parece a la Fórmula 1. Conocí a un piloto que decía: si nadie está tratando de adelantarte, preocúpate. Quizá es que vas el último.

2. Canarias

Volamos a Las Palmas y a las diez de la mañana volvieron a ser las nueve, con esa mágica escala horaria. Tania y yo nos repartimos una cafetera completa. Nadie sabía muy bien a esas alturas si era necesario el esfuerzo de viajar a las islas, pero resultó agotador, también para los periodistas que se habían incorporado al viaje, ya familiarizados con nuestro ritmo. Salimos a la carrera hacia un acto y nada más terminar volvimos al aeropuerto para tomar un avión ligero para desplazarnos a Tenerife. Al subir, el piloto hizo bromas con mi gordura. Me obligó a sentarme junto a su cabinita para compensar la aerodinámica. La butaquita era tan pequeña que me rebosaban los glúteos.

–Dentro de poco nos prohibirán volar a los obesos –le dije–, lo estoy viendo.

–Bueno, es que estar gordo es un abuso. En eso estarás de acuerdo conmigo...

–Nunca discuto con un piloto mientras el avión está en el aire.

No pude trabajar durante el vuelo por culpa del zumbido constante de las hélices. En la pista nos esperaba un minibús que olía a salitre y pie sudado de turista. Nos llevó hasta el hotel en un silencio de funeral. Eché de menos a Rómulo y sus silbidos, porque uno se acostumbra a su torturador habitual frente a los nuevos métodos.

Por la ventana de mi habitación, que no era ventana pues no podía abrirse, se veía el mar apaciguado a aquella hora y de pronto me invadió una triste soledad. Nunca te lo he confesado, pero en ocasiones me arrastraba esa terca sensación de agonía, que me traía los pensamientos más oscuros. La ventana que no se abre se inventó al fin y al cabo para frenar a mis queridos niños en su tentación de tirarse al vacío. La vida carecía de sentido y saberlo me atosigaba como a cualquier vecino de un callejón sin salida. Tenía un discurso que preparar para esa jornada. No quería pensar, no quería existir.

En instantes así lo único que apacigua a la fiera es el alcohol duro. No tenía mi caja de reserva del autobús y el mueble bar incluía dos botellitas del peor whisky nacional. En el informe que me hacían llegar de la sede estaban destacadas las medidas para costear los viajes peninsulares de los residentes isleños y algunas ventajas fiscales más que me resultaban monótonas e imposibles de presentar con alguna brillantez dialéctica. Tú habías añadido una nota manuscrita: «La escuela de Confucio en China maneja un concepto que me gusta mucho. Lo llaman *youguo youmin.* Significa la obligación de ocuparse por tu nación y por su gente. Me gustaría mencionarlo en algún momento.»

De verdad que me sorprendía tu entusiasmo. Aún no te consolabas con entregarte a la rutina de la campaña y pretendías decir algo nuevo. Tuve ganas de ir a tu cuarto y rogarte que me liberaras del trabajo. ¿Qué hacía yo allí? Había equivocado mi vida, me había devorado el personaje, quizá hubiera sido mejor que años atrás aceptara el puesto de jefe de prensa que me llegó a ofrecer un cargo en Los Cuervos, cuando les había servido con fidelidad en un último apaño. Recuerdo que mi colega Jacinto lo aceptó y se acostumbró al puente aéreo con Bruselas y la cómoda función de portavoz de un alto cargo. Después de dos legislaturas ya ni se acordaba de su pasado de periodista y hablaba pestes de nosotros cuando en esa contradicción sobre la que se funda el periodismo éramos capaces de morder la mano que nos da de comer. Enganchado como estaba a la cocaína y el subidón de la influencia en redes sociales, desarrolló la consecuente paranoia. Una noche me llamó para insultarme, convencido de que dedicaba mis horas a hundir su reputación.

–Jacinto, perdona, son las tres de la mañana y tu reputación no necesita que nadie la hunda. La hundiste tú solo hace dos décadas.

–Voy a matarte, juro, Basilio, que voy a arrancarte el corazón con mis propias manos y mearé en el agujero.

El pobre Jacinto terminó su carrera de manera aparatosa. Un día colgó fotos con una prostituta en una noche de desenfreno en Bruselas. El mensaje iba dirigido a un amigo, pero acabó publicado en las redes. Presumía incluso de haber logrado una rebaja en el precio de los servicios de la mujer tras un regateo habilidoso. Sus antiguos compañeros no tuvimos otra opción que machacar su carrera política y asistir al derrumbe impávidos. ¿Qué podía esperar de nosotros? ¿Piedad?

En Las Palmas habíamos visitado una barriada que fue arrasada por las tormentas del otoño, cada año más salvajes y descontroladas. Aún quedaban embarradas edificaciones dañadas, las aceras levantadas y las señalizaciones quebradas. El paseo por el asfalto aún sucio de barro fue largo y nos acompañaban los sherpas del partido y los responsables de dos asociaciones de comerciantes turísticos, que reclamaban ayudas, subsidios. Tú también habías pasado mala noche, me confesarías después, cuando viniste a preguntarme por qué me mostraba tan serio.

Para Tenerife teníamos otro plan. Desde la sede de Los Cuervos nos habían preparado un golpe de efecto. Teníamos que visitar la mansión de un director teatral que vivía retirado en su oasis de paz y lujo. Había sido despedido años atrás después de décadas al frente del Teatro Nacional. Su salario había resultado escandaloso en la época de los recortes, cuando la crisis fue acuciante y habíamos vivido un periodo de virtud espartana en el que los políticos renunciaban al coche oficial y se bajaban el salario y estaban obligados a gozar de los privilegios de su estatus a escondidas. Hasta el salario del presidente del gobierno era más bajo que el de la mayoría de los subsecretarios ministeriales gracias a ese camino de perfección estúpido y forzado para contentar a mis queridos niños.

El despido y el aireado vergonzante de su nómina le habían sentado tan mal al gran tótem teatral Claudio Cruz que para preservar su prestigio decidió retirarse, dolido y digno. Canarias fue su exilio elegido e incluso había escrito unas memorias que publicó con el grotesco título de *Yo, Claudio.*[18] Se relamía las heridas. Su ostracismo era el típico rencor voceado a los cuatro vientos. Nada es más odioso que un mutis ruidoso. No era raro que se dejara seducir por Candi. Según Carlota, presentarlo aquella mañana como nuestro hombre de la cultura prestigiaría tu candidatura.

Fuimos a casa de Yo Claudio en dos coches, pero él pidió reunirse a solas contigo y nos quedamos a la espera en el jardín frondoso. Una criada nos sirvió zumos y galletitas de jengibre. Carlota y Arroba no frenaban su actividad, pero Tania y yo nos acercamos hasta la piscina de azulejos negros y apreciamos la estampa colonial. El director de escena era uno de los culpables de mi abandono radical del teatro. Vi un montaje suyo elogiadísimo de *Hamlet* donde corregía a Shakespeare y otro de Chéjov donde reescribía al ruso, como quien va al Prado a repintar los cuadros de Goya sobre la misma tela. Me dije que había llegado la hora de abandonar las plateas.

Entendía el fichaje de Yo Claudio como una muesca en tu cartel electoral. Como sucedía siempre, la laguna cultural y artística de Los Cuervos era notoria. Apenas contaban con el apoyo confesado en público de una corista ajada, dos productores de cine comercial y un actor popularísimo de teatro de bulevar al que pensábamos utilizar como maestro de ceremonias en el cierre de campaña hasta que recibió varias acusaciones de abuso sexual por parte de partenaires femeninas y, aunque él se defendía como un tigre fiero, nosotros lo dejamos tirado como a un erizo atropellado en la carretera.

Tania percibió mi mal humor y probó a alegrarme el día.

–Si te portas bien, esta noche te invito a mi habitación.

De pronto, el sol salió entre las brumas persistentes.

El acuerdo con Yo Claudio venía ya pactado en la distancia según nos había dicho Carlota. Pero la cosa se alargó y, antes de volver a salir como una rehén liberada de un comando cruel de yihadistas, enviaste un mensaje a Carlota con un emoticono del dedo pulgar hacia arriba. Eso significaba que podíamos llamar a la agencia de noticias que expandiría la buena nueva. Cuando llegaron la reportera y sus colaboradores Yo Claudio posó junto a Tú Amelia para las cámaras.

–Me ha ilusionado la propuesta y creo que aún puedo aportar muchas cosas al mundo cultural de mi país –vino a decir el director sin atisbo de humildad.

Por si era poco echó mano de una frase manida, de esas que por usarla uno debería dejar en la mesa veinte euros:

–No estoy en la hora de preguntarme qué puede hacer el teatro español por mí, sino qué puedo hacer yo por el teatro español.

Hubiera vomitado entre los matorrales de su mansión, pero tenía el estómago vacío. Cuando nos despedíamos, Yo Claudio me dijo que había leído alguno de mis libros y también, con su coquetería indisimulada, se extrañó de lo gordo que me había puesto.

–No me he puesto, soy así.

Y al reír mostró un implante dentario cuya hora de amortizar había llegado. No preguntes qué puede hacer una buena dentadura por ti, sino qué puedes hacer tú para tener una buena dentadura.

Los cálculos de Candi no iban mal encaminados, pues el eco mediático fue notable y horas después sentíamos fortalecido nuestro flanco más débil con ese fichaje. Íbamos a ordeñar a una vaca sagrada. Arroba no había sacado aún consecuencias sociológicas del asunto, pero yo ya había echado el agua fría sobre el entusiasmo general.

–A mis queridos niños el mundo del teatro y el arte en general les suda la maroma, puesto que no se encuentran entre sus prioridades. No sueñan con que los políticos les resuelvan su vida espiritual, se conforman con que no les jodan definitivamente su existencia terrenal.

–Danos una tregua, Basilio.

Fuimos a la emisora local de la televisión. En los camerinos, vi cómo te cambiabas la blusa de seda, sudada por la tensión de la reunión anterior. Aitana Banana se había quedado en Madrid para ahorrar en este viaje, pero Tania tenía que enviarle una foto tuya conjuntada para que ella diera su aprobación. No pude evitar asomarme a tus pechos cubiertos por un sujetador dorado y tu espalda blanca mientras te cambiabas. ¿Por qué nos enamora siempre lo imposible?

Una periodista cantarina te entrevistó en el programa de mediodía. Ponía de buen humor escucharla. Hubo un momento de crisis durante la entrevista, cuando te preguntó qué conocías de las islas y confesaste, para nuestro pasmo, que era la primera vez que las pisabas. De pronto, la mirada de Carlota se torció y coincidió con la mía. ¿Cómo podías dar muestra de tamaña falta de habilidad? La presentadora se fingió espantada.

–Pero ¿ni Lanzarote, ni Fuerteventura, ni por unas míseras vacaciones ha venido usted antes?

–Pues no.

Ya comenzabas a darte cuenta de que habías metido la pata de manera inocente pero notable. El orgullito de mis queridos niños es herido por esos agravios regionales. Tuviste, eso sí, los reflejos para añadir que si eras elegida presidenta pasarías tus primeras vacaciones de Navidad en la isla.

–Es una promesa –te retó la presentadora.

Te comprometiste, pero el daño ya estaba hecho. Una mujer de más de sesenta que jamás había pisado las Canarias solo podía evidenciar el desprecio godo más elocuente. Te pasaste el resto del día, sobre todo tras el rapapolvo de Carlota, tratando de compensar la confesión inocente. Qué bonito es todo, qué rica la comida, qué clima tan perfecto, pese a que nos llevaran a una de las barriadas más feas que había visto nunca, nos dieran de comer de manera penosa en un cóctel sin sillas y nos tuviéramos que proteger de una nube de arena que estuvo a punto de arruinar nuestro acto en una placita.

Tania era una enamorada del lugar, sostenía que era lo más parecido a su tierra que había encontrado en España y que pasaba largas temporadas en Tenerife cuando el trabajo escaseaba.

–Tengo familia por acá –nos dijo.

Y yo me di cuenta de que jamás me había interesado por sus detalles personales, ni siquiera sabía si había dejado a sus padres en Venezuela o estaba casada. Ese era el grado de obsesión con el que vivíamos en aquellos días, esclavos del presente más exigente, sin capacidad para relacionarnos de otra manera que no fuera remar hacia delante. Ni estuve inspirado ni pude escribir nada reseñable para los actos, tiramos de frases reutilizadas. La idea de acabar en la cama con Tania iluminaba mi oscura cabeza, pero también me alejaba de otros intereses. Durante el acto de mediodía, los de seguridad tuvieron que acallar a dos activistas que saltaron a escena para interrumpirte. No llegaron a desplegar la pancarta, pero se entendía el motivo de su enfado. Te acusaban de representar a la oligarquía ladrona. Te vi en tensión, quizá recordabas el incidente original en la facultad, cuando todo empezó para ti en el mundo de la política, y temías recibir un castigo aún mayor contra tu persona. Luego retomaste la palabra, pero no supiste hacer un chiste ni salir del paso. Cualquier forma de violencia te paralizaba.

Arroba celebró el incidente, pero le inquietaba la oleada de sorpresa e indignación en redes que había desatado tu confesión de que jamás habías estado en las islas. Se repartían muy caros los ocho diputados en la circunscripción, con rivales conservadores de origen local que explotaban su cercanía, su acento, su apego al terruño. Desde sus cuentas falsas nos abrumaban con mensajes críticos. De manera machacona repetían que habías venido solo para pedir el voto, que despreciabas las islas. Yo, que lo que quería era liberarme de la faena, tuve una idea endemoniada. Se podía alquilar un helicóptero esa tarde y filmarte descubriendo desde el aire las maravillas del lugar, quizá con alguna parada estratégica en la islita más preciosa. A mí mismo me sonó todo a artificial y ventajista, pero esa corrección al modo Disney podría gustar a mis queridos niños. El entusiasmo de Arroba fue tal que Tania localizó a unos touroperadores que por la publicidad añadida se ofrecían a hacerte la gira gratis de inmediato.

Movilizamos a todos los implicados, coordinamos las estaciones con la prensa y, una vez más, mi peso jugó a favor. Yo sería el único de la comitiva que me quedaría en tierra. Aitana Banana desde Madrid te había ordenado vestir una falda larga llena de color, que se abría a todo lo largo con un gracioso pliegue. Arroba y Tania tendrían que acompañarte junto a la delegada de turismo del cabildo, que era una tipa servil que se plegaba a los caprichos del partido como un espagueti al agua hirviendo.

Carlota se descolgó del paseo aéreo al atardecer. Dijo que tenía mil cosas que hacer y de pronto mi paranoia se disparó. No me preguntes por qué, pero de pronto pensé, te lo confieso ahora, que todo respondía a una conspiración planeada fríamente por Carlota. Tu helicóptero se caería entre llamas, todos moriríais, y ella te sustituiría como la candidata natural del partido. Era el plan perfecto. Ahora cobraba sentido que alguien como tú hubiera ascendido a la cúpula de Los Cuervos, el grado de improvisación, tu falta de pericia, tu aparente nula ambición premiada con ese liderazgo inexplicable. Claro, ese era el plan. Matarte en el clímax de campaña y que los votantes se volcaran con la heredera. A mis queridos niños nada les gusta más que llorar a un muerto. En la política, ya lo hablamos, cuando mueres te conceden todo aquello que te negaron en vida. El respeto, la admiración, el reconocimiento y la concordia entre rivales. Qué oficio de mierda. El salto a la política lo llaman, cuando alguien se aventura en ello, pero es un rito de paso al lado oscuro, entrar en la bañera de pirañas. No, no se puede salir vivo.

Lo extraño es que no me pusiera a gritar. Que no impidiera con todas mis fuerzas que tú y Tania partierais hacia el aeródromo. Hasta me habría apenado la muerte de Arroba, había tomado cariño a su ciencia nueva. No lo interpretes como una desatención. Formaba parte de mi escasa intervención en los designios del destino. Aprendí de bien joven que lo que tiene que suceder sucederá. Y la flecha que ha partido pronto encontrará su diana.

Sin embargo, te lo confieso, no respiré tranquilo hasta que vi el informativo de esa noche. Salías dentro del helicóptero siguiendo el dedo indicador de la jefa de turismo. En todas las escenas se te veía fuera de lugar, desbordada. ¿Acaso tú también pensaste en una muerte posible, orquestada por los que manejan el hilo del destino? Lo mejor es que al bajar en una de las paradas de tu gira turística de urgencia, creo que fue en El Hierro, gracias a una ráfaga de las hélices mostraste por primera vez a tus votantes unos muslos poderosos, de un blanco virginal.

Me sacudí la borrachera para estar puntual a medianoche en la puerta de la habitación de Tania en el hotel. Me había costado media hora encontrar cómo funcionaba el grifo de la ducha y cuando lo logré la temperatura oscilaba a su antojo, con lo que me quemé los huevos y un instante después los rocié con agua helada. Iba a ponerme a dar gritos, pero recordé que el cambio de temperatura sobre los genitales ayuda a multiplicar los espermatozoides. Eso me consoló. El caso es que llegué con el pelo mojado, las pelotas en carne viva y la ropa arrugada hasta la puerta de la habitación de Tania justo cuando era la medianoche acordada.

–¿Recién duchado? –me preguntó ella.

–Qué menos –respondí yo.

Me hizo pasar y, cuando quise atraparla para besarla, me sujetó por los brazos y me retuvo distante.

–Vamos a hacer las cosas a mi manera, ¿de acuerdo?

Asentí, pero solo después me di cuenta de lo que eso significaba. Me ofreció algo de beber y ella se sirvió también del frigorífico un refresco sin alcohol.

–Tengo que estar lúcida para dar lo mejor de mí –anunció.

No quise meter prisa, ni recordarle que a las siete de la mañana venían a recogernos para volar a la península. Me hizo sentar sobre la cama y, mientras nos tomábamos a traguitos la bebida elegida, me quitó los zapatos y los calcetines. Lo hizo con atención, pero sin sensualidad. Me resultó más parecido a la empleada de una zapatería que a la mujer que iba a lamerme entero. Luego me desabotonó la camisa, muy lentamente. Las yemas de sus dedos apenas me rozaban la piel, pero experimenté una subida de la circulación sanguínea concentrada en la punta de mi polla. Allá donde arrancaban y terminaban la mayoría de los problemas de la humanidad.

Me vi indigno con las lorzas al aire, con el estúpido cinturón aún abrochado que contribuía a formar un doblez de mi barriga que no podía resultar demasiado excitante para nadie. A Tania le sonó el móvil. Contestó con monosílabos y salió del cuarto un instante después.

–Ahora vuelvo –me dijo.

Pensé por un momento que ahí empezaba la broma. Se iba del cuarto y no regresaba, yo me quedaba allí hecho un botarate o aparecían tres enanos con vergas enormes y me sodomizaban largo rato. Ella se burlaría de mí hasta que terminara la campaña, no sabéis la broma que le gasté a Basi en Canarias. Me la imaginaba narrándote la cara que se me quedó al dejarme allí plantado en su cama y a ti riéndote a carcajada de la desventura de un idiota humillado por su deseo, tragedia bien habitual.

Si tardaba demasiado iba a ponerme nervioso de verdad. Al mirarme la tripa pensé que sería buena idea terminar de desvestirme por mí mismo. Pese a que desnudarse a solas mientras esperas a una mujer es un signo de ansiedad desaconsejable, me saqué el pantalón. Luego también los calzoncillos. Era demasiado estúpido recibirla con ellos puestos, habría parecido un luchador de sumo tímido.

Arranqué la ropa de su cama y me metí dentro. Al fin y al cabo la sábana es el mejor amigo del hombre feo. No tardó en abrirse la puerta y Tania entró con otra persona. Me tensé. Ella se rió al verme metido en la cama y me presentó a su acompañante, Yaiza. Una amiga de la isla que según Tania sería una aportación perfecta para pasar una noche maravillosa. No dije que no. Yaiza no era tan atractiva como Tania, pero tenía un pelo larguísimo y negro con rizos estudiados, y los pechos de silicona contribuían a dotarla de una figura de adorno. Consumieron unas dosis de metanfetamina que yo rechacé con educación.

No había reparado en ello, pero Yaiza llevaba una pequeña bolsita de deportes colgada del hombro. Se la quitó y la posó en una silla cercana. Abrió la cremallera y sacó dos juegos de esposas. Oh, no, pensé, ya está aquí el baile de disfraces. Si algo odio en el sexo es el teatro. Las barras de striptease me parecen recursos colegiales para salidos y los sex shops son como tiendas de ultramarinos que ofrecen espárragos de segunda mano para idiotas pajilleros.

–Déjame ponértelas –me pidió Tania.

–¿Es necesario?

–Las cosas a mi modo, ya lo dijimos.

Me amarró las esposas a las muñecas y me aferró cada mano a una pata del somier. La posición era incómoda, pero cuando ya tenía los brazos abiertos y la espalda inmovilizada contra el colchón, Tania quitó la sábana que me cubría y mi polla declaró a los cuatro vientos que yo iba a festejarlo todo sin refunfuños. ¿Quién es un hombre para enfrentarse a su pene?

Yaiza sacó un bote de aceite infantil y pensé que la escena se ponía sucia de verdad. Pero no me restregó el cuerpo para dejarme brillante, sino que apoyó el envase en la mesilla. Y luego comenzó a desnudarse. Tenía, en efecto, los pechos recauchutados y se sostenían en el aire con el milagro poco excitante de lo plástico. Se quedó en unas braguitas negras que arrancó subiendo sus pies con las uñas pintadas. Respiré tranquilo al ver que no tenía una picha secreta para que jugáramos todos. Estaba morena de playa. Tania miraba la escena y pensé que el truco consistiría en que ella se quedaba al margen y me regalaba una puta como consuelo. Pero no. Eran dos niñas muy sofisticadas, seguramente educadas en colegio de monjas.

Yaiza se untó de aceite el cuerpo entero. Tenía la piel algo lijosa y cuando se refrotó contra mí lo que me provocó fue una mezcla de placer y trámite. La pornografía cuando es vulgar resulta bien parecida a ir a que te sellen una instancia en la delegación de Hacienda. Iba a empezar a protestar, cuando vi que Tania se quitaba la ropa con coreográfica habilidad. Dejó sus pechos al aire y sí, era como vaticinaban las encuestas: un triunfo delicioso. Luego se deshizo de todas las prendas inferiores incluido el vello púbico, que no asomó ni rastro en su triángulo milagroso.

Cuando estuvo desnuda del todo se tumbó a mi lado y Yaiza se concentró en darnos placer a los dos.

Era evidente que Tania disfrutaba más de sus besos y sus caricias con Yaiza que de cualquier contacto conmigo. No me atreví a preguntarle, no fuera a complicar las cosas. Esposado a las patas de la cama, un hombre sabe reconocer cuál es su sitio. De tanto en tanto, Yaiza se acordaba de mi polla y le daba un tiento para que no se durmiera en mitad de la función entre ellas. Me lloraban los ojos por el aceite corporal y no podía alcanzar a frotármelos con las manos. Suerte que Yaiza se esmeró en lamerme y mis lágrimas podrían parecer de emoción. Tenía ganas de correrme y acabar con aquello, así que volví los ojos hacia el cuerpo de Tania y la observé gemir bajo la mano amiga de Yaiza que acariciaba sus pezones con forma de boina. De hecho, en un momento creí imaginar que bajo ellos se escondían dos vascos de paseo por las montañas.

Traté de concentrarme. Aquello era una especie de fantasía a la que debía responder más por cortesía que otra cosa. Claudiqué, regando la estancia con los lechazos incontrolados, incluido uno que fue a dar en el ventilador del techo para festejo generalizado. Efectivamente la duplicación de esperma por la ducha escocesa tenía base científica. Tania era también de riego abundante y nos duchó a los dos antes de deslomarse sobre el colchón.

Las dos muchachas recuerdo que se rieron durante un rato entre besitos tontuelos. Yaiza me clavaba la punta de sus dedos en la tripa para ver la grasa bambolearse. Reía y Tania también se reía del efecto en mi tripa de su dedito juguetón. Mi pene volvió al refugio y yo, como dijo el poeta, fui de mi polla a mis asuntos. La gota de semen que colgaba del ventilador del techo quedó como la triste estalactita del amor.

El sexo saciado cae como la manzana del árbol, por leyes incontestables. A Tania y mí nos volvió la campaña a la cabeza bastante rápido después del paréntesis de placer. Ella corrió a la ducha. A mí me empezaron a doler las muñecas y los tobillos y le pedí a Yaiza que me soltara.

–No sé si tengo que hacerlo.

–Oh, vamos, no seas idiota.

Cuando me liberó fui hacia el baño y Tania se envolvió en una de las generosas toallas al verme entrar. Me miró con sorna, no era fácil ver los kilómetros de mi piel desnuda y tener otra reacción.

–¿Y tú y yo? –le pregunté.

–A mí no me gustan los hombres, lo siento.

Me duché y cuando salí Tania ya estaba en su pijama de dos piezas como una estudiante de residencia. Supongo que no te sorprende esta escena, porque has llegado a conocer bien a tu ayudante. Yaiza se había marchado y no pude aclarar si se trataba de una profesional o una amiga aficionada. Tania miraba el móvil tapada por las sábanas y me habló sin levantar los ojos.

–No me dirás que ha estado mal la cosa.

Caí en la cuenta de que Tania me consideraba un perverso y un teatrero, sin reparar en mi romanticismo. Me vestí para regresar a mi cuarto. Te diré una cosa, el enemigo del deseo es su consecución, llámame infantil, pero así lo pienso. Supongo que si te pudiera narrar en persona esta aventura te sentirías algo escalofriada, pero voy a serte sincero. Hubiera preferido la torpeza, la caricia inocente y hasta una frustración menos elaborada. Desde ese momento, Tania no solo dejó de gustarme, sino que empezó a resultarme molesta, invasiva y poco de fiar.

3. Barcelona

Llegamos a Barcelona a las once y media de la mañana después de un vuelo entre turbulencias y asientos tan encajonados que me era imposible abrir los periódicos de papel y pasar las páginas. Nos esperaba a la entrada del aeropuerto el autobús de campaña y, al acomodarme, lo sentí como un hogar plácido y amplio. Rómulo había hecho la ruta desde Madrid a solas. Creyó necesario contarme que había pasado la noche en Barbastro con la familia y añadió una frase enigmática.

–A mi mujer le gustan mis ausencias.

En Lleida, cuando paró a echar gasolina, le habían quebrado el cristal de una pedrada. Carlota se negó a que lo repararan, así que ahora lucíamos una insignia guerrera, con tu cara marcada en el cartel adhesivo del ventanal con los rastros del incidente. Enfilábamos las calles de Barcelona, otro territorio hostil. Para los analistas electorales, pasar por allí no nos reportaría ningún voto local, pero los ganábamos en cambio en el resto del país en una ecuación de ánimos comunicantes.

Pero tú querías darle a la visita un aire distinto, nos habías repetido que limitarte a la provocación era una niñería. Habíamos discutido. Yo había defendido la estrategia Sharon, porque es efectiva. Se llama así porque analiza el efecto que logró el conservador israelí Ariel Sharon al visitar la Explanada de las Mezquitas de Jerusalén y rentabilizar los disturbios que desembocaron en la Segunda Intifada. Pese a los muertos y la violencia que se prolongaron sin freno durante cuatro años, el entonces líder eterno de la oposición logró apenas unos meses después de su acto convertirse por fin en primer ministro. Agitar el río revuelto es una acción estratégica. Pero tú ibas de profesora amable. Nada más salir elegida en primarias habías recorrido las principales ciudades de Cataluña para presentarte en sociedad. Te esmeraste tanto que en campaña ya solo habíamos planificado un viaje rápido y ligero.

Por todo ello, en lugar de ir a la comisaría de Via Laietana, como habíamos propuesto, te empeñaste en dar un paseo por el Parque Güell. España como *trencadís* era una idea que me diste tú.

–Esta mañana te has levantado en plan Gustavo Adolfo...

–No seas siempre sarcástico y feroz, en la política también hay sitio para la lírica.

Aunque me pareció algo pedestre, redacté con esa idea el discursito en la escalinata de entrada al parque, más para los medios y cuatro despistados que para los turistas que en ese momento te miraban con extrañeza. Contábamos con que alguien vendría a protestar, pero al no ocurrir nada se nos quedó pobretón el discurso. Estos saboteadores nunca están cuando los necesitas. Hubiera sido más práctico ir a la universidad, allí los estudiantes no habrían estado tan apáticos como los turistas asiáticos, que apenas te hacían fotos y sonreían ante una escena que les resultaba de lo más pintoresca.

Los turistas eran una presencia anhelada, pues tras la crisis sanitaria se los recibía de manera bien distinta a la abrumadora sensación invasiva con la que se los rechazaba en años anteriores. La propia crisis apenas cobraba protagonismo en las discusiones públicas, como si fuera una página que todo el mundo hubiera querido pasar cuanto antes. Había sucedido antes con las epidemias y las guerras, nunca dan buen rédito electoral una vez pasado el periodo más dramático. A mis queridos niños les gusta olvidar, mirar adelante.

Candi y Junco se habían sumado a la visita a la ciudad y conocí la sede de Los Cuervos a la espalda de Via Augusta, que amanecía cada jornada con pintadas insultantes. No recuerdo que habláramos de nada interesante, salvo que Candi repetía incansable que en la última semana había que darlo todo, quemar todas las naves.

–Un diez por ciento de los electores deciden el voto en el mismo colegio.

Junco se quejó de que faltaba dinero, necesitábamos bombardear con publicidad digital bien dirigida a los núcleos duros de electores, pero el grifo de la pasta estaba agotado.

–Tendremos que lograrlo sin dinero.

Eso lo dijiste tú, pero yo recordé un cursillo en Louisville que nos dio Mitch McConnell, el incombustible fontanero de los republicanos en el Senado. Antes de hablar escribió en la pizarra las tres cosas que se necesitan para triunfar en política: dinero, dinero y dinero. El Mastuerzo se había dejado fotografiar con algunos de los líderes del Ibex 35, las empresas cotizadas españolas de más tirón, y orientaba parte de su campaña a ese sector que nosotros habíamos descargado en el plomizo futuro vicepresidente Lázaro Abad. Junco se dio cuenta de que yo era un aliado necesario en sus exigencias de más presupuesto. Nos quedamos a solas un segundo y me asomé a sus diagramas.

Me mostró uno en el que trabajaba esa misma mañana. Reenviaron por las redes la noticia de que tras la crisis tan solo el 7 % de los contratos laborales que se firmaban eran indefinidos. De los más de tres millones de usuarios que habían abierto la información, Junco poseía datos precisos sobre el tiempo que habían dedicado a la lectura de la noticia y el número de veces que la habían compartido.

–Esto nos ofrece una fotografía precisa de a quiénes de entre ellos les preocupa la enorme cantidad de contratos temporales que se firman en España.

Le miré sin acabar de entender la utilidad de una información tan poco excitante. Junco me mostró que a las pocas horas, a los doscientos mil más interesados en la noticia, les había rebotado el titular de una entrevista contigo en un diario económico. El titular aseguraba que tu misión era multiplicar los contratos fijos con incentivos y mejores condiciones fiscales para los empresarios. Me encogí de hombros. Junco consideraba aquello la magia electoral.

–Se trata de acotar a los grupos, de dirigir la información hacia cada uno. Los famosos 480 asuntos que conciernen a los electores, pero en vez de bombardear sin precisión dejamos caer cada detalle en quien está sensibilizado.

–Me parece bien eso de dirigir los impulsos publicitarios, pero yo soy mucho más simple –le respondí–. Para mí la sociedad contemporánea se divide en dos mitades: los que tienen y los que no tienen. Los primeros nos votan mayoritariamente. A los segundos, en cambio, tenemos que mostrarles que el camino para su mejora personal pasa por votarnos. Así de simple.

–Nada es simple, Basilio, no te confíes. Tengo un estudio que demuestra que en solo seis meses casi cinco millones de personas han cambiado la orientación de su voto.

Mostré mi escepticismo, pero qué le podía decir a Junco, tan presuntuoso. Le palmeé en la espalda y le recordé un hecho histórico incontestable. El señor George Gallup se hizo el rey de las encuestas cuando predijo con absoluta precisión el triunfo aplastante de Roosevelt en 1936. Pero en 1948 la cagó de mala manera cuando dio por muerto a Harry Truman. En política, nadie sabe nada.

Llegamos a Badalona para recorrer el barrio popular y ocupar una carpa en donde habían preparado unas mesas blanquísimas para invitar a los notables de la zona. Te dejé rodeada por Candi y Junco y otros elementos locales. Me abracé a Bertrán, un empresario de pompas fúnebres con el que había tratado en otro tiempo, cómplice en varias batallas. Era un tipo estupendo, de vuelta de todo. Al contrario del mito literario de que los hombres corruptos son perversos y trágicos, él representaba el rasgo más común en su género de trapaceros. Bertrán era divertido, deslenguado y festivo.

En los años finales de su vejez tuvo la ocurrencia de separarse e irse a vivir con una joven empleada. Sus hijos se habían situado del lado de la esposa despechada. Se enfrentaron a Bertrán y lo habían despojado de la mayoría accionarial tras una existencia de hormiguita laboriosa. Ahora Funerarias Bertrán no era ya de Bertrán y me dio pena ver a un hombre jubiloso y excesivo condenado a ese exilio de su propia marca. Sus hijos además se habían aliado con las fuerzas nacionalistas y ahora progresaban con aliados opuestos a los de papá. Bertrán se significaba con declaraciones muy beligerantes a favor de la unidad de España yo creo que por fastidiar a sus hijos. Había aceptado que le concediéramos una placa durante el acto. Cuando miré lo que estaba gravado sobre la plata barata me eché a reír. Por su defensa de los valores familiares en el mundo empresarial. Dime de qué te premian y te diré de qué careces.

–Te veo estupendo, Bertrán, se ve que una novia joven te mantiene en forma.

–No creas, lo que pasa es que no me quiero morir y darles más negocio a mis hijos, que se jodan.

Me reí con su buen humor. *Who needs money when you're funny!*

–Basilio, espero que hayas preparado un discurso cañero, que ya sé que tú eres el que pone la letra...

–Yo hago lo que me manda mi jefa, lo siento. A ella le gusta la música relajada. En privado la llamo Gustavo Adolfo.

–*No fotis.*

Todo el mundo, el primero Bertrán, esperaba de ti un discurso incendiario contra las autoridades del independentismo que compitiera con las soflamas del general Cojo. En cambio ofreciste una lección de historia, que era tu territorio, para denunciar las manipulaciones tan extendidas.

–Cataluña y España están condenadas a entenderse, como hermanas bajo un mismo techo. Esa casa común es nuestra Constitución, redactada también por manos catalanas, porque todos ayudamos a levantar este hogar cuando llegó la democracia.

Era evidente que preferías hablar de los tiempos antiguos. El presente es siempre un incordio difícil de entender. Como me dijiste en el autobús, algún día no seremos más que una sombra olvidada bajo el resumen sintético de estos últimos cincuenta años de país. Los libros de historia hacen con los tiempos lo que los novelistas con los personajes de ficción, dotar a su vivencia de una lógica de la que se carece. Eso lo aprendí del periodismo, que es un arte urgente para explicar como lógico lo que acaba de suceder. Es otra rama de la ficción literaria. Como los cronistas deportivos, que explican por qué ha ganado el que ha ganado. Siempre acertamos pero después del partido, así que no somos más que pitonisos sin riesgo, videntes a tiro pasado.

En la radio sí estuviste más fina, porque habíamos preparado un discurso más elaborado a partir de mis teorías políticas.

–La izquierda ha inventado un nuevo dogma, el de la desigualdad. Y no se cansan de repetir que la desigualdad es el mal de nuestra sociedad. Pues bien, es mentira. La desigualdad es la razón de existir, es el mejor regalo que nos distingue a los humanos de las bestias.

La locutora se escandalizó, pero noté su mirada de interés ante un discurso que no sonara a repetido mil veces.

–Las personas necesitamos sentir que nos distinguimos, que somos únicos, que somos premiados por nuestros esfuerzos. El resto es la tiranía de la igualdad, el odio a la particularidad.

Cuando te intentó interrogar más a fondo, te remitiste a tus alumnos, al ideal de premiar su esfuerzo, de distinguirlos por sus valores, su conocimiento y no sepultarlos bajo la matraca infernal de que todos somos iguales. Arroba nos había dicho que en esa plaza nos podíamos permitir apretar el acelerador del conservadurismo más radical y yo no quería desaprovechar la ocasión. Debíamos ofrecer refugio a nuestros votantes, a todos los que se sienten ajenos a esa foto bondadosa y cordial. De todas tus entrevistas fue la más reproducida y durante días marcó tendencia entre los seguidores. No fue solo mérito mío, te sentí afinada, justa en cada réplica, feliz de dejarte ir hacia una teoría del mundo más acorde con tus ideas que con el cliché obligatorio.

En la siguiente entrevista te reprocharon que apenas utilizaras las siglas del partido en tus reclamos electorales. Es cierto que ni tan siquiera en los carteles con tu cara resultaba visible el logo de Los Cuervos. Era, evidentemente, una decisión colegiada, impulsada por la idea de Lautaro de que convenía distanciarte de la trayectoria reciente del partido, manchada por casos de corrupción y aportaciones fraudulentas de empresarios a cambio de prebendas y contratación pública. El periodista te preguntó con sorna si tu partido había pasado a la clandestinidad, a juzgar por tus carteles electorales. Le dedicaste una sonrisa cortante y luego le señalaste las similitudes con el negocio de la radio.

–Seguramente a usted no le gustan todos los programas que se hacen en esta emisora, pero eso no le impide tratar de responsabilizarse del suyo y hacerlo lo mejor que sabe y ser agradecido con quienes le han otorgado esa confianza.

El locutor permaneció un instante en un espacio ingrávido, sin acertar a encarar la siguiente pregunta. Fue toda una victoria. Lástima que un instante después volviera a hacerte escuchar la grabación de nuestra conversación en los camerinos de la tele. Creyó vengarse con una pregunta incómoda.

–¿Qué le dice a quien escuche estos comentarios y se plantee muy seriamente si merece la pena votar su candidatura?

Apenas un instante de parpadeo antes de señalarme a través del cristal del estudio.

–El que habla en esa grabación es mi colaborador, que está aquí en los estudios. Seguro que todos los oyentes tienen un amigo así, con el que hablan en confianza. Muchos de ellos considerarían una afrenta que les grabaran sus conversaciones privadas. Que la repita en su radio conociendo el modo en que fue grabada le convierte en cómplice de algo peor que un delito. ¿No le parece que eso también podría hacer replantearse a los oyentes si merece la pena seguir escuchando su programa?

Definitivamente se había declarado la guerra. La cara de Tania, a mi lado, se tensó y comenzó a reclamar con aspavientos que la entrevista terminara, o que al menos se cambiara de asunto.

–Veo que es usted más agresiva de lo que aparenta.

–No confunda la justicia con la agresividad. Son dos cosas diferentes.

–Bueno, sus colaboradores me hacen señas para que cambie de tema.

–No, no, puede seguir preguntando lo que desee. Para eso he venido a la emisora. No ignoraba al hacerlo que usted está nombrado por un partido enfrentado de manera radical al mío.

En ningún momento, pese a recordarle al periodista que pertenecía a una cadena del gobierno local, abandonaste el tono de placidez amable. Arroba colgó en las redes el intercambio de golpes bajo la descripción peliculera: #Natural born killer. Al dar paso a la publicidad, te quitaste los cascos y los posaste con delicadeza encima de la mesa del estudio. El locutor te acompañó hasta la salida con algo de urgencia, pues quería fumarse un cigarrillo durante la pausa. Tú revolviste en el bolso y con una sonrisa pícara le regalaste un mechero de campaña.

4. Girona

En Girona sí tuvimos suerte. Los planes que habíamos trazado en la reunión de estrategia salieron como pensábamos. La plaza junto al Onyar estaba desbordada de manifestantes cuando llegamos con el autobús. El acceso era complicado y Rómulo se dejó escoltar por dos furgonas policiales. Atravesaste un corredor humano para llegar a tu atril, que estaba defendido como se defiende un castillo. Te subiste al pequeño púlpito y quizá los aires de Simeón el Estilita ayudaron a que tu discurso fuera fenomenal. Lástima que no se oyera una sola palabra. Por encima de tu voz sonaba una orquesta de silbatos y hasta las campanas de la catedral se sumaron en ocasiones al esfuerzo por acallarte. Era exactamente lo que pretendíamos, y aunque tú estabas volada por si te lanzaban huevos o piedras a la cabeza, Carlota exhibía su satisfacción de triunfadora de concurso. El acto no consistía en nada más que eso, en el boicot del acto.

Salimos en todos los noticiarios como arrojados defensores de la unidad de España, y el momento en que volvías al autobús y te propinaban empellones desde la masa desbordada, gustó muchísimo en otros rincones del país. Los propios manifestantes habían preparado un pasillo de seguridad para protegerte, en un ejercicio esquizofrénico de ataque y defensa. Querían sabotear el acto, pero en nombre de la libertad de expresión. Con mi cobardía habitual, me quedé lo más lejos que pude del núcleo protagonista y comprendí que a un gordo secundario no se le tiene en cuenta.

Hablé para un reportero de la radio que se subió al autobús cuando le increpaban bajo el grito de prensa española manipuladora.

–Nosotros practicamos el discurso de la convivencia, ellos el de la exclusión.

Me dejé llevar un poco por la épica del momento, pero no todos los días te sale una puesta en escena perfecta. Arroba colgó sesenta vídeos distintos, los que te insultaban mandándote a fregar o a ser follada por una jauría de jabalíes fueron los que más éxito tuvieron. Aunque fueron tan solo una voz exaltada a la que los mismos manifestantes acallaron afeándole su conducta. Estaba permitido insultar, pero sin faltar al respeto.

Teníamos desde hacía semanas calculado el rendimiento de este acto. Lo habíamos hablado en aquellas interminables reuniones de planificación que precedieron a la campaña. Al día siguiente, Candi acudiría a la Fiscalía con un escrito de denuncias contra los convocantes de la protesta, una rama juvenil del partido más radical. La polémica nos serviría de combustible durante esos días finales, trajinaríamos con la demanda por los tribunales patrios, en busca de amparo y de esa sensación de acoso e indefensión que tanto bien nos hacía en la imagen. Judicialmente el asunto sería sepultado bajo las carpetas destinadas al olvido, pero a falta de otros contenidos más espectaculares nuestro programa consistía en erigirnos en víctimas y reprochar a los rivales que no se posicionaran claramente en nuestro favor. Los convocantes de la protesta eran necios necesarios, sin ellos nada sería tan fácil.

Fuimos a dormir a Perelada. Allí tuvimos una cena para militantes en el casino y parecían tan postizos ellos como las tapias del castillo. Les tratamos en el discurso como resistentes numantinos, les hicimos felices durante un rato y convertimos la ventanilla rota del autobús en la bandera que mejor nos representaba. Luego nos fuimos a jugar a la ruleta con Tania y Aitana Banana.

Carlota nos había explicado que tras el acto darías un discurso breve en el que te posicionarías en contra de las restricciones a los locales de apuestas y el negocio del juego. Nuestros rivales llevaban mociones en el programa para prohibir la publicidad de casas de juego e incluso pretendían ordenar el cierre de locales de apuestas y restringir el uso de tarjetas de crédito en esos negocios. Todo bajo la ilusión de frenar la ludopatía y que nuestros queridos niños se sintieran protegidos frente al vicio.

Aunque la propuesta de nuestros rivales tenía un apoyo mayoritario en la sociedad, los analistas habían decidido que nos beneficiaba combatir las restricciones y romper una lanza en favor del negocio del juego de azar. Tú y yo sospechábamos que el consorcio de casas de apuestas había regado la campaña con algunas donaciones sustanciosas. Esgrimías el argumento de la libertad de empresa y además recalcabas que tu posición era la de fomentar el juego responsable. Al fin y al cabo la Lotería Nacional representa uno de los mayores ingresos del Estado y es publicitada por todos los medios con anuncios rebosantes de ternura. No es decente que el Estado pueda promocionar el juego de azar solo cuando le beneficia a él mismo. Según los estudios del departamento de análisis, desmarcarnos de la línea general nos daría votos en varios espectros de población que no encontraban otra razón para votarnos.

Distraído por el lejano vibrar de la ruleta, me costó mantener la atención. Me sonreíste.

–Somos el partido de las libertades.

Me fui al hotel, necesitaba beber en la habitación y dejar de mirar con envidia cómo el resto de los clientes del casino se desplazaban con los vasos de cava entre las mesas. Tania estuvo simpática conmigo durante todo el día, aunque le costaba entender que yo mostrara los primeros síntomas de desapego. Volvimos juntos al hotel y le dejé entrever mi frustración por la escena erótica que montó el día anterior.

–Me parece que mis fantasías y tus fantasías no se corresponden.

Intentó con su respuesta explicarme sin bromear algunos de sus principios.

–Eres de esos pobrecillos que consideran que solo la

penetración es disfrutable. No me va ese tipo de dominación masculina.

Nos mostramos civilizados en la disensión. Yo tampoco me eché a reír ni la mandé al carajo, como hubiera querido.

–Lo de ayer fue un regalito por lo simpático que eres.

–No serás de esas que prefieren ser penetradas por aparatitos deshumanizados de plástico y látex.

–No, lo que yo prefiero es tener el control.

–Pero, Tania, el sexo consiste en perder el control. ¿No te parece? El placer es otra cosa, incertidumbre, riesgo, descontrol.

–No me vas a convencer, por más que insistas –me dijo.

–Vamos Tania, piensa en el futuro. ¿Te parece bonito un mundo en el que todo está bajo control? ¿Un mundo en el que la causa de muerte más común es el suicidio y la forma de relación erótica más extendida sea la masturbación?

–¿Por qué no se lo pides a Amelia? Ella te adora.

–¿A Amelia? ¿Crees que Amelia se acostaría con alguien como yo? La veo demasiado pazguata.

–No te creas. Ayer me lo dijo en el avión. Basilio me parece un niño falto de cariño.

–¿Te dijo eso de mí?

–Y no es mala definición.

–¿Y eso qué tiene que ver con follar?

–Mira, Basilio, Amelia tiene muchos complejos en su vida íntima. ¿Ya te conté que lleva doce años sin hacer el amor con su marido?

Te espantará, seguro, que Tania volviera a insistirme con una revelación que seguramente tú le hiciste, si se la hiciste, en plena confianza. Era la segunda vez que me explicaba con esa manera suya dulce pero mordaz que carecías de vida sexual conyugal. No me desagradaba ese descaro suyo chafardero y vil, pero me molestaba que lo aplicara sobre ti. Yo me había conformado una idea de tu persona, una mujer delicada y frágil, que si era presa de cierta frustración sexual no iba a resolverla con un semental profesional ni iba a maldecir que su marido se hubiera hecho tan mayor, como era previsible, por otro lado.

–¿Por qué me cuentas todo esto? –le pregunté a Tania cuando se alejaba–. ¿Por qué me cuentas cosas de Amelia que ella te habrá contado como un secreto de amigas?

–Porque Amelia y tú hacéis buena pareja, se ve a distancia que hay *feeling*.

De vuelta en la habitación me resultaba complicado entender por qué Tania insistía en aquello. En realidad, mi problema es que aún no me había parado a pensar, con profundidad, en ti. Qué poco sabía yo de ti, Amelia. En todas estas jornadas juntos no había logrado un conocimiento rotundo, pero a veces el cuerpo responde lo que la cabeza no alcanza a pensar. Solo te diré que media hora después, desvelado en el hotel, me masturbé con algunas de esas inacabables páginas de internet dedicadas al porno realista. Y en el momento del clímax tu rostro aparecía en todas las protagonistas. ¿Acaso no es eso lo que llaman amor?

5. Tarragona

Me despertó Fresitas, pese a que conocía de sobra que temprano soy peor persona. En su periódico habían comenzado a investigar la entrega a España de la joven Marina Lemos. No tan solo porque olía a oportunismo, sino porque al parecer dentro de la policía alguien quería perjudicar a Genaro. Y ellos tenían la obligación de hurgar en la basura.

–Vamos, Basilio, ahora debes echarme una mano, algo me tienes que contar.

–Fresitas, me pillas dormido, no he leído la prensa, no sé nada. Anoche me fui a dormir tarde.

Me contó por encima que algo se sabía sobre la relación entre la casa presidencial de Senegal y los negocios de la familia de Genaro por aquellas latitudes. A la chatarrería en el Congo se le sumaba ahora una pía organización entre religiosa y filantrópica, que no me extrañaría que les sirviera para blanquear dinero.

–¿Sabes algo de todo esto?

–Sospecho que la única bondadosa acción que Genaro Centeno hará en su vida será morirse, y no lo hará por voluntad propia.

–Pero búscame algo, tú tienes que saber. Amelia no contaba con él y de pronto...

Le dije a Fresitas que tirara del hilo del dinero y yo tiraría del hilo político. Todas las empresas de Genaro habían quedado en manos de familiares y socios tras su renuncia para dedicarse a la política, obligado por la declaración de bienes. Ese modelo de transparencia apacigua a mis queridos niños, pero apenas consiste en poner el dinero sucio a nombre de un cuñado, un padre o una suegra con demencia. Un presidente autonómico totalmente corrupto distribuyó una vez su declaración de bienes a la prensa y solo poseía un coche de segunda mano y trescientos euros en el banco. Sus votantes se regocijaron felices. Al fin un político honrado, pensaban. Pero nadie puede ser honrado si tiene familia, ya lo escribió Platón.

–Mira, Basilio –insistió Fresitas–. Yo sé que Amelia quiere cargarse a ese cerdo de Genaro. Si tú me echas una mano, podemos conseguir algo bueno para los dos.

Carraspeé a modo de respuesta. Pese a haber comenzado conmigo Fresitas aún conservaba la ingenuidad para pensar que los teléfonos no los teníamos intervenidos. En *La Causa Popular* cuando avisábamos a alguien de que tenía el teléfono pinchado, algo que sucedía a menudo y nos lo chivaba la propia policía, pronunciábamos una frase en clave:

–Mejor quedamos a comer y pagamos a medias.

Fresitas me entendió, qué buena memoria conservaba mi aprendiz. Algo más tarde aproveché un instante de cercanía contigo en el autobús para ponerte al corriente del asunto. Solo daría un paso adelante si tú considerabas interesante cargarte a Genaro o al menos meterle en un charco. Te lo pensaste con frialdad, mientras mirabas adelante para comprobar que Carlota no nos observaba.

–Es demasiado arriesgado.

–Yo hago como tú me digas.

–Déjame pensarlo.

El asunto de la joven Marina nos había reportado páginas de publicidad gratuita y Genaro era un valor en la candidatura. A mis queridos niños les gustan los rescatadores, los guardianes, los héroes, los centauros del desierto. Hacías bien en sopesar las ventajas de jugar con dos barajas.

El informe que nos llegaba desde Los Cuervos para esa mañana en Tarragona nos advertía de algo. Aunque la provincia repartía los mismos seis diputados que Girona, aquí en cambio nuestra expectativa era sacar el doble de votos y un porcentaje que nos garantizara un diputado si apretábamos el acelerador. Para lograrlo, nos dejamos dirigir por el equipo de publicidad de Los Blanditos.

–Hay que buscar siempre un perfil donde somos los agredidos y no los agresores.

Para Lautaro y sus chicas, acostumbrados a emocionar a los espectadores para vender fregonas, cualquier victimato es un chollo. Lautaro nos lo repetía en las reuniones previas. Por eso, el viaje a los territorios más hostiles tenía que afrontarse con valentía. Se trataba de introducirse en la retina de los espectadores como el débil, el acosado, el agredido. Que se olvidaran de nuestra adscripción a los verdugos, a los dañinos. Todo el mundo tiene algo que defender. Basta presentarles la amenaza. Ese es nuestro papel. Llevamos al elector a una cita a ciegas y le decimos: mira, estos son los que quieren acabar con tu estatus, con tu mundo, con tu estabilidad. Nosotros sabemos que tú eres la víctima por mucho que te repitan que tú eres el verdugo. Vótame, yo conozco tu verdad oculta. La seducción electoral es una mezcla de secreto de confesión y placer culpable. Lo sabes bien, pues estudiaste a Bentham desde jovencita y conoces su visión descarnada de una humanidad regida bajo el gobierno de los dos dueños soberanos de su ánimo: el dolor y el placer.

En Tarragona nos enfrentábamos a una huelga de los empleados de recogida de basuras de la ciudad. Sus negociaciones con la empresa gestora llevaban semanas estancadas y la suciedad se acumulaba en las calles, multiplicada por las acciones de protesta. Cuando se trata de ensuciar nadie lo hace con más conciencia y acierto que quien se dedica a diario a limpiar.

Nuestros rivales nos acusaban de fomentar las privatizaciones en el sector, pero ya teníamos respuesta para ello. Vestidos con unos monos de trabajo, recorreríamos dos calles céntricas recogiendo las basuras acumuladas. Sería una acción rápida y sorpresiva. Un golpe directo en la yugular al derecho de huelga. Mis queridos niños respetan las reivindicaciones laborales si afectan a su sector profesional, pero las desprecian cuando complican su vida cotidiana.

La huelga de basuras había partido esa hermosa ciudad por la mitad, entre los que se solidarizaban con los piquetes de trabajadores y los que protestaban porque las condiciones de vida comenzaban a ser insalubres. La reivindicación profunda de los empleados era dejar de ser empleados de una subcontrata y pasar a depender del ayuntamiento. En eso son todos socialistas, con ese deseo evidente de convertirse en funcionarios. Todo el mundo está a favor de reducir el Estado, salvo que encuentre la manera de vivir de él. Por eso el flanco para posicionarnos estaba muy claro. Los trabajadores debían volver a su faena y no hacer pagar a los ciudadanos los errores de sus patronos. Sabíamos, cuando llegamos con el autobús al centro de la ciudad y te vistieron con ese innoble uniforme de esquirol, que los trabajadores en huelga se revolverían contra nuestra acción.

Sucedió con la precisión que habíamos vaticinado. Llevabas apenas tres minutos recogiendo en grandes bolsas las basuras arracimadas, acompañada por dos o tres cargos locales del partido, cuando apareció un piquete violento al otro lado de la calle. La policía los conminaba a no buscar el enfrentamiento. Los Cuervos habían movilizado a algunos votantes de la ciudad para que se unieran a tu bando, pero el griterío en tu contra crecía por momentos. Alcanzaron a cortar tu ascenso por la calle peatonal, para entonces llevabas en la mano una bolsa de plástico llena de basura. Estableciste, como habíamos pactado, un parlamento con los cabecillas de la protesta. Cuando las cámaras alcanzaran a grabar intentarías hacerte oír.

–Comprendo vuestras reivindicaciones, pero la salud de la población es lo más importante. No podéis perjudicar a los ciudadanos que son solo víctimas de vuestra pelea.

Te ofreciste como mediadora en el conflicto y demás patrañas para rebajar el tono de los insultos. Pero lo que nadie esperaba es que surgiera otro foco de la protesta a nuestra espalda. Quedamos entonces dentro de un bocadillo de difícil escapatoria. Gritaban esquirol, esquirol, por algo es una palabra de etimología catalana. Yo me refugié en un portal cuando comenzaron a lanzarte basura, restos de fruta y verdura, nada demasiado contundente, pero tú no podías esconderte.

La policía te protegió y finalmente los refuerzos antidisturbios, llegados a todo correr, cargaron con eficacia contra los que te acosaban al fondo de la calle. La estampa era grotesca, pero Carlota y los demás sabían que funcionaría en las televisiones siempre y cuando tú no te escondieras o trataras de huir. Fue impresionante verte mantener la firmeza, cuando te llovía la basura en la cabeza. Nunca te protegiste, hasta que los escudos de los antidisturbios te sacaron de allí y la policía nos escoltó hacia el autobús de campaña.

Arroba había grabado con su móvil algunas escenas desde dentro de la trifulca. Con la buena suerte de que una moneda lanzada desde la distancia le abrió una pequeña herida en la ceja. Le pasó el móvil a Tania y le pidió que le grabara mientras la sangre goteaba por sus gafas, que se quitó doliente. Los insultos de la gente, la agresividad, consolidaron el discurso de víctimas que perseguían Los Blanditos con la acción. Al fin y al cabo, habías sido agredida cuando buscabas el diálogo.

En el autobús, cuando logramos salir de la ciudad, nuestra felicidad era total. Aitana Banana te acompañó hasta la ducha del fondo para que te quitaras de encima el olor a acelga podrida y pepino pocho.

–¿Qué coño hemos venido a hacer aquí? –me preguntaste antes de perderte dentro del cubículo.

–Piensa en la foto. Va a ser espectacular.

Y la foto fue un bellísimo espectáculo en todos los medios. El resto de los rivales en aburridos discursos, estrechando manos de paseantes, y tú bajo la lluvia de mierda. ¿Qué otra cosa podían elegir para sus portadas los directores de diarios? ¿Qué otra imagen era más potente para abrir los noticiarios? Fue un acierto.

–Yo no soy vuestro enemigo, soy vuestra solución –te había escrito para que repitieras en los peores momentos de la refriega, y así aparecías por todas partes, como la soldado del diálogo.

Esa frase destacó en todos los noticiarios que vimos en la tele del autobús y cada vez que se te oía pronunciarla te volvías hacia mí con una sonrisa de orgullo. Arroba exhibía su brecha en la ceja como una condecoración de guerra. Saliste de la ducha con el pelo empapado y Aitana Banana te aplicó el secador mientras estabas envuelta en la toalla y me mirabas con cara de disculpa. Ahora eras tú la que parecías desvalida y necesitada de un poco de cariño. No sé. O viceversa. O viceversa de viceversa. Quizá ambos éramos tan solo dos niños necesitados de cariño, de nuestro cariño mutuo.

6. Lleida

Dos horas después cumplíamos con la visita a una planta de envasado alimenticio. Pertenecía a la empresa española líder mundial en envolturas para productos cárnicos. Te habían vestido, claro, con el batín y el gorrillo de gasa que tanto juego da en las fotografías y soportaste que una técnica te explicara la diferencia entre las tripas celulósicas, fibrosas, plásticas y de colágeno, que eran las que usaban para forrar su invención alimenticia. Comiste algo del fuet favorito de la casa, ese que coloquialmente se conoce como picha de gato, pero yo me encargué de surtirme de un par de longanizas para el viaje. Tu sonrisa era abierta y franca y te fotografiaste con todas las trabajadoras mujeres de una de las secciones, lo que Arroba se encargó de expandir por la galaxia.

La comida, en cambio, fue con agricultores de la zona, que arrastraban reivindicaciones eternas contra la cadena de comercialización de los productos. Te presentaron ejemplos desmoralizadores del dinero que se pagaba por un producto en origen y el precio de venta en las grandes superficies. La presión comercial era tal que en ocasiones vendían a pérdidas para salvar al menos algo del coste del cultivo y la recogida. Yo estaba concentrado en la comida, pero te oía de fondo hacerles promesas sobre reformas posibles y normativas nuevas que los protegieran. Puro intervencionismo. Te esmerabas para que no perturbara el discurso paralelo de nuestro líder económico, Lázaro Abad, que incordiaba en cada acto con su certeza de que la demanda y la oferta son incontestables, todo lo demás es comunismo disfrazado. Y cuando se sentía acosado lanzaba al aire alguna frase de Churchill. Eso nunca fallaba. La noche anterior había comparecido en una entrevista televisiva y había tirado de aquella cita manida del estadista británico.

–Para una nación, imponerse impuestos a sí misma para lograr la prosperidad es como un hombre dentro de un cubo que intentara levantarse a sí mismo tirando del asa.

Por la tarde visitamos una barriada que recibía el aluvión de la inmigración marroquí y subsahariana. Las asociaciones vecinales tenían interés en mostrarte algunos de los edificios más degradados. Familias con la luz tomada directamente de la conexión de la torreta y algunas viviendas dedicadas al menudeo de droga y prostitución. Guiados por los más combativos portavoces de las asociaciones, nos introducíamos en un territorio que más que hostil se mostraba expectante, algo divertido incluso. La presencia policial era discreta, así lo habías rogado tú misma. No quiero parecer alguien que todo el rato se esconde detrás de un guardia, habías dicho, con criterio.

Se trataba de volver a sacar la finura para reclamar controles migratorios más solventes. Lejos del discurso xenófobo, pero partidario de la mano dura, expatriaciones, controles fronterizos, dureza policial. No era tarea fácil, pero ese ambiente de degradación y hacinamiento ayudaba mucho. Una semana antes había recorrido una barriada similar en otra ciudad el general Cojo y se había encarado con un chico al que habían identificado como un pequeño traficante de drogas. Al señalarlo había afirmado que se iba a encargar de echar a gente así del país. Que lo agarrara de la solapa y lo increpara ante las cámaras le había ganado muchas críticas, pero también muchos votos de mis queridos niños partidarios de la mano dura. Nosotros teníamos que situarnos en la misma esfera, pero con un tono más sosegado. Nada fácil.

–Tomo nota –les dijiste a los medios–. Estos problemas son un dominó, es idiota quien castiga a la última pieza que cae en el dominó. Yo voy a ir hasta la primera, hasta el comienzo de todo, hasta la raíz. Vamos a promover programas en los países de origen. –Y seguiste con el rosario de promesas imprecisas.

El ascenso en intención de voto del general Cojo se había estancado entre rumores de su estado de salud. A Los Cuervos les obsesionaba salir victoriosos entre el trío de contrincantes con más posibilidades. Lograrlo requería una campaña masiva de publicidad de última hora. Carlota hablaba con Candi por la línea caliente y en el autobús que nos llevaba al acto de la noche te explicó que estaban a punto de conseguir la donación de un grupo industrial. Carlota te rogaba que hablaras en persona con el empresario, él había puesto esa condición.

No era un personaje fácil, pues provenía de una familia que se había enriquecido en los años más corruptos del reinado de Alfonso XIII a través del conglomerado del petróleo nacional y el negocio de la guerra en Marruecos. Un histórico chanchullo que a través del tiempo había consolidado a la familia Orobio de Castro a la cabeza del empresariado español. Accediste a realizar la llamada en persona para alegría de Carlota. Me hubiera gustado ser testigo de esa conversación con el patriarca de los Orobio y presidente de Granja Avícola, el mayor productor de pollos y derivados en el país.

El auditorio del ferial era un desangelado espacio que costó llenar con los afiliados regionales. Durante tu discurso estuve tentado de romper el cajetín del desfibrilador que adornaba la pared y aplicármelo sobre el pecho.

–Llevo días estudiando a fondo las distintas problemáticas que afligen a los españoles –aseguraste–. He visto de todo, gente que a duras penas conserva su empleo, los que lo han perdido o están en huelga, los que no lo encuentran, los que viven en el desamparo o en el acoso, y voy a decir algo que os va a sorprender. Saco una conclusión que no tiene nada que ver con la política ni con echar el mitin. Los españoles son una gente formidable.

Ahí apelábamos de nuevo a esa maravillosa receptividad de mis queridos niños para recibir los elogios que se les dedicaban. Claro que sí, un pueblo que sufre, pero que se resigna. Que no pierde la alegría y la fe en el mañana, aunque el hoy sea un horror.

Hubieran debido ser febriles los aplausos, pero hacía frío en el lugar y la luz era de gallinero industrial. Así que recibiste una ovación desmadejada, echada de cualquier manera como las mondas de una mandarina se tiran desde la ventanilla del coche. Para las cámaras habíamos sentado a tres filas de militantes a tu espalda, dos de ellos de origen africano, y era imposible quitarles la vista de encima. Era casi una perturbación visual, pero muy elocuente. Arroba les había aleccionado personalmente antes de comenzar y cada uno de sus gestos de asentimiento, sus sonrisas emocionadas y sus rictus de convicción era una extraña forma de propaganda multirracial.

–Yo no tiro la toalla, yo vengo a traer soluciones.

La Cachorra, que se veía algo desplazada en las encuestas, había vuelto a dar la matraca con los flecos de la guerra civil, en ese intento desesperado de devolver a los bandos de entonces a la urna del domingo. También tiraba de manera desesperada de personajes de la cultura y la relevancia artística, lo hacen siempre que van perjudicados en las encuestas. Nos resultaba fácil desacreditarlos como élite de millonarios, pero mostrábamos un agujero notable con apenas la incorporación de Yo Claudio para presumir de filiación cultural.

Quizá por eso en los últimos días yo insistía en la idea de que Rómulo contactara con el dúo Conjuntivitis para pedirles que actuaran en nuestro cierre de campaña. Según lo que Rómulo nos contaba de ellos, no eran chicos problemáticos, así que valía la pena intentarlo. Siempre hay músicos del buen rollo dispuestos a asociarse con las causas nobles, pero el pensamiento conservador carece de banda sonora.

No escuché el resto de las andanadas que te había escrito, porque Fresitas volvió a llamarme con el asunto de Genaro Centeno. Sus investigaciones no acababan de ofrecer un material de ataque claro y necesitaba nuestra colaboración. Le prometí que al día siguiente hablaríamos, que tenías dudas.

No hubo cena programada y en el hotel la cocina había cerrado porque llegamos a deshoras tras los besamanos posteriores al mitin. Navegué por los periódicos del nuevo día, que se colgaban a la medianoche con un resumen intencional de los actos de campaña, nuestros y de los rivales. Se apreciaba el empeño de todos por generar impactos, imágenes chocantes, momentos emotivos o sustanciales. Olía todo a desesperación.

Recuerdo que ese era el empeño de Arroba cuando nos reunimos por primera vez en la sede de Los Cuervos.

–Tenemos que ser capaces de generar la imagen del día cada día. Si no, nos va a ser imposible ganar –lloriqueó.

Me di cuenta, bajo la euforia del whisky, de que de pronto habías dejado de ser alguien inmanejable para los medios y que ahora habían captado tu esencia. Una mujer normal, a la que le pasan cosas normales. Exactamente la definición que hice yo de ti el día en que me preguntaron cuál era tu mejor virtud para atravesar la campaña.

–Amelia es alguien normal, si conseguimos que los votantes la crean uno de los suyos, podemos aspirar a todo.

El día había sido tan largo que caí en un sueño profundo por primera vez en meses. Las almohadas intratables del hotel, que tenían la textura de sacos de avena, me fastidiaron las vértebras y en el desayuno Tania bromeó con ello.

–Si quieres te programo una cita con el fisio.

–Vete a la mierda.

La tortícolis me ponía de mal humor. El zumo de naranja era de bote, la bollería rancia, tener que trabajar tan temprano me resultaba inaceptable y la improvisación para someterme al nuevo plan del día me irritaba.

7. Huesca

Habíamos descartado visitar Huesca pues considerábamos que tu tierra natal ya estaba explotada con la presentación de campaña en Zaragoza y luego el paso por Coágulo. Y sin embargo a las siete de la mañana Arroba estaba aporreando mi puerta con la poco estimulante frase de «Nos vamos a Huesca». Una granja porcina había sido atacada por un comando de activistas en defensa de los animales. Al parecer habían forzado las compuertas y liberado las pocilgas en plena noche. La idea de que cinco mil cerdos pudieran vagar despistados por la zona excitó nuestras mentes perversas. Se trataba de mostrar tu solidaridad urgente con el propietario de la finca.

Liderábamos el mercado exportador de porcino, con ventas anuales a China superiores a las noventa mil toneladas de carne de cerdo, y esa controversia nos serviría para reafirmarnos en la disputa con el Mastuerzo. Nosotros no íbamos a abandonar a nuestros cerdos. Él, en cambio, en una entrevista concedida la semana anterior, había afirmado que apenas probaba la carne, un error de cálculo que le haríamos pagar caro entre sus votantes.

Me había llegado el informe desde la sede de Los

Cuervos. Contenía un asombroso y detallado estudio de la inclinación del voto en función de la dieta alimenticia. Teníamos que dirigirnos de manera nada sutil hacia los carnívoros sin el voto decidido.

–No somos un país para desperdiciar oportunidades de negocio. El sector de la alimentación es nuestro petróleo. El cerdo es nuestro oro.

Para cuando llegamos al lugar concreto, la cara de los granjeros era de estupefacción. Uno de ellos se preguntaba frente a las cámaras de televisión qué había hecho incorrectamente. Solo trato de ganarme la vida. De manera natural, los cerdos regresaban al hogar donde se les proporcionaba la comida diaria. A mí me parecía que estaban drogados o actuaban al menos como tal. Pocos emprendieron la aventura hollywoodense como deseaban sus liberadores y los que aparecieron muertos se debía a que ya salieron enfermos de la granja o habían sido atacados por otros animales en un ejemplo palmario de que la naturaleza no se rige por la piedad que presumen quienes la idealizan.

En un tractor con remolque se acumulaban los puercos fallecidos, era una imagen muy perturbadora. El olor era insoportable, pero la sensación de enfrentamiento bélico entre dos facciones que entendían el mundo de distinta manera te sirvió para enlazar tu discurso con la pregunta de si las soluciones a los conflictos eran siempre el exterminio del otro.

–La convivencia nace del respeto a los intereses ajenos –pronunciaste a unos cámaras que tenían más ganas de sacar planos de cerdos que de personas. Ya estábamos muy vistos.

Las botas te quedaban bien, también los pantalones de faena, pero el chambergo que Aitana Banana te había plantado encima te hacía parecer algo así como una niña amazona que había perdido a su pony.

Los excesos de los demás eran nuestra munición perfecta. El Santo se había declarado a favor de las acciones de protesta como aquella y aprovechamos el instante para darle una buena tunda. Tu foto con los granjeros afectados, en ese paraje enigmático, bajo la arquitectura penosa de hormigón de la finca de explotación, tan fea, tan calamitosa, te convertía más bien en una candidata provinciana y antigua. Se lo dije a Carlota, pero ella no levantaba la cabeza del móvil donde pretendía enseñarme que aquel asunto era decisorio en el voto de algunos segmentos rurales que eran vitales para nosotros.

–Puede que no lean tus libros, pero sus votos valen igual.

En varias de nuestras seiscientas cuentas ficticias en las redes sociales ese día se anunciaba que la Cachorra había propuesto prohibir el consumo de carne en los colegios, a partir de una declaración sacada de contexto. No era más que una difusa verdad a medias, pretendía implantar un menú saludable, pero lo lanzamos al aire igual que en otros momentos lanzamos que se implantaría la asignatura de lesbianismo y transexualidad para estudiantes de primer grado, según había parecido confirmar el Santo en un programa de televisión. O que se planteaba construir una mezquita junto a cada iglesia de capital de provincia para primar la pluralidad religiosa, retorciendo unas palabras del Mastuerzo sobre la libertad religiosa. También que se aventuraba la salida de empresas de comercio digital o de líneas aéreas de bajo coste en ciudades precisas si ganaba el general Cojo, que a menudo caía en contradicciones grotescas en sus discursos incendiarios. Su idea de defensa de lo nacional se limitaba al aislamiento, las prohibiciones y un chovinismo cazurro.

Una empresa que sospecho que pertenecía a Junco nos volcaba cada mañana un listado inmenso de candidatos a ser intoxicados en algún asunto concreto. Dirigirnos a ellos era una misión casi mágica. Arroba, cuando se ponía grandilocuente, decía que era como convertir a alguien que practicaba la natación en votante nuestro por el simple hecho de sugerirle que los demás partidos querían suprimir las piscinas municipales. Yo era más atrevido. A mis queridos niños les importaba cada vez menos el interés común, y si lo confrontabas con sus minúsculos intereses particulares, entonces se convertían en agresivos defensores de lo propio frente a cualquier causa general.

–Yo no le voy a prohibir a nadie que siga comiendo carne. Cinco mil años de humanidad no se pueden desbaratar por el capricho de unos integristas.

Decir en voz alta estas ideas tan complejas, con un manejo tan matemático de los datos y el tráfico virtual, no nos deprimía. Todo lo contrario. Con tus botas y ese aire de granjera despistada, respondías a las demandas de oficinas algorítmicas bien sofisticadas. No parecía invadirte la tristeza por ello. Ya me habías dicho un día, en el que me mostré escéptico ante ese frente virtual: «Los tiempos han cambiado, Basilio.»

Pero yo te respondí como Billy el Niño a Pat Garrett: «Puede que los tiempos hayan cambiado, pero yo no.»

Así que en el autobús ejercí de nuevo mi papel de rompeguitarras. A mí no me parecía que fuéramos a decidir la elección en visitas improvisadas como aquella de Huesca. Era otra cosa más inaccesible, más abstracta.

–A un votante se le gana desde la cuna, por las condiciones en que se conforma su voto.

–Basilio, no seas antiguo, esta metodología se ha probado con éxito en elecciones de todo el mundo. Incluso de países con votantes muy sofisticados.

Me fastidiaba tener que dar la razón a Arroba con sus encuestas de definición de voto. Pero él insistía en que nuestro éxito se debía al modo en que Junco marcaba las pautas de las acciones de campaña desde las oficinas de Madrid.

–Deberíamos tener en cuenta, por ejemplo, que los votantes mayoritariamente piensan que Amelia es la candidata más inteligente de todos los participantes en la elección, pero con menor experiencia de gestión.

Siempre te golpeaban con ese argumento en entrevistas y discursos de rivales. En una televisión contaste la anécdota del dictador Primo de Rivera, a quien le preguntó el rey Alfonso que dónde había aprendido a gobernar y contestó: en el casino de Jerez. Pues yo he aprendido en mis clases, afirmaste, que son un verdadero microcosmos. Pero Carlota, espantada, te dijo que no volvieras a contar esa anécdota ni mencionar a Primo de Rivera. Así que teníamos que seguir tolerando que Arroba creyera en el hechizo de sus propuestas.

–En esas cosas debemos fijarnos y ponerle remedio. La gente cree que una profesora de Letras no sabe nada de cuentas. Y aún no hemos sabido responder a esa duda. Hay que ponderar la inteligencia de Amelia.

Ante esa sugerencia me rebelé con mis propias ideas.

–Nadie elige nunca a la persona inteligente, olvídate. Para ganar las elecciones tienes que parecer un poco tonto.

–Vamos, Basilio, no exageres.

–Lo digo en serio. Todos los presidentes necesitaron para ganar hacerse los bobos, si acaso permiten que el vicepresidente sea percibido como taimado y ladino. Tenemos que revertir esa idea que se han formado de Amelia. Habría que estupidizarla un poco. Hay que vulgarizarla. Acordaos del momento de gloria en ese programa de televisión en el que mostró cómo sabía coser un botón en tiempo récord.

Esa fue otra de mis conquistas. Se me había ocurrido sugerir ese reto para que participaras en un programa muy popular y habías salido airosa del momento. Carlota me había elogiado por la idea. A mis queridos niños les seducían esas estampas de populachería. Me gustaba cuando Carlota se dignaba a concederme la razón en algo.

–Por cierto, adelante con lo de Conjuntivitis.

Como no entendí a qué se refería, me hice el sorprendido.

–He hablado con Candi y le parece buena idea que participen en el cierre de campaña. Tenemos muy descuidados a los jóvenes.

Lo dijo como una orden que me convirtiera a mí en el organizador de los actos de campaña. Luego te llevó a un aparte. Tenías que cumplir con la llamada al empresario Orobio de Castro. Iba a financiar el impulso final de nuestra campaña, pero eso te obligaba a concederle atención preferente. Y quizá otras concesiones menos confesables. Adquiriste un tono sumiso y yo me dediqué a asesorarme sobre el dúo de cantantes.

Arrancaron su carrera con una declaración de principios enternecedora. Se plantaron frente a los productores del concurso de televisión y rehusaron participar si no los admitían a ambos juntos en la academia de formación. A partir de ese gesto se activó la espoleta de su fama nacional. Mostraban una presencia magnética en sus vídeos. Su impudor y simpleza los convertía en artistas adecuados al momento social. Eran como una versión melliza y contemporánea de la ensoñadora irrupción de Miguel Bosé en la antigua era del fenómeno fan. Si aquel era el producto perfecto del cruce del torero y la Miss Italia, estos chicos tenían esa misma genética ideal, pues eran fruto de una madre profesora de gimnasia y un padre azafato de Iberia. La misma mezcla prodigiosa de roles invertidos y culto al disfraz. Le pedí a Rómulo el teléfono del mánager, pero me alertó.

–El que los lleva es una pieza de cuidado, está solo con ellos por el dinero.

–Bueno, el dinero nos ofrece una puerta a la negociación.

Le llamé después de investigar algo sobre su carrera de representante de artistas. Se llamaba Paco Sanz y guardaba buenas relaciones con Los Cuervos, pues durante una década manejó la empresa de festejos musicales que desviaba los recursos de celebraciones municipales para la financiación del partido. Tan lejos alcanzó su capacidad para extraer fondos de presupuestos públicos que incluso fue juzgado por inflar los costes de iluminación y megafonía de la visita del Papa a España. Hito por el que en el mundillo a Paco Sanz todos le llamaban Su Sanztidad.

Después de enriquecerse con tales atracos se había dedicado al flamenquito pachanguero y las bandas de adolescentes con relativo éxito. España educó su oído con casetes de gasolineras y nadie se ha arruinado en la música nacional por tener mal gusto. Pero con los dos chicos de Conjuntivitis había entrado en las grandes ligas, acababan de lanzar un videoclip con una artista latina bien implantada en los Estados Unidos y soñaban con instalarse en Miami, que es donde terminan todas las carreras musicales globales, por triste que sea reconocerlo. Me trató con cariño, dijo admirar mi pluma y se sorprendió desagradablemente cuando le propuse que los muchachos participaran en nuestro acto de fin de campaña.

–¿Y nosotros qué ganamos con eso?

–Es una petición inocente. Esa canción es magistral y representa todo lo que queremos transmitir con nuestra candidata.

–¿«Te quiero como eres»?

–Exacto. Es nuestro himno.

–Algo he oído, pero eso no es legal. No podéis usarla así.

–No, no, es himno oficioso. Somos fans. Solo fans.

Quedé con Su Sanztidad en hablar más adelante, en considerar opciones de pago, en comentárselo a los dos figuras, como él los llamaba. Ahora estaban pasando una crisis, o eso me dejó caer, porque uno de ellos había levantado la voz al perro del otro. Lo cual me pareció una excentricidad digna de los tiempos de Xavier Cugat, fundador de la moda musical latina antes de que llegara el dominio arrasador de la cultura narco. Nos despedimos con cordialidad. La idea merecía la pena y claro que iba a luchar por ella. Lo haría por ti, Amelia. ¿Por quién si no?

8. La Rioja

Cómo reímos cuando bajaste del autobús en Arnedo, al verte de nuevo con el chándal que Aitana Banana te reservaba para las grandes ocasiones atléticas. Carlota se había tomado en serio la afrenta de tu baja forma física y nos obligaba a otro posado de demostración atlética.

–Yo no veo tanto problema –la tranquilicé–, yo siempre votaré por la persona que menos deporte haga.

Deporte es salud, había escrito Arroba con su estilo chato. Cuando descendimos para posar ante los periodistas que nos acompañaban comprendí la dimensión de su plan. Fuimos a un centro cercano, el IES Godofredo Bergasa, donde habían conseguido los gestores de campaña que participaras en un acto escolar.

En realidad se trató de una penosa clase de gimnasia, en la que te sumaste a los ejercicios con los alumnos. El que más gustó a la prensa fue el concurso de tirado de cuerda que Carlota se empeñó en organizar de manera que las chicas lucharan contra los chicos. Tu participación en el tirasoga, como lo llamaban los muchachos, se transformó en una batalla seria. Contabais con alguna ayuda extra, en especial la de la robusta profesora, con lo que se logró que las chicas vencieran y se desatara la euforia. Las niñas se abrazaban a ti en pleno griterío y el pobre Arroba no daba abasto a tirar fotografías del momento histórico. En algún elegido instante en que las cámaras registraban el sonido comentaste con la profesora que todos los días corrías ocho kilómetros bien temprano.

–¿Y qué marca haces? –te preguntó ella con curiosidad.

Te quedaste callada un instante y luego saliste del paso con habilidad.

–No, tranquila, a las olimpiadas no llego este año.

Después de esas refriegas escolares regresamos a nuestra agenda prevista. A esa región, en los últimos días de máxima ansiedad, los análisis la señalaban como fundamental en la disputa por los cuatro diputados.

A continuación te cambiabas de nuevo de ropa y el autobús enfilaba hacia el lugar del acto público ya en Logroño, cuando Aitana Banana soltó un grito. Al parecer, con las prisas, habías roto el tacón de un zapato. Corrió desesperada a buscar el pegamento en su maleta de herramientas. Me había sorprendido por su capacidad de resolver casi todos los problemas prácticos sin las murgas de quejica que caracterizaban a Cuca. Pero yo me levanté del asiento y la frené. Había tenido la idea.

–¿Y si hacemos que durante el paseo se le rompa a Amelia el tacón del zapato?

Bastaría con que añadiéramos, como previo al acto, un recorrido ligero por las calles céntricas de la ciudad. Y allí, zas, montar el teatrillo.

A Carlota y a Arroba les encantó la idea. Cada vez estábamos más convencidos de que lo anecdótico superaba a las ideas, pues carecían de potencia evocativa. Fue un éxito cuando lo escenificamos en la calle. Aitana Banana había reparado el tacón de manera leve y bastaría un golpe de tobillo mientras caminabas. Efectivamente, ahí estaba el tacón desgajado. Risas de la concurrencia, los cámaras grabándolo todo. Te quitaste ambos zapatos y proseguiste el camino descalza por el empedrado del centro de Logroño hasta el lugar donde Tania había localizado una zapatería cuyo dueño era militante en nuestro partido.

Fue precioso, de pronto miraste el escaparate y pediste cinco minutos para comprarte unos zapatos nuevos, como si todo aquello sucediera con el encantamiento de una cenicienta electoral. La comitiva entró contigo y no hubo medio donde no se consignara con buen humor tu escena de compra del par de zapatos. Mostraste además tus preciosos pies, en un acto de fetichismo que yo había querido subrayar en una de tus frases del día.

–Yo llegué descalza a la política y cuando me vaya, me iré descalza, eso sí lo puedo prometer.

Aitana Banana había llevado por su cuenta a la zapatería el par que te iban a probar y que comprarías. El milagro de que combinara con tu falda y que tuvieran tu número exacto no le resultó sospechoso a ninguno de los periodistas presentes y fue otra muestra de que creer es querer creer. Titulamos la foto como #Cenicienta en Logroño y la colgó Arroba un segundo después. Cuando la empleada te ajustó el zapato al pie, tu sonrisa mostraba la felicidad de todo consumidor. Luego intentaron regalarte la compra, pero tú te negaste con autoridad.

–No, no, ni hablar, no puedo aceptar un regalo.

Tuvimos fortuna porque nos quedó algo de tiempo para tapear por las barras de la calle Laurel. Me propuse probar hasta diez variedades de pimiento y lo logré sin sufrir ni la más pequeña decepción con ninguna de ellas.

–¿Te gustan mucho los pimientos? –me preguntaste.

–No, no, me dan curiosidad.

–¿Curiosidad?

–Sí, siempre me imagino a Colón mirándolo por primera vez y pensando esto lo tienen que probar en casa.

Con vistas al mitin, mi discurso tenía dos líneas muy marcadas. Empleo y progreso por un lado, pero la insistencia en el orgullo de nuestra manera de vivir. Manoseé el ejemplo de cómo el negocio del vino y de la gastronomía se había tenido que adaptar a los nuevos tiempos para no quedarse atrás. Apostar por la modernidad significó, en la misma tacada, salvar una tradición, pero conquistar al público contemporáneo. ¿No era eso un ejemplo maravilloso? Si éramos capaces de deconstruir la tortilla de patata y nitrogenizar el salmorejo, cómo no íbamos a ser capaces de albergar las sedes de empresas de nuevas tecnologías sin renunciar a las procesiones de Semana Santa.

–Mis rivales me han acusado de ser una mujer clásica y anticuada –dijiste esa tarde en el auditorio–. Pero también me han acusado de ser elitista y moderna. No se ponen de acuerdo. ¿Y sabéis por qué? Os lo voy a confesar a vosotros. Soy las dos cosas. En ocasiones soy clásica y anticuada, claro que sí. Y en otras soy moderna e innovadora. ¿Por qué? Porque hay que serlo. Hay que ser las dos cosas. Si no, estás perdido en el mundo de hoy. Tan idiota es el que se niega a cambiar como el que está cambiando todo el rato.

A esas alturas ya escribía con el piloto automático. Me lo dijiste esa tarde cuando te entregué las dos páginas con correcciones diez minutos antes de que subieras al escenario.

–Esto ya lo hemos dicho otros días.

–Pero de otra manera –te contesté.

–Como los pimientos, ¿verdad? Que se pueden cocinar de mil maneras.

–Exacto.

Después de gozar con tu sonrisa franca, me quedé a tu lado mientras leías en silencio el texto. Movías ligeramente los labios. Sonreías en algún momento y en otros ponías esa mueca de descreimiento tan habitual en ti. Luego nos quedamos callados. Te quitaste las gafas de leer y me miraste con una intensidad que no era la de todos los días.

–Me paso el día leyendo las cosas que me escribes, Basilio, pero tengo la sensación de que aún no te conozco.

Me encogí de hombros.

–¿Conocerme a mí? Te asustarías.

Entonces me hablaste con lo que parecía una sinceridad doliente.

–Una vez me dijiste que para dedicarse a la política hay que tener un vacío dentro muy acusado. Y acertaste.

Permitiste una pausa larga que atravesó el aire entre los dos y nos aisló del ruido del ambiente.

–Yo lo tengo. Ese vacío. Yo no soy nada. Yo tengo la demoledora sensación de que he tirado mi vida a la basura. He estudiado como una demente para no llegar a otra cosa que transmitir a mis alumnos tres ideas subrayadas y facilonas que condensan los cinco mil años que nos preceden. He vivido toda mi vida con el mismo hombre al que he visto hacerse mayor a mi lado. Y si me tiras de la lengua te diré que ni ser madre ni ser esposa ni profesora siquiera han sido aspiraciones que doy por saciadas. Pues ese vacío se llena, mi querido Basilio, con esta aventura, te lo creas o no. A mí me llena la idea de que puedo ayudar a mi país.

Te creía, claro que te creía. Porque lo más complicado de las personas es convencernos a nosotros mismos de que ese vacío interior no existe, de que hemos culminado con tino el regalo de existir. ¿Cómo se consigue eso? Allá cada cual con sus angustias. Logroño no es ciudad para el existencialismo. Para empezar, pasa el Ebro y todo río tan rotundo sirve para demostrar la futilidad de cualquier modo de resistencia. Y además hay pocos sitios donde se coma y se beba tan bien y de manera tan obsesiva y frontal. En las calles habíamos visto ese rebosar de placeres terrenales, esa respuesta colectiva a la duda ontológica. La chistorra, los espárragos, el vino, la cerveza, ¿no son acaso la respuesta sencilla a toda pregunta compleja? Come, come, tienes que probar esto.

Te escuché durante el discurso con más atención que otras veces, la vista fija en tus gestos, en el modo en que escondías a tu espalda la mano izquierda al hablar o la obsesión por recolocarte la absurda diadema del micro que te hacía parecer una cantante de musicales.

–Esta mañana se me rompió un zapato, un drama para todos los que me llevan la imagen de campaña, para quienes lo quieren controlar todo. Pues bien, ¿sabéis qué? Lo solucionamos en cinco minutos. No digo que voy a tardar tan poco en solucionar los problemas de los ciudadanos. Pero me voy a poner a ello, sin escuchar a todos los que dicen que no se puede hacer nada, que no hay solución.

La rotura del tacón de tu zapato y la escena entrañable en el comercio se erigió en la foto del día. Para que funcione la superficialidad, mis queridos niños han tenido que entregarles la mediación entre ellos y la información a los resortes más superficiales. Pero en lo que respectaba a nosotros dos, tú y yo, al dejar atrás Logroño y esas confesiones medidas que me hiciste, tuve la certeza de que se abría un trato más profundo, menos epidérmico, más esencial. Llámame loco, pero salí de esa ciudad con una euforia desacostumbrada.

Y quiso la suerte que en ese estado de enajenación me telefoneara Su Sanztidad para decirme que tenía a su lado a los Conjuntivitis y que quizá sería bueno que les explicara yo mismo a sus representados la propuesta. Fue emocionante hablar con los chavales. Primero dejé que los saludara Rómulo, al que acerqué el teléfono a la oreja mientras conducía. Luego arranqué la conversación muy preocupado por el estado emocional de su perro. Al parecer tenían dos, uno cada uno, que ejercían de sus *alter ego* caninos. Eran perros pequeños de vieja solitaria. Les conté que yo tenía dos enormes, y que también para mí el estado de ánimo de mis perros era un reflejo de mi yo interior.

–¿Son tu yin y tu yang?

–Exacto, no los llamo así, pero son eso para mí.

–Qué guay tío, la gente que tiene perro nos cae tan bien...

Me di cuenta de que con aquellos chavales me iba a entender fácil. Les dije a las claras que la libertad se demuestra andando y que ellos tenían una oportunidad para demostrar la suya, si arrancaban tu último mitin con su canción. Recurrí al elogio.

–Amamos esa canción, es nuestro himno privado. Nos carga las pilas.

–Ah, vaya, eso nos encanta. Pero si nos mezclamos en política nuestros padres nos matan. Y nuestro repre igual. Creen que es mejor presentar una imagen blanca, aunque nos hemos posicionado contra el maltrato animal y a favor del cáncer infantil.

–Será en contra.

–Bueno, sí, tú ya nos entiendes. Lo que queremos decir es que la política mancha.

Era fascinante porque hablaban de uno en uno pero a dúo. Cada cosa que decían la pensaban a la vez y la emitían por separado. Eran educados y flotantes. Les costaba, como a todos los jóvenes, enlazar su negocio y su emotividad a flor de piel con los intereses de un partido político. Pero los seduje con más elogios y parecieron convencidos. Me despidieron con un efusivo nos lo vamos a pensar y me volví hacia los que estabais en el autobús.

–A lo mejor tenemos concierto para el último día.

–¿En serio? Eso estaría muy bien.

Hablar con los chavales me trajo a la cabeza a mi propio hijo. Llamé por teléfono a mi amigo Palomo y concerté una cita para que Nicolás fuera a elegir su coche al concesionario.

–¿Cuánto te quieres gastar?

–Lo que te pida estará bien.

–Te has vuelto generoso, Basilio.

–Lo que no hagas por un hijo...

Luego le puse un mensaje a Nicolás con la hora a la que le esperarían en el concesionario. Me contestó con un lacónico gracias, que ayudó a rebajar mi desatado entusiasmo. No hay como un hijo para devolverte a la miseria.

Llegábamos con algo de retraso al siguiente destino del día, pero a Rómulo no le perturbaban las prisas que le transmitía Carlota. Se relajaba con su hurgar de nariz. Reconozco que la parada de Tudela fue ideada por mí. Se lo propuse a Los Blanditos cuando confeccionábamos la ruta y ellos entendieron que podría tener su valor. Habíamos localizado a un joven llamado Antxon que iba a someterse a una cirugía bariátrica para lograr pasar de los 300 kilos que pesaba en ese momento a tan solo 160. Las reducciones de estómago cada vez son más frecuentes y sin embargo los pacientes son unos apestados sociales que carecen de la solidaridad de otros enfermos y no despiertan la empatía de casi nadie en una sociedad que solo sabe llorar por los bellos y los ricos que sufren, como manda la televisión. Por eso cuando entramos en el piso de Antxon nos recibió con una sonrisa abierta y franca de agradecimiento. Esa sonrisa valía por la campaña entera.

Aquella tarde lo trasladaban al hospital y, como no había ambulancia disponible para alguien de su peso, pretendían llevarlo en un camión de mudanzas con una cama desplegada en el remolque. Era la única opción que los servicios de salud habían podido ingeniar.

Te sentaste un rato a charlar con él mientras le veías ordenar su maletita para el ingreso hospitalario. Su chaqueta de pijama habría servido para fabricar una tienda de campaña. Antxon había cedido a someterse a la cirugía para reducir el peso porque los médicos le habían convencido de que el corazón, su arcaico corazón, no podía resistir mucho más en la tarea de mover esa mole humana. Te explicó algunas de las necesidades que padecía en la vida cotidiana, pero pese a la cercanía de las cámaras encontró tiempo para confesiones más personales.

Comer, te dijo, fue durante años su forma de calmar la insatisfacción vital. Esto le pasa a mucha gente, te aseguró, que encuentra en el comer desmedido su único placer. La obesidad es ante todo un problema mental. Denunció las ocasiones en que la sanidad pública le había negado ayuda psicológica o los problemas que sufría para lograr que una ambulancia apropiada lo llevara al centro hospitalario para cualquier revisión. Ahora había llegado la hora de subirse a ese camión innoble y tú estabas a su lado para denunciarlo.

Bajamos con Antxon a la calle y le acompañamos hasta la pequeña plataforma que le ayudó a subir al remolque del camión. Tenía miedo, se le transparentaba que no era de esos idiotas que van al hospital como quien va a coger setas. Él olía el peligro. A eso se le unía la vergüenza ante el vecindario, la humillación de la escena de carga.

–Me da coraje que mis padres me vean tratado así.

Tú te volviste para prestar atención a sus padres, dos ancianos ladeados, enjutos y tristones, ambos de ojos clarísimos, casi refulgentes. Meneabas la cabeza y repetías que aquello era una vergüenza. Antxon, que había permanecido en silencio durante toda la tramoya, vestía un enorme forro polar gris y pantalones de chándal. Comenzaron a subirle por un mecanismo hidráulico como se cargaría a una res. Al verse manejado a distancia por el operario que accionaba la plataforma, sonrió, y entonces su figura patética era la de un ser enorme pero desprotegido y frágil. Todo un acierto en nuestra agenda, que nos recuperaba el perfil humanista que era conveniente no descuidar.

Lautaro fue el que dijo, al escucharme plantear aquella escena tan particular con Antxon, que solo sería rentable si conseguíamos hacer aflorar la lágrima de los espectadores. Las lágrimas son siempre lucrativas en el mundo del espectáculo. Antxon resultó ser un hombre capaz de transmitir emoción sin lagrimeo ni queja. Sin embargo, su madre, delgadita y diminuta a su lado, se echó a llorar cuando tú la abrazaste con fuerza. Te costó hacerlo, porque no está en tu código prodigar contactos, pero el resultado fue logradísimo. Aquella mujer lloraba mientras los camioneros sin experiencia médica apretaban con cinchas al pobre Antxon a su camastro. Luego cerraron el portón y cinco minutos después nosotros estábamos en el autobús entre mudos y conmovidos. La vida sigue.

Cuando pasaste por mi lado sacudías la cabeza incrédula.

–Tú y tus ideas, Basilio.

Luego supimos que Antxon sobrevivió a la operación, aunque únicamente fue posible reducirle cien kilos de peso. Entonces ya solo nos relacionábamos con él a través de las redes sociales y le deseamos suerte. O quizá fue solo un emoticono de ánimo, un pulgar hacia arriba, que le mandó Arroba desde tu cuenta oficial.

El acto en Pamplona fue poco memorable, pese a que llenamos una plaza céntrica. El líder del partido en la localidad venía con los deberes hechos y te traía una lista con los cinco asuntos que preocupaban a la población. Recuerdo el gesto con el que me pasaste la lista tras mirarla por encima.

–A ver si puedes hacer algo con esto.

Intenté añadirlo al parlamento que tenías preparado. Media hora después te oí recitarlo entre el agitar de banderas de la plaza.

–No le tengo miedo a ningún problema. Todos tienen solución. Y si no se ha encontrado, es porque no se ha buscado a fondo. Yo traigo soluciones porque traigo trabajo, esfuerzo, concentración y estudio.

Y para cerrar la loa a los valores básicos, te colé una cita de Calvin Coolidge que tú no reconociste:

–Nada en el mundo sustituye a la persistencia.

Era noche cerrada y teníamos por delante aún doscientos kilómetros de ruta. Traté de escribir algo preciso para el día siguiente en torno a esas ideas de Tocqueville que tanto te gustan, por las cuales un buen político debe inculcar en los ciudadanos la confianza en sí mismos y no en el Estado. La base reactiva de la democracia era algo que compartíamos de nuestras ya lejanas charlas en las que matizamos la línea de los discursos. Cuando en una de esas primeras reuniones te pregunté si me ibas a obligar a tratar de venderles una idea de felicidad a mis queridos niños, me corregiste con autoridad.

–Yo solo entiendo la felicidad de una sociedad como la combinación de razón y derecho.

–De acuerdo, Amelia, pero ahora explícame cómo metemos esa abstracción en un mitin.

–Para eso te quiero a mi lado, Basilio, precisamente para eso.

Nos acercábamos a Burgos, pero mi cerebro era incapaz de escribir otra cosa que no fueran lemas animosos, abiertas mentiras y esa estrategia afinada del populismo plutocrático por la cual podíamos unir los intereses de las grandes empresas a los de los trabajadores empobrecidos y que la suma no terminara en cero. Recordé esa ocasión en la que ante un atasco de dos ideas contradictorias que me obligabas a unificar en un mismo discurso te confesé cierta impotencia intelectual para lograrlo. Te echaste a reír.

–Tú mismo me enseñaste cómo lograrlo, ¿te has olvidado?

–Refresca mi memoria.

–La paradoja del preservativo. Lo condenamos, pero lo usamos.

10. Burgos

Para cuando llegamos a Burgos, una ciudad que anima a morir de lenta embolia, el cansancio empujó al equipo a retirarse a las habitaciones. Pero yo tenía otros planes y había reservado, pese a que llegamos pasadas las once, en un restaurante que conocía bien y donde me prodigaban atenciones.

–Si me das cinco minutos para cambiarme, te acompaño.

Esa frase tuya resonó entre todos los demás. Ya nadie se atrevió a cambiar de opinión y venirse con nosotros. Y yo lo agradecí en secreto. Te esperé y reapareciste con unos pantalones vaqueros y un impermeable largo con el que te envolviste frente al frío.

–Podemos ir a pie, está aquí al lado.

Caminamos casi sin hablar, porque cerca del río nos golpeaba un viento que aconsejaba no abrir la boca. Nos seguía de cerca Pacheco, uno de los muchachos de seguridad, al que te sabía fatal obligar a prolongar la jornada, pero que se empeñó en acompañarnos. La familia que regentaba el local me recibió con estruendo. Uno de sus hijos había trabajado para mí en los meses finales de *La Causa Popular.* Se llamaba Pablito y traía la recomendación del constructor que manejaba los hilos en esa ciudad desde tiempo atrás. Pablito vivió el traspaso de la cabecera, pero yo me encargué de cuidarlo y de que quedara adscrito a la publicación con un contrato fijo, cosa que la familia me agradecería de por vida, porque al chaval le faltaba un hervor.

–Qué bueno verte de nuevo, Basilio, bienvenido.

–¿Y cómo está Pablito?

–Fenomenal. Ahora trabaja en el periódico gratuito de aquí de la ciudad, no sé si lo conoces.

–Ah, el periódico local y además gratuito, ese modelo funciona como un tiro. ¿Y quién lo paga?

–Los de Riconsa.

–¿Fernando Rico? Pues claro que lo conozco, un tipo estupendo...

Te expliqué después que aquel era el constructor que manejaba la zona desde tiempo inmemorial, ponía y quitaba cargos, llevaba la obra pública, era patrón de varios medios y eso le garantizaba un paraguas de cacique. Los dueños nos sentaron en una mesa apartada y buscaron otra discreta para Pacheco en la entrada. Durante los primeros veinte minutos fueron incapaces de concedernos tregua con su amabilidad. Finalmente pudimos hablar un poco a solas, tú y yo, como aquellas primeras veces cuando arrancábamos a colaborar. Posaron un plato rebosante de torreznos sobre el que me abalancé.

–No es solo que comas mucho, es que además comes muy deprisa.

–Por si se acaba el mundo, que me pille cenado.

–¿Algún día me explicarás de dónde te viene ese deseo de hacerte daño a ti mismo?

–No es hacerme daño, es darme gusto. Me gusta comer.

–Tienes que cuidarte, Basilio.

Pese a que había rechazado la copa de vino para seguir simulando delante de ti una sobriedad profesional, te miré como un niño reprendido. Tú también disfrutabas de la comida, por una vez, aunque bostezaste sin esconderlo.

–Estoy agotada.

–¿Tomas algo, vitaminas, cocaína, red bull?

–Carlota me da unas pastillas, nada ilegal. Y luego algo de cortisona para la garganta. ¿No me ves hinchada?

–Te veo, preciosa, al revés, más guapa que cuando arrancamos.

–Gracias.

Luego pensé en aquello que sostenía Tania de que carecías de vida sexual con tu marido y me hubiera gustado sonsacarte. Pero a ver cómo lleva uno esos asuntos a la conversación. ¿Y qué tal? Me han dicho que llevas década y media sin follar. El asunto me resultaba inabordable y eso me hacía comer más. Hablamos de algunos ejemplos de políticos de raza y entonces vi una veta abierta cuando me replicaste con algo de desencanto:

–Basilio, siempre me nombras a Merkel y la Thatcher cuando hablas algo referente a mí. No sé, ¿de verdad me ves tan poco sexy?

–Eran sexys, a su manera.

–Oh, vamos, imaginarlas follando es como imaginar follando a tus propios padres.

–Ya. Yo sé poco de tu vida sexual, no sé... ¿Cómo van las cosas por casa?

–¿Por casa? Si no paro...

–Pero tu marido y tú, ¿estáis bien?

–Claro, él me apoya mucho. Es un santo.

–No me gustaría estar casado con un santo. Algo de vicio también pide el cuerpo.

–No me quejo.

–¿Te hace feliz en la cama?

–¿Qué pregunta es esa, Basilio?

–No me refiero a si lees por las noches o tu marido ronca. Me refiero a lo otro, a lo esencial.

–Ya lo he entendido, pero no sé a qué viene tu pregunta.

–No sé, da la sensación de que estáis en dos etapas distintas. A ti te veo tan llena de vida, tan en plenitud.

–Basilio, me voy a ruborizar.

–Yo estuve casado ocho años. Y cada año mi mujer y yo follábamos un día menos por semana.

–No me salen las cuentas...

–Sí que te salen. En el matrimonio se acaba follando en negativo, los polvos entran en números rojos. No es que hubiéramos dejado de follar, sino que creo que hasta se arrepentía de lo que habíamos follado antes y me lo quería cobrar.

–No te creo, Basilio, me dijiste que te llevas bien con tu exmujer.

–Una cosa no quita la otra. ¿Para ti cuál es el número mínimo de coitos semanales para que un matrimonio pueda sobrevivir?

Te echaste a reír, balanceaste la cabeza, te negaste a responder, pero intuí que no era cierto lo que Tania me había contado. Puede que tu marido fuera impotente desde esa intervención tan grave que tuvo y que mencionó Tania sin mucho detalle. Pero me dio la impresión de que con las manitas o la lengua lograba los domingos por la mañana una plena satisfacción marital que valorabas en su justa medida. El tipo tenía ochenta y cuatro años, ya incluso que pudiera mover los dedos de la mano denotaba un estado de forma envidiable. Además, había intuido por conversaciones ajenas que era un hombre muy bien relacionado, que a su lado habías conocido a gente poderosa, a través de patronatos y fundaciones, ese magma humano que domina la alta esfera nacional.

Lo peor de mi empeño en entrar en tu vida íntima es

que arruinó la conversación. Después de pasear por el acantilado de una charla íntima, daba pereza sacar cualquier otro asunto. Bajé los ojos hacia mi plato. Puede que no mirarte te animara a decirme lo que me dijiste.

–Sabes que si alcanzamos algún poder, el partido no quiere contar contigo, ¿verdad?

–Ni yo con ellos, tranquila. Los Cuervos me fatigan.

–He estado pensando en lo de Genaro Centeno que me contaste. ¿Se puede hacer algo?

–No está en mis manos, pero tengo colegas trabajando en desvelar que la devolución de la chica fue más amaño que heroicidad.

–¿Sabes que tengo grabada esa conversación?

–¿Qué?

–Sí, la grabé en mi móvil. Es espantosa. La he vuelto a escuchar.

–Yo no usaría eso, jamás. Hay formas más sutiles. Déjalo en mis manos.

–De acuerdo, lo dejo en tus manos. Pero quiero quitarme de encima a ese tipo.

Miraste hacia el rincón de Pacheco para asegurarte de que no nos oía. Me sorprendió que hubieras sido capaz de sentarte a la mesa y grabar la conversación con Candi y Genaro en la que te chantajeó con la liberación de Marina Lemos para lograr el puesto en tu posible gobierno. No dije nada hasta que levanté los ojos y te miré con cierta profundidad.

–Me parece que te has hecho mayor.

–¿Yo? Yo ya era muy mayor cuando te conocí.

–No, había en ti una pureza que ya no tienes.

–No te engañes, Basilio, sigo siendo más pura de lo que tú te puedes imaginar.

–¿Seguro?

–Te lo juro.

–No me dio esa impresión cuando hiciste la llamada a los Orobio de Castro. ¿Cómo te sentó eso de pedir dinero para la campaña?

–No hablamos de dinero.

–Supongo que les garantizaste que nadie bloquearía la producción de pollos desmedida, que desmantelarías cualquier regulación laboral que impidiera que continúen reduciéndose los trabajadores sindicados en el sector.

–Mucho sabes del asunto.

–Tan solo en la producción de pollo industrial, los trabajadores sindicados han pasado del 35 % al 6 %. Es una buena radiografía de quién manda...

–No lo sabía.

–Supongo que tampoco sabes que Lázaro Abad forma parte del patronato de la asociación ultrarreligiosa que alimentan los Orobio de Castro. ¿Has oído hablar del grupo ese de influencia llamado Plegaria País?

–Vamos, Basilio, no seas paranoico. Me limité a darle las gracias por su generosidad en el impulso final de nuestra campaña. Yo no soy Pili Cañamero, no conozco las alcantarillas. Yo me ocupo del discurso político, como haces tú.

–El dinero es el discurso. Eso dicen los norteamericanos sobre las campañas electorales: *Money is speech.* ¿No te violenta que la política sea tan dependiente del dinero?

–Si te interesa eso deberías leer la sentencia del Supremo norteamericano cuando falló en el caso Buckley vs. Valeo...

–Lo conozco bien, es algo horrendo. Falló a favor de la sumisión definitiva del proceso electoral al rodillo del dinero.

–No seas ingenuo. Claro que el dinero importa, pero mientras se conserven las formas...

–¿Cómo se van a conservar las formas si tu campaña ha costado siete veces más de lo que vamos a declarar al Tribunal de Cuentas?

–Te veo muy informado.

–Soy observador.

–¿Decepcionado?

Sentí que lo preguntabas con absoluta sinceridad.

–¿Yo? Mira, Amelia, cuando era niño, fui un día a misa con mi abuelo y entramos en la sacristía. Mi abuelo le entregó un billete de mil pesetas al sacerdote para que nombrara a mi bisabuela entre la lista de difuntos porque se cumplían no sé cuántos años de su muerte. Le pregunté a mi abuelo que por qué había tenido que darle dinero para eso. Me dijo que era una propinilla, y que funcionaba igual que las ruedas de una bicicleta: cuando rozan o hacen ruido, nada mejor que un poquito de aceite para engrasar los ejes. Ese día comprendí que si para los mecanismos de Dios no viene mal recurrir al dinero, imagínate para los asuntos terrenales.

–Si te sirve de consuelo, tu abuelo no hizo nada malo. Es una costumbre, ayudar en los gastos de la iglesia.

–Pasar el cepillo. Un arte político.

Regresamos los tres con zancadas apresuradas hacia el hotel. Te disculpaste de nuevo con Pacheco. Yo le invité a que se tomara un digestivo conmigo en la barra cuando tú te subiste al cuarto. Apenas tenía conversación, yo tampoco tenía mucho de que hablar con él. Seguía rondándome en la cabeza esa idea de pureza que decías guardar a buen recaudo. No hay pureza en nada humano y sin embargo la búsqueda de la pureza es nuestra búsqueda, ¿no?

Subí a la habitación para poder beber en serio. Tenía que redactar un discurso. El día siguiente era el señalado para nuestra traca final. Se trataba de anunciar que propondríamos una variante en el sistema de enseñanza obligatoria. Nuestra idea era ofrecer un cheque anual para cada alumno en torno a los seis mil euros. De esta manera, los padres podrían coger ese dinero y decidir si llevan al hijo a la escuela privada. Si no lo hicieran y recurrieran a la pública, devolverían el cheque para costear el curso. Esta idea deliciosa basada en un concepto muy peculiar de la libertad fue expuesta por ti en el salón de actos del Museo de la Evolución Humana.

Obviamente no desaprovechaste la ocasión de recordar que el pilar de la democracia es el sistema escolar. Querías ofrecer a la gente la posibilidad de elegir. Los rivales se echarían encima de nosotros, porque el plan era poco menos que darle la puntilla a la educación pública. Pero era precisamente esa polémica, como habíamos estudiado a la hora de plantear el conflicto, lo que más nos beneficiaba. Porque el asunto se reduciría a dos bandos brutalmente enfrentados. Quienes defienden la pública y quienes defienden la privada y concertada. Al apelar a las sensibilidades íntimas de los votantes, lo que nos garantizábamos era romper sus inercias electorales, descuadrar el sentido del voto de algunos de ellos. Entre nuestros votantes habituales no hay nadie que se oponga a la reforma que planteábamos, pero entre los votantes rivales, según nos explicó Carlota con todo detalle, había casi un 40 % de personas que elegían la enseñanza privada y concertada, por lo que se unirían en algún grado a nuestro bando y podríamos dañar caladeros de votos de la Cachorra.

Recuerdo que en las redes nos criticó la medida un actor muy popular y bien comprometido con todas las ideas matraca de la izquierda universal. Me bastó susurrarle a Arroba que ese tipo enviaba a sus dos hijos a estudiar al colegio del Pilar. Corrió a hacerlo público. Algunos son incapaces de resolver sus contradicciones íntimas en la intimidad.

Tú no eras partidaria de la medida, pero Carlota te tranquilizó el día en que la incluimos en nuestros planes, porque te hizo ver que probablemente nunca se aplicaría. Era la mera polémica lo que habíamos estudiado como una fuente de beneficios electorales. Por eso cuando estudiaste a fondo la encuesta de impacto entre los votantes, dejaste de torcer el morro y, en ese encuentro de Burgos, pusiste tus mejores cualidades a trabajar para la estrategia.

–La libertad es nuestro motor y no podemos dejar que se imponga la obsesión de nuestros rivales por prohibirlo todo. Nos quieren prohibir pensar diferente, quieren organizar nuestra vida privada. Quieren anular a quien disiente de ellos.

Habíamos tenido un aperitivo en campaña, cuando se puso en cuestión la posibilidad de los padres de vetar contenidos que tuvieran que ver con la sensibilidad gay y transexual en las charlas escolares. Nuestro contendiente más a la derecha, el general Cojo, reclamaba ese veto parental y desató una campaña algo exagerada, como si en los colegios españoles se fabricaran sodomitas en las aulas. Pusieron a hacer circular por las redes vídeos falsos de profesores con consoladores en la mano que daban clases de masturbación, niños junto a adultos desnudos en apariencia de curso formativo. Eran imágenes sacadas de otros países y contextos, pero funcionaron para el fin que se buscaba. Se ganaron a ciertos padres para la causa, pues les reconocían la autoridad en las decisiones sobre sus hijos frente a los profesores y los políticos. Así que necesitábamos recuperar a los votantes perdidos en esa habilísima campaña.

–Tenemos que ser nosotros los que equilibremos el derecho de los padres a decidir libremente la educación que reciben sus hijos sin desautorizar a los profesores. Somos el verdadero centro moderado entre tanto enfrentamiento de unos y otros.

Sé que considerarás al leer estas líneas frías y quirúrgicas sobre nuestra campaña que soy incapaz de confesar abiertamente lo que pienso en conciencia. Pero no es así. Una agrupación manejable de ciudadanos, directa y cercana, puede asumir la democracia en toda su plenitud. Pero una vez que fuimos sometidos a la mediación masiva, todo aquello dejó de tener sentido. El maximalismo es el recurso ante la máxima exigencia. No te olvides de que llevo demasiados años trabajando de periodista y siempre he entendido ese oficio como la observación del modo en que se corrompen los cuerpos vivos. Toda teoría sobra, toda idea requiere adaptarse frente al sino de los humanos. Ya lo decía Anaximandro, el mundo está hecho de infinitos.

En los últimos días se disputaba en décimas el voto decisivo y habíamos repasado con Arroba la repercusión de nuestro anuncio del cheque escolar. De nuevo nos destacábamos entre los rivales directos. Además, el Santo nos ayudó con su reacción visceral, cayó en una serie de insultos algo desmadrados, lo que nos colocó en la marca centrada que buscábamos. Te llamó neoliberal desalmada, sabandija del capitalismo, y advirtió que tú perseguías acabar con la educación pública y que él perseguía terminar con la educación privada y concertada.

–Fantástico –gritó Carlota cuando lo vimos por el televisor del autobús–. Eso era exactamente lo que nos faltaba para el círculo perfecto.

Los partidos a la izquierda tenían la manía de la sobreactuación. Ladraban al aire. Al plantear el debate entre educación pública y privada, ellos mismos acotaron el terreno de juego y nos beneficiaron expulsando a padres hacia nuestro bando con esa intransigencia que los caracteriza. Un éxito formidable apenas a tres días del cierre de campaña.

11. Salamanca

Tuvimos que parar a comer en la carretera, pues habíamos sufrido un atasco por culpa de obras en un tramo de autopista y no llegábamos con tiempo a Salamanca. Nos detuvimos en un área de descanso y Carlota y Tania fueron a buscar los bocadillos para todos tras anotar las preferencias de cada cual como dóciles camareras. Arroba se comunicaba incansable con los analistas de Los Cuervos y sus exigencias me rompían la cabeza. Aunque ya estaba prohibido publicar encuestas, nosotros proseguíamos con los rastreos por provincias y las últimas previsiones nos daban dos puntos de distancia sobre el Mastuerzo, lo que le condenaría a pactar con nosotros en condiciones de desventaja.

Tú y yo nos separamos un poco de la catarata de sus datos y nos sentamos cerca del ventanal delantero. Aitana Banana fumaba sus cigarrillos de vapor afuera con los chicos de seguridad y Rómulo ahondaba en su vicio nasal. Tú mirabas alrededor con simpatía pero con extrañeza.

–Esto se acaba –dijiste de pronto.

–Bueno, queda lo más difícil, Amelia.

–No para nosotros. ¿Sabes que nunca pensé que lo lograríamos? No sé por qué tenía la impresión constante de que algo iba a suceder y a mitad de campaña me retirarían o alguien me sustituiría por las razones que fuera.

–Es el síndrome del estafador, todos lo tenemos.

–¿Ah, sí?

–Una vez entrevisté a un pianista muy exitoso y me decía que su pesadilla habitual era que alguien entraba de pronto en el camerino antes del concierto y le decía: «Recoge tus cosas, ya nos hemos enterado de que no sabes tocar.» Es natural.

No me sorprendía escucharte estos temores. En algunos momentos determinados yo había temido por tu vida, por tu seguridad. Incluso por tu reputación, por que fuera masacrada por intereses variados. Pero no te dije nada. Te seguí la corriente.

–Y a lo mejor hasta anhelabas que sucediera y te pudieras sacudir la responsabilidad –dije, sin señalar los momentos en que tú misma habías forzado la posibilidad de ser apartada de la candidatura.

–No te digo que no. Y tú, Basilio, ¿sigues pensando que nos hemos puesto al servicio del mal?

Me encogí de hombros. No sabía qué contestarte.

–Cada vez pienso más que las cosas dependen de las personas, del individuo, y no tanto de los grupos de personas, de los partidos, de los gobiernos, de las instituciones, de las religiones. Es como el colegio. En la misma clase, con el mismo temario y con el mismo profesor, sale alguien apasionado de las matemáticas o alguien que las detesta de por vida. Sale alguien decente y trabajador o alguien deshonesto y desaprensivo.

–Es la química de las personas –dijiste tú entonces.

Me quedé pensando en esa expresión, en si quería decir algo de tu propia vida, de tu propia actitud. Pero no pudimos seguir hablando porque hicieron trepar a todos al bus y Tania empezó a repartir los bocadillos. Íbamos con la hora justa. Yo había pedido dos, uno de lomo con pimientos y otro de pimientos con lomo. Eran tan correosos que al morderlos creí que la dentadura me iba a salir volando. También me terminé el tuyo, que era de tortilla de patatas aunque la textura se parecía a masticar arena de playa.

En Salamanca nos quedaba pendiente un acto popular y otra de esas visitas técnicas para darte un aire de conocimiento profesional. En esta ocasión era un parque eólico de cientos de aerogeneradores en un pueblo llamado Ventosa del Río Tormes. Era un lugar famoso por sus corrientes de aire, un punto estratégico peninsular. Durante los primeros años las instalaciones de molinos fueron tal negocio que en esa localidad de apenas cinco mil vecinos lograron traer a los Rolling Stones para que tocaran durante las fiestas patronales. Así se las gastaba la alcaldesa, que incluso mandaba al Caribe a los jubilados locales en las vacaciones. Pese a haber ostentado la vara de mando durante veinticuatro años, finalmente fue a parar a la cárcel junto a tres de sus hijos. Supongo que también en su caso y en el de su familia funcionaba la química de las personas. Tuvimos suerte, porque por una vez la corrupta no era de nuestro partido, sino una histórica sindicalista de Los Lobos, lo que nos dio pie para introducir alusiones a la lucha denodada contra la corrupción que habíamos emprendido. Tolerancia cero, les gustaba escucharte decir a mis queridos niños cuando te referías al asunto.

Durante el mitin en el centro de cultura García Sánchez, ya en la ciudad de Salamanca, hiciste referencia al caso de Antxon, el hombre obeso del día anterior.

–En este peregrinar para conocer los problemas de España, me he topado con vecinos nuestros, con compatriotas que están abandonados, humillados por el sistema público, por las instituciones. Mi compromiso es no perderlos de vista jamás, tratar caso a caso y resolver los problemas de la gente. Ser, como prometí el primer día de campaña, la mujer que este país necesita.

No fue un gran discurso, pero la asistencia era tan nutrida que hubo que disponer de pantallas de vídeo en el exterior para que siguieran el acto quienes no habían podido entrar. Se notaba que echábamos el resto en los últimos kilómetros, con más dinero en la organización y los decorados. La empresa que se ocupaba de organizar los eventos había multiplicado el personal.

Aceptaste acompañar en un paseo por la ciudad al alcalde, antes del acto, y te llevó a descubrir la rana en la fachada de la Universidad, un rito que trae suerte y ha convertido la orfebrería plateresca en un reclamo masivo. Desde tu camerino grabaste una entrevista por satélite con uno de los magazines de tarde. Según Carlota, ese programa de televisión era decisivo para el voto. Tú estabas en Salamanca y tratabas de concentrarte en mirar a la cámara porque de ese modo parecía que mirabas a la presentadora en el estudio de Madrid. No era fácil mantener la conversación, con el pinganillo en la oreja y un cierto retardo de sonido. Pero lo hiciste bien. Sonreíste con dulzura cuando te dijo que habías sido la gran sorpresa de la campaña y que todos empezaban a darte como virtual ganadora en la batalla tan reñida del domingo.

–Si gano no será por méritos míos, sino por la confianza de la gente, hay que ser humildes –dijiste sin demasiada humildad.

En la política funcionan los condicionantes psicológicos, y cuando se dice de uno mismo que se es humilde, se disfraza la soberbia, cuando se advierte de que vas a decir la verdad, se miente, y cuando se asegura que algo es lo que todo el mundo piensa, en realidad no lo piensa nadie pero se pretende inducir a que todo el mundo lo piense. La clave está en hacerlo sin que se perciba esa constante manipulación y tú lo lograbas finalmente.

La presentadora te puso un fragmento del mitin de la noche anterior del Mastuerzo. Bromeaba diciendo que tus alumnos se debían de haber aburrido en tus clases tanto como nos habías aburrido a los demás en tus mítines, y que el día del debate te habías mostrado como una profesora intransigente que no escucha y solo sabe echar la bronca a los demás.

–¿Qué le parece esa visión de quien puede ser un socio de gobierno? –te preguntó–. Creo que incluso se refirió a usted varias veces como señorita Rottenmeier.

–Ah, no lo sabía. Me hace gracia. El mote es un poco antiguo, ¿no? Mis alumnos me llaman la Merkel.

En los últimos días nos habíamos inventado esa mentira y la repetíamos como si fuera un mote que realmente usaban para definirte. A Carlota le encantó la idea. Para responder al Mastuerzo, te escribí algo en un papel que coloqué detrás de la cámara y dijiste con resolución un segundo después.

–La obligación de un profesor es reñir al alumno cuando lo hace mal, si no, no está cumpliendo con su obligación, eso no lo debería olvidar mi rival. Y si algún día forma parte de mi gobierno, que sepa que esa va a ser siempre mi actitud, corregir al que lo hace mal.

Al volver al autobús se extendió sobre nosotros esa convicción de que ahí acababa la aventura. Tenía razón Rómulo cuando predijo aquello de que todo viaje termina siendo un viaje escolar. La conversación parecía haberse relajado. Carlota estuvo más receptiva. Le gastábamos bromas a su tirantez.

–No vas a llegar a vieja –le dije.

Arroba no aparcó los teléfonos móviles, pero se reía con algunas de las cosas que decían Tania y Aitana Banana, obsesionadas con dar para el mitin de cierre de campaña con un vestuario que llamara la atención. Me imaginé mientras hablaban que a la semana siguiente ya ni tan siquiera quedaríamos a comentar los resultados, que a lo mejor ni volvíamos a vernos. Pero la atmósfera era tan agradable que nos creíamos por un segundo amigos inseparables.

Atendiste a varias radios que festejaban el último suspiro de la campaña con entrevistas y reportajes más o menos livianos en los que resumían las anécdotas del viaje. Habías resultado ganadora en el kilometraje, ningún candidato había recorrido tanta carretera como tú.

–Creo que me he hecho una idea bastante clara de los problemas de la España real, para eso ha servido –dijiste, pero ni tú misma podías creerte algo así.

De hecho, me habías comentado la frustración de haber recorrido tantas ciudades sin tiempo para conocerlas levemente. Era algo contrario a tu forma de viajar, de habitual tan reposada y académica. Te imaginaba con las guías de viaje mientras decidías los lugares cuya visita era inexcusable. Supongo que la idiota perseverancia turística de tu marido, con esas lecciones plomizas frente a cada catedral, te proporcionaba algún tipo de placer. Si algo había logrado a lo largo de mi vida es jamás pisar una ciudad con un plan de visita previsto, lo turístico me resultaba abominable. Caminar, entrar en un bar, tropezarte con una estatua o un edificio singular sin haberlo buscado y tratar de entender, en la medida de lo posible, cómo vivía una persona corriente en esa ciudad que te es extraña era mi única idea de viaje. Quizá por ello me habían asaltado y robado en varios lugares tan dispares como París, Londres, Dakar y Rosario, pero a cambio me había librado de tener que buscar un rincón particular por obligación escolar. Tan turístico es tomarte un vino en un esquinazo innoble de París como mirar la torre Eiffel, tan turístico es mojar pan en aceite en un tugurio de Florencia como recorrer los Uffizi. Esta actitud me causó muchas discusiones con Beatriz. Ella era más de costumbres impuestas. No, no habíamos hecho turismo, tan solo cumplido a rajatabla un programa de actos de campaña.

Volví a llamar a los hermanos Conjuntivitis como hacía cada media hora desde esa mañana. Su Sanztidad había tenido a bien darme su número privado. Por fin respondieron y volvieron a exigir de mí las mejores dotes de persuasión. Sus dudas eran comprensibles, todas tenían que ver con la radiactiva contaminación de la política. Quien se acerca a esa disciplina perece achicharrado. Bastaría con que salieran al comienzo del acto, les expliqué, no tenían que quedarse a los discursos, de esa manera no les salpicaba nuestro ácido. Noté, pese a la distancia telefónica, que respiraban agitados, indecisos, pero orgullosos de que los cortejáramos desde nuestra campaña. Incluso sus perros ladraban por detrás muy animosos, por lo que finalmente saqué la artillería.

–Mirad, chavales, el día más feliz de mi vida fue cuando dejé de preocuparme por lo que pensaban los demás de mí, cuando dejé de sentirme coartado por la reacción de los otros y empecé a actuar con libertad. Cuando me dije: yo soy el que soy.

–¿Yo soy el que soy? ¿Esa frase es tuya? Es buenísima.

–Esa frase define a todos los que llegan a triunfar en el mundo del espectáculo.

–Pues sabes qué te digo, que tienes toda la razón.

Lo dijeron al unísono, los dos Conjuntivitis conjuntadísimos. Luego les avisé de que se pondrían en contacto con ellos de la organización del acto para coordinar los detalles, pero que contábamos con su participación y su himno para calentar el mitin de cierre.

–Y no os preocupéis que habrá una pequeña compensación por el esfuerzo...

Os transmití la noticia, que causó fervor en todos. Al cabo de un instante, Carlota te enseñó en el móvil tres o cuatro diferentes perros.

–¿Cuál prefieres? –te preguntó.

–¿Vas a comprarte un perro? –te interrogué.

Pero Carlota me explicó que para la jornada de reflexión Lautaro había decidido que te pasearas media hora por el Retiro con un perro y que fingieras ser su dueña. Era otro flanco pendiente para no desterrar cualquier voto de amante de los animales tras la defensa a ultranza de la ganadería intensiva. Señalaste un bulldog inglés con cara de intelectual.

–Este me recuerda a Basi.

Todos rieron, incluso yo, con tu broma. Aunque luego elegiste un terrier con morro y perilla de aristócrata. Carlota lo seleccionó y lo mandó a quien se ocupaba de la transacción. Los candidatos, al parecer, eran perros que pertenecían a la alta militancia de Los Cuervos en Madrid, canes de confianza que no se fueran de la lengua después de participar en la impostura.

12. Madrid

Ese viernes final por la tarde teníamos planificado un recorrido por algunas de las ciudades periféricas de Madrid en las que el voto se mostraba más renuente, lo que llamábamos las ciudades dormidas. Por algunas nos limitamos a un recorrido precipitado del autobús, a saludar como el Papa desde su papamóvil. Nos seguía el minibús de prensa, con Fresitas, Correoso, Lolo Prados y el resto de los periodistas, ese día más numerosos que nunca con las incorporaciones capitalinas. Los habituales ya también estaban fatigados de la tarea de seguirnos a todas partes. Hiciste un trayecto de media hora en su minibús para conceder una rueda de prensa distendida y facilona. Te despidieron con cariño y entre todos te regalaron un tomo de fotos de campañas electorales que agradeciste con sentimiento de culpa, pues tú no habías pensado en un regalo para ellos. Tania te prometió que buscaría algo. Los analistas no paraban de especular con datos sobre los indecisos. De pronto los indecisos eran un maná flotante cuya nube había que perforar para que llovieran sus votos sobre nuestras cabezas. De tanto acotar sus preferencias por edades y zonas, y de enviarnos diagramas como si describieran el frente de batalla, tenía la sensación de atracar bancos íntimos.

De cada uno de los 179 municipios de Madrid nos llegaron datos muy precisos, pero la ruta se limitaba a paradas en Alcorcón, Móstoles, San Sebastián de los Reyes y Valdemoro, donde había disputas muy cerradas por el voto.

Recibíamos casi de manera telegráfica el destino y el argumentario con el que debíamos intervenir en cada lugar, muchas veces reducido a un solo asunto. Era sencillo. Alcorcón se disputaba por unas decisiones de tráfico rodado, en las que debíamos enfrentarnos al ayuntamiento de la capital y sus cortes de acceso y peatonalizaciones. Lo mismo en Móstoles, pero con firmeza contra la llegada de inmigrantes y un mayor acento en la seguridad, dos de nuestras bazas más adecuadas al simpatizante.

La penúltima parada había tenido lugar en Valdemoro, regida durante años por un alcalde que acabó en la cárcel que él mismo había acudido a inaugurar. Un logro que había dotado de notoriedad al lugar para afrenta de sus vecinos de Pinto, que no podían competir con algo tan fotogénico. En Valdemoro contábamos con más de quince mil votantes potenciales para los que bastaba que transmitiéramos una ligera idea de regeneración, una promesa creíble de que Los Cuervos no regresarían de manera desatada a reincidir en el latrocinio, y volverían al redil. Ya se veía en el aspecto bovino de quienes acudieron a la convocatoria un deseo febril de querer creer. Lo ibas a tener fácil. Recibí con alegría la visita de uno de mis bicharracos favoritos en la política profesional. Marcelino Perelló había hundido dos televisiones autonómicas a base de robar para el partido. Era un veterano, que hasta cumplió pena de cárcel por participar en una venta fraudulenta de edificios con el arzobispado de Madrid, pero seguía próximo a Los Cuervos. Me invitó a tomar un par de cafés mientras hablabas para un grupo de vecinos.

–Me gusta la candidata, ha ido ganando con los días de campaña.

–Sí, destaca entre los políticos jóvenes, que unen la estupidez a la maldad, una mezcla que siempre funciona.

–De verdad te lo digo, no era de mi gusto, pero ahora me convence.

–Amelia tiene la virtud de ser nueva en esto de la política.

–Vamos, Basilio, ¿qué tienes tú ahora contra los políticos? Ni que hubiéramos sido poco generosos contigo.

–Tienes razón, quizá soy injusto.

–¿Y no era tu película favorita esa donde se decía que un político es como un edificio feo, que cuando pasan los años le tomas cariño?

–Algo así.

Marcelino y yo nos conocíamos tanto que incluso en

ese ambiente de frenético final de campaña pudimos intercambiar confidencias. Me tentó con la oferta de volver a montar un canal de televisión.

–Si ganamos, va a haber dinero de nuevo y a ti te van a deber algunos favores.

–No sé si quiero volver a la agitación del periodismo.

–Venga, Basilio, a ti te gusta la sangre. ¿Acaso te vas a retirar sin soltar de tanto en tanto tus manotazos?

–Ya veremos, ya veremos qué depara el futuro. El tiempo inventa nuevos enemigos.

Gloria, mi gloriosa agente literaria, también me había hecho llegar una oferta para escribir mis experiencias en campaña. De algo habrá que vivir.

Antes de proseguir el periplo hicimos una pausa para entregarle a Rómulo el regalo que habíamos sufragado entre todos. Se sorprendió por el detalle y mostró algo parecido a la emoción mientras todos le aplaudíamos. Creo que éramos sinceros. De una parte estaba el aprecio por su habilidad y talante. De otra, la natural alegría por librarnos de él. Aitana Banana, que era quien se había encargado del regalo, le hizo entrega de una cazadora de piloto que sustituyera su gastada pelliza. Además había preparado por sorpresa unas camisetas que nos repartió. Llevaban en la espalda la ruta marcada en el mapa de España que habíamos completado y unas letras en el pecho que decían: España Regresa. Corrió a anunciarme que una de ellas era de la talla XXL. La besé en el cogote. Ese momento tuvo algo de acto de clausura y entrega de diplomas.

El cansino deambular en el autobús a esas velocidades tétricas que ahora han impuesto en la ciudad terminó en San Sebastián de los Reyes y los accesos a su Ciudad de la Cultura. Allí nos esperaba una convocatoria enorme de cierre de campaña. Alguien había decidido usar la música como arma de sometimiento y un dj contratado propinaba una matraca intolerable entre confeti y banderolas de España, todo con un acento norteamericano algo desmesurado. Habíamos perdido más de ocho mil votos en la última convocatoria electoral en esa ciudad y según nuestros cálculos podrían recuperarse todos ellos sin demasiado esfuerzo. Tocaba pues hacer sonar el discurso de que volvíamos los de siempre, pero ahora con la honradez como insignia.

La Ciudad de la Cultura fue un proyecto en el que se enfangaron los recaudadores de Los Cuervos. Su aspiración era meterse en el bolsillo cerca de cien millones de euros desviados de las obras, pero diversas polémicas frenaron la codicia y la Ciudad quedó reducida a un espacio mastodóntico y vacío donde primero se anunció una biblioteca, luego un hospital de enfermedades víricas, después un centro de ancianos y en los últimos años se alquilaba tan solo para fiestas privadas de Nochevieja y Halloween. Perpetrar allí el acto final era una concesión al dicho de que todo criminal regresa al lugar del crimen. Candi me había pedido que en el discurso anunciara que la Ciudad de la Cultura volvería a retomarse como proyecto inmediato de tu gobierno. Era para llorar que tuviéramos que recurrir al imperio del ladrillo en nuestra reconstrucción del futuro, pero el dinero en España tiene muy poca imaginación. Tú no eras tan pesimista como yo.

–Ya veremos, Basilio, ya veremos. Todos esos proyectos los estudiaremos a fondo cuando llegue el momento.

No me tranquilizabas. En realidad yo temía por ti. Ya solo temía por ti. Yo hace años que consigo no perder las elecciones porque jamás tengo preferencias. Vivo al margen. Pero sufría por ti. Por si perdías. Y aún más por si ganabas.

Habían habilitado un despacho donde nos instalamos tu equipo íntimo junto a Candi y los analistas más cercanos capitaneados por el esbelto Junco, siempre tan seguro de sí mismo. También estaba una parte del equipo político, futuros altos cargos y ministros, a los que Carlota despejó hasta un despacho contiguo cuando te descalzaste y pusiste los pies desnudos en alto sobre el sofá.

–Esta espalda me está matando –dijiste, y yo eché una risotada liberatoria–. ¿Por qué te ríes así?

Cuando me lo preguntaste, Tania corrió a atender a no sé quién y salió del despacho, pero yo te aclaré que ya me habían contado que tu fisioterapeuta concluía el masaje reparador con lo que la jerga popular llama un final feliz.

–¿Final feliz?

–Eso me han dicho, que el venezolano te deja como nueva.

–Pero ¿qué dices, estás loco? ¿Quién te ha dicho eso?

–Anda, Amelia, no te hagas la mosquita muerta conmigo. Si el fisio te pone contenta, mejor para todos.

–De verdad, Basilio, tu mente es perversa.

No me costó darme cuenta de que todo era una mentira más de Tania. Quizá también aquello de que tu marido y tú llevabais sin hacer el amor década y media era otra de sus invenciones, pero no consideré oportuno aclararlo en aquel momento. Puede que Tania me hubiera engañado desde el principio, al establecer conmigo una seductora afabilidad tan solo para dominarme por mi flanco más débil.

Alguien había dejado frutos secos en dos cuencos sobre la mesa y me recosté en el sillón para comérmelos. Acabábamos de imprimir el discurso de cierre y me pediste que lo repasara a tu lado. No era fácil concentrarse entre el ajetreo que nos rodeaba. Candi se unió a la revisión con nosotros y en voz alta repitió los seis puntos que consideraba fundamentales. Yo ya tenía una frase preparada que lo resumía todo:

–Ha llegado la hora de recuperar lo que somos, de no avergonzarse de ser el país que hemos sido siempre. España Regresa. Venimos a ganar, sin ningún complejo.

A Candi le gustó, habíamos pasado toda la campaña empeñados en negar que veníamos de la malversación, el cohecho, el tráfico de influencias y la prevaricación, y ahora tocaba volver a sacar el orgullo de ser lo que éramos. Nos dirigíamos a los convencidos, a los rendidos, a los fieles, nada de sembrar dudas en sus cabezas. Las paredes aislantes eran de conglomerado barato y llegaba la agitación del exterior. El partido, con ese dinero inyectado en el último aliento por los Orobio de Castro, había contratado un servicio de llamada y mensajeo que se iba a dedicar las horas anteriores al final de plazo a hacer caer una lluvia de recordatorios de voto sobre los dudosos. Las cuentas falsas insistían en que los rivales iban a prohibir tal o cual cosa, que iban a inflar aún más la deuda del Estado y que solo nosotros perseguíamos la liberalización casi total del mercado y unas cuentas racionales.

Un escándalo de última hora salpicaba al Santo y su candidatura. Al parecer, Juan Veloz había sido retirado de la dirección digital de campaña después de abusar sexualmente de una voluntaria. Siempre envidié a esa agrupación porque en los noticiarios salían rodeados de chicas jóvenes y hermosas, voluntarias llenas de fe en un discurso renovador y entregadas a sudar la camiseta. Según las fuentes, Juan Veloz había acosado a una de ellas la noche anterior, cuando la llevó a un camerino en el teatro donde tenía lugar el discurso del candidato y la forzó a que le hiciera una mamada. El tipo se había excusado en un confuso comunicado donde pedía perdón y decía que el alcohol mezclado con su medicación le había provocado un estado incontrolable.

–No me lo puedo creer, ¿trató de violar a una chica desde su silla de ruedas?

Me divirtió que te escandalizaras así cuando Tania te contó por encima los detalles del suceso mientras lo reenviaba a todas las cuentas afines para hacerlo correr por las redes.

–¿Qué te parece tan raro? Está en la naturaleza de los hombres...

–El tipo es inválido, está en una silla de ruedas, ¿seguro que es como lo cuentan?

–Pero, Amelia, si Stephen Hawking engañó a su mujer de toda la vida con otra cuando solo podía comunicarse moviendo las cejas. Esa es la naturaleza de los hombres, no seas tan ingenua. Es nuestro gran agujero negro.

Yo lo había explicado en aquel artículo que nadie quiso entender y que me costó la cancelación de mis colaboraciones en el diario *Pis&Caca.*[19] Conocías mi opinión sobre el asunto. Sin embargo, las acusaciones contra Juan Veloz favorecían la intención de voto de la Cachorra según el análisis de Arroba, así que eliminamos cualquier mención en el discurso.

El regidor del acto no tardó en reclamarnos para salir puntuales hacia nuestros lugares en la primera fila. Rómulo estaba exultante. Que el dúo Conjuntivitis interpretara dos canciones en la previa a los discursos tenía que ser considerado un éxito personal suyo.

–¿Te acuerdas, Basilio, que cuando te hablé de ellos ni siquiera sabías quiénes eran?

Luego me presentó al mánager. Su Sanztidad me tendió la mano con desgana. Los chicos estaban ya a punto de salir a escena y me dijo que era mejor no turbar su concentración. Le agradecí su intermediación para convencer al dúo, pero él no estaba del todo a favor de que participaran en el mitin. Que sus muchachos se prestaran a algo así los comprometía de cara a un sector de sus seguidores.

–Los artistas no tienen que mezclarse en la política.

–Estos chicos no pueden caer mal a nadie, son etéreos –le tranquilicé.

Lo decía en serio. Todo se les podía perdonar por la desinhibición y la falta de pudor que mostraban en el escenario. Incluso la idiotez mema de su vestuario los propulsaba a un lugar en el que no podían resultar ofensivos ni antipáticos. La música rompió a sonar en un grosero *playback,* pero ellos saltaron a escena con dos micros inalámbricos pegados al moflete y sus rimas simples y eficaces animaron a la concurrencia. De colofón tocaron nuestro himno «Te quiero como eres», con esa cadencia latina repetitiva y bravucona.

Coreé con ellos la entrada del estribillo y ese «Pásame la sal» catártico. Levanté el pulgar hacia Rómulo, que era quien más desatado bailaba y se acercó a mí para volver a escupirme entre gritos una información de utilidad:

–Los que tenéis la maleta en el autobús o cosas personales llevároslo todo con vosotros, que yo termino esta noche la faena.

Al día siguiente habría quitado los adhesivos con tu cara y volvería a aceptar algún encargo itinerante. Tania me dijo que ella se ocuparía del maletón de ropa y la bolsa con mis papeles y haría que me lo enviaran a casa al día siguiente.

El aforo superaba las cinco mil personas. No habíamos querido llenar estadios y plazas más grandes, pues estaba estudiado que esa euforia final activaba más el voto en contra que el voto fiel. Apostada en cada pasillo de acceso había gente que repartía banderitas del partido y del país, como si ambas cosas fueran lo mismo. Teníamos reservadas las tres primeras filas ante el escenario y vi aparecer a tu marido con cara de despiste cuando empezaba la canción. Levanté la mano y él prefirió sentarse en la segunda fila conmigo antes que en la primera con todos los gerifaltes a tu lado. Un gesto que le honraba, aunque parecía más superado que discreto.

–A mí tanto ruido me atonta.

Me lo dijo entre la música y el griterío. Lo miré con algo de pena, pero no supe qué decir para consolarlo. Atontado parecía siempre.

–La canción es muy buena. Tienes que escuchar la letra.

–Tú siempre con tus bromas, Basilio. Ya me ha contado Amelia que has sido la alegría del viaje.

Al balancearme rompí la silla y me desmoroné en el suelo en medio de los invitados. Era una de esas sillas plegables y gritonas, que ya al acomodarme había soltado un alarido. Se descoyuntó y todo el mundo se precipitó a ayudarme y a comprobar que no me había partido la columna vertebral. Luego se echaron a reír como niños. Yo era el gordo del que se burlaban también en el graderío los que habían visto el percance.

–¿Estás bien? Esto es un signo de buena suerte –me dijiste entre la algarabía.

–Ya no se fabrican las sillas como antes.

No era la primera vez que rompía una silla. Pero la vez anterior había tenido lugar muchos años atrás. Yo colaboraba en una revista cultural cuando aún estaba en la universidad. Era algo alternativa y radical, hecha toda por jóvenes excepto la dirección, que recaía en el fundador, un iluminado algo fumeta que se autodefinía como ácrata y llevaba sombrero. La tarde en que rompí la silla y vi cómo todos se carcajeaban, me levanté, cogí mis cosas y no volví jamás por ese despacho infecto. Como ves, los gordos tenemos siempre anécdotas de destrucción y burlas. Una vez hundí la cama cutre de un prostíbulo en Rota. Pasaba allí un insoportable veraneo con Beatriz y mi hijo Nicolás recién nacido. La pobre brasileña que quedó debajo de mí no podía parar de reír pese a que estuve a punto de asfixiarla.

Para presentar el acto Candi había enrolado a una actriz veterana. Le habían prometido darle un programa de entrevistas en la televisión pública. Ella daría paso a los discursos de la noche, aunque su memoria era un bombo de lotería y equivocaba dos de cada tres nombres. El primer discurso le correspondió al presidente de las juventudes del partido, al que reconocí como el apuesto novio de Carlota, aquel de la quijada inolvidable.

–Si el futuro son los jóvenes, Amelia Tomás es el futuro. Porque es la aliada de los jóvenes.

Miré hacia la posición de Carlota. En sus ojos no había el brillo del orgullo por ver a su pareja lucirse en escena, sino más bien esa ambición opaca. Desde luego, aquella muchacha daba mucho miedo. Tras el joven brillante hablaría Candi, veterano fusco. Me di cuenta de que igual que hay apellidos y nombres que se afinan de manera casi sobrenatural sobre quien los lleva, a Cándido el único adjetivo que jamás le habría dedicado era precisamente su nombre. No era cándido en nada, todo era maldad, cálculo, control, dominio y falta de inocencia. Quizá sí hubiera algo de candidez en ti, que estabas allí con las piernas cruzadas, preocupada por si la falda era demasiado corta y superada por el estruendo. Candi arrancó con una amenaza: seré breve. No lo fue. Se extendió en los agradecimientos a los voluntarios, a la gente de la casa, y terminó por parecer uno de esos pobres desamparados que recogen los Goya con dedicatorias sin freno.

Antes de ti, fue imposible evitarlo, tomó la palabra el responsable económico, el futuro ministro Lázaro Abad. Me habías dicho, cuando te pregunté la primera vez por tu equipo, que te tranquilizaba que alguien llevara la división del dinero y los balances, que preferías centrarte en otras cosas. Pero aún dudo de que existan otras cosas. Yo no seré breve, advirtió el meapilas cuando tomó la palabra en el altar mayor. Como se había traído a su mujer y a sus ocho hijos al acto los exhibió como muestra inquebrantable de su fe en la familia. Si se ganaran votos por la potencia impregnativa del esperma, ahí teníamos nuestro reclamo fertilizador.

A última hora se había caído del panel de intervenciones el nombre de Germán Centeno. El diario de Fresitas publicaba las declaraciones de un funcionario senegalés que desde el anonimato apuntaba a que habían retrasado la liberación de Marina Lemos en función de los intereses personales de Centeno. Y, para apoyar la filtración, el diario de Fresitas lo ilustraba con un documento de organización de nuestra campaña. En él se mostraba cómo Genaro Centeno había sido introducido en un acto público de campaña dos días antes de la liberación cuando no estaba anunciada su presencia. Ese documento tenía que salir del círculo cercano de Los Cuervos. ¿Se te ocurre quién pudo hacérselo llegar a Fresitas? Su diario digital, al no salir en papel, tenía un efecto dañino limitado, pero la historia iría creciendo en los días siguientes, de eso nadie dudaba. Cuando llegara el momento de nombrar un gabinete, Genaro Centeno estaría carbonizado, o al menos eso esperábamos tú y yo.

Lázaro Abad se extendió en detallar los ajustes contables para limitar la deuda, seducir a la empresa, generar empleo, aumentar el gasto social y bajar los impuestos. Es decir, la milagrosa receta imposible. No pudo resistirse a citar de nuevo al manido Churchill. Su ingenio sonaba grosero en boca de aquel plúmbeo personaje.

–Los gobiernos no pueden dar nada que no les hayan arrancado antes a sus ciudadanos. Como mucho les quitan a unos para darles a otros y pierden la mitad por el camino.

Al llegar tu parlamento los asistentes comenzaban a estar chamuscados como un pan olvidado en la tostadora. Para el instante en que las luces de aviso te advirtieran de que entrabas en directo en las televisiones, me habías pedido algo especial.

–Quiero algo personal de cierre, algo muy personal.

Me había esmerado en escribirte algo que te convenciera.

–Nos hemos hecho respetar, hemos protagonizado la remontada de esta campaña y vamos a ganar porque tenemos propuestas y no insultos, porque tenemos ideas y no chistes.

Hiciste referencia a la noticia no confirmada de que el Mastuerzo tenía contratado a un guionista de tele para que le escribiera sus bromas.

–Cuando alguien suena a humorista de tele y parece un humorista de tele y resulta que sus discursos se los escribe un humorista de tele, raro será que no resulte un mal humorista de tele en lugar de un buen presidente del gobierno.

La idea era que variaras el tono y cobraras cierta seriedad tras las risas del público. Así lo hiciste, para mencionar el atentado en Holanda de un integrista islámico que había acuchillado a cinco personas en plena calle esa misma tarde.

–Solo puedo decir una cosa, basta ya, paremos esto, pongámonos de acuerdo todos los europeos en frenar esta invasión descontrolada. Dejemos de poner nosotros las víctimas y pongamos las medidas. Recordemos aquellas palabras de Reagan cuando en plena Guerra Fría dijo a los soviéticos que si tiraban una bomba en Ámsterdam sería como si la tiraban en Chicago y se demostró que gracias a esa unidad occidental la bomba nunca nadie se atrevería a lanzarla. Compartamos el dolor, pero compartamos también la fuerza frente al radicalismo, vayamos unidos a la lucha.

Cuando leíste el texto recién impreso, le pediste a Carlota que chequeara en la red la cita, porque supongo que no te fiabas de mi memoria o me veías capaz de inventarme algo así. No te lo reprocho. A cambio, cuando te llegó la ratificación de Carlota, rotulaste la frase con un gran círculo en rojo y en el escenario le diste vida.

Para el final no sé si mis líneas respondían a tu deseo de algo personal, pero las pronunciaste como si lo fueran.

–Soy el único candidato que tiene claro lo que estará haciendo el día después de las elecciones. Si pierdo, regresaré a mis clases, a mi facultad, y volveré a hacer lo que llevo tantos años haciendo, enseñar a los jóvenes de mi país. Y si gano, ah, si gano se me complica la cosa... Estaré donde este país decida que me necesita.

Los aplausos y la euforia brotaron sinceros entre los fieles militantes. La veterana actriz te levantó el brazo derecho en el aire como si fueras una boxeadora tras vencer en el combate. Te sudaba la axila y Aitana Banana maldijo el tono pistacho de tu blusa de lino porque te marcaba un cerco húmedo.

–Nadie ha ganado nunca sin sudar la camiseta –le dije a modo de consuelo. A mis queridos niños les gustan las demostraciones de esfuerzo. Son ciudadanos entregados de la República del Sobaco Sudado.

Para despedir la noche teníamos reservado un privado. La reunión se prolongó hasta las cuatro de la mañana y Candi se hizo el dueño de la atmósfera, en una pista sobre lo que iba a suceder después del día de las votaciones. Carlota se me abrazó y me dio las gracias, he aprendido mucho a tu lado, me dijo sin demasiada sinceridad, y luego me presentó de manera oficial a su novio, que fingió que era la primera vez que me veía. Tania estuvo cariñosa, no dejaba de gastarme bromas y de recordar entre risas algunas anécdotas del viaje. No quise hacerle demostraciones demasiado evidentes de desprecio, su juego doble podría beneficiarme algún día y una buena relación es algo que no se debe tirar a la basura jamás. Sobre todo si es con una mentirosa de su habilidad.

Tú no te moviste de tu rincón, pegada a tu marido, que parecía dormirse y despertar con cada bandeja que los camareros le pasaban junto a la nariz. Apenas tuvimos tiempo de hablar esa noche. Me costó lo imposible rechazar cada copa que me ofrecían, rodeado de los conocidos del partido a quienes quería terminar de impresionar con mi sobriedad desconocida. Un miembro de las juventudes me invitó a una raya de coca cuando ya te habías ido, pero la rehusé.

13. Madrid

Seguro que fui el primero en despertar a la mañana siguiente. A las siete ya estaba desvelado en la cama. Incapaz de concentrarme, me puse a releer los diarios de Azaña, cuyos volúmenes estaban tirados alrededor de la mesilla. En sus primeros meses de gobierno no hacía más que recolocar y subir el sueldo a los militares para que no se levantaran en armas y recibir a amigos que le pedían cargos y prebendas. Una de sus reflexiones me hizo pensar en ti. Todos los políticos tienen su punto de maduración, luego se pudren. Eso sostenía. Qué oficio tan abrasivo. Después abrí a los perros para que salieran a cagar por el jardín y volví a dormirme un rato.

Me despertó Tania para contarme lo de tu marido. Había sufrido un ictus esa mañana temprano. Al desayunar era incapaz de sostener la cucharilla y, asustado, fue a despertarte. Pensaste que se debería al cansancio por el trasnoche, pero te vestiste aprisa y llamaste a Zunzu. Llevasteis a tu marido en el coche de seguridad a las urgencias ya con convulsiones. Cuando entró en el hospital no era capaz de decir tres sílabas en el orden correcto. Lo ingresaron y cuando volviste a saber algo estaba bajo observación tras un infarto coronario, en estado comatoso. Tania se ofreció a mantenerme informado, pero me dijo que no se me ocurriera ir al hospital, habías rogado cierta tranquilidad.

Te lo confieso, cuando dieron la noticia en las emisoras de radio lo primero que pensé es que aquello te favorecía. El día antes de las elecciones, cuando todos los candidatos se dedicaban a las labores inanes de la espera, tú eras protagonista adyacente de una noticia de carácter humano. Qué más se puede pedir. En los telediarios no se emitían informes médicos por expresa orden tuya, pero varios reporteros estaban apostados frente al Gregorio Marañón. Esos espontáneos que hay siempre entregados al fisgoneo colgaron en redes tu foto ante el feo tazón de café del restaurante del hospital y tenías cara de sueño, gesto tenso y se veía a Carlota a tu lado ejercer como siempre de hija en ausencia de la real.

Tu hija se había negado a volver para las votaciones, pero al final la convencieron para que tomara el primer avión desde Boston al saberse la gravedad del infarto de tu marido. Yo no tenía nada que hacer y me gustaba esa sensación. Así que me afeité en la bañera rebosante y luego pensé un rato en ti. Tania volvió a llamarme a media mañana, tu marido estaba fuera de peligro, pero nadie podía predecir las secuelas del asunto. Las venas cerebrales se le habían disparado como las fuentes de La Granja y su cabeza estaba anegada en sangre. Si se quedaba más tonto y amortajado de lo que ya lo estaba te ibas a divertir de lo lindo, lo mejor que te podía pasar era llegar a ser presidenta y al menos estar ocupada en otra cosa que en secarle la babita que le resbalara por la barbilla. Sí, claro, yo pienso esas cosas, soy así.

Atendí a varios amigos de la prensa que querían saber datos más cercanos a la realidad que los partes que filtraban desde el hospital. Aproveché para intoxicar un poco, les dije que tu marido siempre se había opuesto a tu carrera política y que para él todo esto era un incordio ante el retiro tranquilo que tenía planeado. Pero que tú le habías cogido el gusto a la política desde el primer día, que de ministra te habías dado cuenta de que podías ser útil y que ese gusanillo te había estimulado incluso hasta sacrificar tu tranquilidad familiar. Al día siguiente esto se reproduciría ya como una historia oficial para los anales. Otra servidora pública que anteponía los intereses de mis queridos niños a los suyos propios. Quizá no era del todo cierto, pero sonaba bien. Técnicamente ya no trabajaba para ti, pero te habías ganado mi dedicación.

En *Pis&Caca* ofrecían un resumen de la peripecia de cada candidato en campaña a modo de foto de llegada a meta. Una fuente anónima dijo que te habías revelado como una persona estricta, fría y poco empática. Y en el ministerio alguien sostenía que no tenías dotes de mando, pero que te rodeabas de los fieles y fabricabas una fortaleza alrededor tuyo. Lo cual no era del todo incierto, pese a que naciera del deseo de dañar tu imagen. A mí me nombraban como autor de algunos discursos tuyos, hasta la filtración de la grabación, por culpa de la cual el partido había perdido la confianza en mí y había sido apartado del círculo más íntimo. Eran las medias mentiras habituales.

En *La Mano Amiga* también hacían una comparativa del aspecto de los candidatos antes de la campaña y después. Se acusaban en ti los cambios en el pelo, el maquillaje y tu forma de vestir, y destacaban que eras la que más había mutado su aspecto anterior. No tenían en cuenta que tú eras también la más improvisada entre todos los candidatos, la que parecía más accidental cuando empezó la campaña. Eras la única que apenas había tenido cuerpo de asesores antes de la batalla, sin imagen pública, sin horas de vuelo en televisión hasta lograr que tu presencia fuera popular. Nada grave, pero evidenciaba que para la prensa eras la peor ganadora posible, la que menos juego iba a darles, y se resistían a apostar por ti.

La estrategia calculadora de Lautaro no se interrumpió. Se empeñaron en mostrarte mientras paseabas al perro alquilado, en una pausa en la que te ausentaste del pie de la cama de tu marido. Los periodistas no se acercaron por un tibio respeto mortuorio, pero tú sonreíste mientras mostrabas un inédito coraje para recoger las caquitas del foxterrier, que ponía cara de no saber quién narices eras tú. Imagino que recoger la mierda de un perro que no es tuyo es como asistir al teatrillo final de curso de un colegio sin tener un hijo propio en escena, ¿no?

Solo en un medio sin demasiada relevancia se preguntaban por la pérdida de peso del general Cojo y lo relacionaban con rumores sobre su estado de salud. La filtración organizada por Carlota comenzaba a abrirse paso. Lo más risible fue que el Mastuerzo dedicó la mañana a pasarla con sus hijos y su mujer en el Parque de Atracciones. Se le veía pasear risueño por las instalaciones, subirse a una montaña vertiginosa con su hijo y compartir el dulce de algodón con la más pequeña. Todo un acierto del departamento de propaganda. Aquel marido ejemplar hubiera temblado al saber lo que sucedió un par de horas después. Un timbrazo rompió la quietud de mi casa y Erlinda recogió un sobre que traía un mensajero. Cuando lo abrí, comprobé que contenía un archivo de ordenador y lo volqué en el portátil. Ya sabía que era un regalo del Tano Allegri. Reproducía completo el contenido de la tarjeta telefónica de Luisa Paz. Mensajes de texto y fotos en las que el Mastuerzo mostraba facetas ocultas de su carácter juguetón, obsesivo y perverso. El deseo hace con los padres de familia lo mismo que un gato montés con los ratoncitos de campo.

En la tarde, Erlinda salió a dar un paseo con esas pocas amistades filipinas con las que se veía los sábados y cuando volvió me preparó una cena ligera que tuve que completar con unos recortes de embutido, una lata de anchoas y pan tostado. No quise molestarla en el retiro de su cuarto y traté sin éxito de concentrarme en alguna lectura básica. Mi cabeza volaba todo el rato hasta tu lado. Sin saber si acertaba, alcancé una botella cara de vino que alguien me había regalado meses antes y me puse el abrigo. Me presenté en el hospital y pregunté por la habitación en la que estaba ingresado tu marido. Tania me había dado la buena noticia de que lo habían trasladado a planta. La recepcionista me dijo que ya no se admitían visitas, pero cuando di tu nombre se ablandó y llamó a seguridad.

Apareció un minuto después Zunzu, que había estado apostado en el hospital desde la mañana. Me saludó efusivo y me confirmó que estabas con tu marido. Subimos en el ascensor, pero él se quedó en el pasillo, con el teléfono móvil en las manos para completar alguna partida interminable de nada que había dejado a medias. Abrí sin llamar, yo soy así. Me asomé al interior sin que me oyeras y te vi sentada junto al cabecero de la cama, mientras acariciabas la mejilla de tu marido, que dormía inconsciente y con la comisura entreabierta, entre respiraciones fuertes y cadenciosas y el tic tac de los goteros. Murmurabas algo, puede que rezaras.

–Perdona, sé que no es buena hora, pero imaginé que habías cenado como el culo y no me rechazarías un poco de vino.

Mostré la botella y tú trajiste dos vasos tras pasarlos bajo el agua del grifo del lavabo. La imagen que tenías un momento antes de esposa fiel que acaricia a su marido me había desarmado en cierta manera, y miré al momio de modo distinto a como siempre lo hice. ¿Y si lo amabas? ¿Y si de verdad anhelabas que su cerebro inundado de sangre por el hematoma coronario se vaciara sin apenas secuelas, que volviera a hablar, a mover ambos brazos, a caminar recto, a cogerte de la mano y a contarte por enésima vez las razones que hicieron estallar la primera guerra carlista? Serví los vinos. Brindamos levemente, pasaban cinco minutos de las once.

–La vida siempre te pone las prioridades en orden.

Me sorprendió que dijeras eso, como si te invadiera un desánimo por la candidatura y todo lo que había provocado. Como si desearas volver a casa tranquila y con tu pareja a moriros de aburrimiento hasta la hora final.

–La vida solo nos exige una cosa, Amelia. Estar vivos y demostrarlo.

–¿Qué quieres decir?

–Que no te tienes que avergonzar por tus ambiciones.

Bebiste un trago largo. Me confirmaste que la cena había sido apestosa, aunque Tania y Carlota se habían acercado a pasar un ratito contigo y habían llevado un postre delicioso cuyos restos me señalaste.

–De los que te gustan a ti, cremas, merengue y mucho azúcar.

–Ya he cenado, de hecho ha sido un raro impulso la decisión de venir. Necesitaba verte.

Estabas vestida con un pijama de algodón de dos piezas, cuya chaqueta tenía botones casi transparentes y hacía una forma elegante junto al cuello. En los pies llevabas calcetines grises, algo gruesos, pero que transmitían la forma de tus dedos inquietos cuando subiste las piernas al sillón que, me temo, te iba a servir de cama esa noche.

No llevabas ropa interior y al alzar las rodillas pude ver el contorno acogedor de tu sexo, esa línea mágica que era un juguete y un misterio todo a la misma vez. Supe que percibiste mi mirada porque tus pechos sueltos y alegres bajo el sutilísimo azul del pijama se erizaron y uno de los pezones susurró hola, aquí estoy, hacia mis ojos hambrientos. Quería abrazarte, recogerte en mi torpe gesto de cariño, pero si me levantaba sabía que iba a producir el mismo espanto que si un elefante alzara las patotas ante una niña asustada. Qué miserable vida. ¿Por qué habrá que moverse? ¿Por qué hablar? ¿No sería mejor que todo sucediera entre las mentes, sin la vergüenza de actuar, sin el espanto físico?

Bebí más vino y te pinté un panorama futuro a partir de la última encuesta telefónica de Los Cuervos, que te daba casi tres puntos de ventaja sobre el segundo. Tú alzaste las manos y las mangas del pijama cedieron y asomó el vello de tus brazos en un extraño y complejo duelo con tus pestañas.

–No quiero saber nada, he pedido que no me cuenten nada. Estoy harta de proyecciones y encuestas. Al fin y al cabo, mañana a estas horas ya conoceremos la realidad, ¿para qué seguir fantaseando?

–Ni fuego ni férreo muro detendrán lo acordado por el Destino.

Susurraste el nombre del poeta padre de la cita y yo asentí con media sonrisa. Era esa la sintonía entre tú y yo de la que te hablaba, aunque quizá se limitaba a un juego intelectual sin más relevancia. Me acordé de Adolfo Suárez, de una vez que le oí contar que al dejar el cargo de presidente, nada menos que el primer presidente de la democracia, pasaron cuatro meses sin que nadie le llamara por teléfono. Pero no te hablé de él.

–A Margaret Thatcher, el día que la obligaron a dimitir los de su propio partido, fue a recogerla un coche oficial a Downing Street que la depositó en una casa suburbial en la que jamás había vivido, en el barrio de Dulwich. Era ya de noche y al abrir la nevera comprobó que estaba vacía. Se echó a llorar. Eso es el día después.

–No te preocupes tanto, Basilio, como mucho estoy en el día anterior al día después.

Me bebía el vino pero no acallaba las ganas de abrazarte, con tu marido moribundo en el camastro asistido por un bigote de plástico que le proporcionaba el oxígeno que ahora a mí me faltaba. Te miraba con esos ojos que se me ponen de niño idiota cuando quiero transmitir un sentimiento noble, tan desentrenado estoy. Te sorprendió la franqueza con que me bebía los vasos de vino según los servía.

–Veo que sí que bebes.

–Ya no estoy de servicio.

–No creas. Te iba a llamar. Te quería pedir un último favor para mañana.

–Claro, pide lo que quieras.

–No tengo mucha cabeza, imagínate.

Señalaste al momio en la cama, pero abarcabas todas las circunstancias que te rodeaban en esa noche previa.

–Me gustaría que me redactaras, aunque solo fuera un borrador, los dos discursos de mañana tras los resultados.

–¿Los dos discursos?

–Siempre escuché que se prepara uno por si se gana y otro por si se pierde.

–Ah, no creo. Son cosas que se dicen. No sé.

–¿Lo harías por mí?

Dije que sí y maldije el momento, porque te permitió desarmar la reunión, transmitir el cansancio, la hora tardía, las ganas de quedarte a solas con tu marido, la odiosa orden de que me marchara a casa. La botella de vino era un último suspiro al que me agarré. Buscaba las fuerzas para cuando nos pusiéramos de pie, y nos abrazáramos a modo de despedida, para lograr fundirme contigo, arrullarte, besarte en los labios, retirarte el pelo de los ojos, guiarte la cabeza desde el cuello con mi mano hasta llevar tu mejilla a reposar en mi hombro, fugarnos juntos.

Pero nada de eso sucedió. Volviste a presentar el escudo bajo el pijama, la distancia irrompible tras tu amabilidad. Y yo me quedé pasmado y trabado, más hipopótamo que nunca, mientras decía no sé qué estupideces de que se mejorara el enfermo y de que descansaras esa noche. ¿Qué me estaba pasando? ¿Por qué temblaba? ¿Era yo el moribundo acaso en esa habitación?

Eché mano del archivo que el Tano Allegri me había enviado por mensajero. Alguno de sus soldados le robaría el móvil a Luisa Paz en algún descuido, con el tiempo justo para obtener la copia de la tarjeta. Te tendí el material.

–¿Qué es?

–Vete a saber. Quizá algún día puedes necesitarlo.

Cuando salí a la calle caía una llovizna ligerísima que el frío transformaba en aguanieve. Al bajar las escaleras exteriores del hospital, vi las gotas recortadas por la luz de las farolas. Ignoré los dos taxis de la entrada y comencé a andar, con una estúpida vocación adolescente, cuando caminar hacia casa solo en la noche es un grito de auxilio con el ruego de que alguien venga a salvarte de la pavorosa soledad.

Caminé y caminé, extrañamente orientado hacia el barrio donde vivo, como si Madrid fuera la ciudad más sencilla del mundo, de aquella manera en que también de joven conocías las siete calles que tomabas hacia casa. Pero ¿por qué salía de mí ahora el muchacho perdido, el proyecto aquel antes de torcerse vencido por el peso, la fealdad, la distancia y el miedo? ¿Por qué me remontaba a la vida anterior en esta autobiografía del rencor que me había escrito hasta ser el que soy? ¿Qué trágica magia desprendía tu perfil desnudo bajo el pijama para haberme transformado en el títere sin amo, en ventrílocuo sin voz manejado por su muñeco, en la ridícula estampa del gordo bamboleante que persigue una sombra en la noche?

Siguió lloviznando todo el camino. No sé cuánto tiempo duró el paseo, pero crucé la Castellana y Bravo Murillo y unos chavales se rieron de mí porque soltaba un vapor de gordo sudoroso por los hombros y la espalda, como si llevara a cuestas la rejilla de ventilación en una calle de Nueva York. Estaba empapado, pero me duraba el calor del vino, del caminar sin descanso y de la desbocada emoción por tenerte, por ser tuyo.

Entré en el jardín de casa y los perros ladraron en el interior y fue en ese corto atravesar sobre la tierra y la hierba cuando noté por primera vez el dolor intenso en los tobillos. El descabellado paseo me había molido la más frágil de todas mis articulaciones de sostén, no lograba posar la planta del pie sin sentir el dolor intenso. Y cuando abrí la puerta con la llave me derrumbé, porque los tobillos se doblaron hacia dentro, y los pies quedaron inertes. Al desmoronarme sobre las rodillas alcancé con la mano la mesita donde dejo el correo y las llaves y la tiré al suelo con un estrépito innoble que alarmó a Erlinda.

Fue ella la que me recogió y me llevó escaleras arriba pese a que los tobillos no me sostenían. Qué fuerte era esa mujer para cargar con un gordo destensado, duplicado además mi peso por la humedad de la ropa como si llevara encima una toalla empapada. Sé que Erlinda decía algo, pero me importaban un carajo sus amonestaciones, seguro que lo eran, sus consejos de mejorar la vida, de cuidarme, de sentar cabeza, me daba igual todo. Descubrí entonces que estaba llorando, que no era solo el pelo y la calva los que me traían el agua a los ojos, también una emoción subterránea y patética. Ella me desnudó y para hacerlo me sentó sobre el borde de la bañera, luego me empujó adentro y me chorreó con el agua caliente desde el grifo extensible, como se hace con los borrachos y los violentos, con los idiotas y los que sufren un ataque de histeria o con los niños que llegan sucios del parque. Al estar sobrio y sensato, aprecié el calor y me reí levemente de las lorzas y mi ridículo pene, un invitado sin voz en esa fiesta sentimental.

Supongo que Erlinda me secó y me acostó, pero ya no recuerdo nada de eso. Por supuesto que el monstruo no pidió una paja ni se atrevió a indicarle todo lo que podría solucionar una mamada a destiempo. Estaba en otra guerra y caí dormido cuan gordo era. Solo recuerdo que el sol por la mañana se filtraba por un cielo lavado y al abrir los ojos, la luz era epifánica y rojiza, la naturaleza volvía a gastar una de sus bromas, a mostrar el esplendor y la fortaleza mientras el ser dominante del planeta era tan solo una piltrafa y un pedazo de carne sin decencia.

Erlinda tuvo esa deferencia habitual de preparar un zumo y un kiwi sin echarme en cara la noche anterior. Hasta la tostada con jamón que me preparó junto al café no sabía a reproche. Tenía ganas de ir al hospital, pero no podía mover los tobillos, y cuando los miré estaban hinchados y gruesos como los de una abuela sin riego. Me dejé caer en el sofá del salón y contesté algunas llamadas. Los perros se acercaron un rato y con esa sabiduría secreta posaron las cabezotas sobre mis piernas por si eso resultaba reparador al amo ingrato. Sus babas calmaron el ardor de mis tobillos.

Telefoneó Beatriz. Tenía curiosidad por saber si estaba tranquilo, si ya había terminado de trabajar. Le conté poco del viaje, hablamos apenas un instante, me comentó lo del coche de Nicolás, lo contento que estaba. Mientras me hablaba recordé su amor de enfermera, esa forma sutil que tenía de salvarme la vida con sus atenciones, incluso el follar adoptaba formas facultativas, como si fuera parte de un tratamiento, y hasta la forma de besarme era parecida a la de quien le toma la temperatura a un niño pachucho. Nunca supe corresponder a ese amor. No creas, puede que no pague por ello, por suerte la reivindicación de justicia en esta vida resulta siempre una pataleta sin sentido. Beatriz conocía desde el principio mi visión del asunto, nunca la engañé. Nos tiran aquí y por aquí nos arrastramos como gusanos, poco más.

A media mañana me llamó Tania, que sabía que había ido al hospital la noche anterior, pese a su recomendación de no molestarte. Me preguntó si te había visto ir a votar, pero no puse la tele hasta después de colgar el teléfono. Fue entonces cuando salían los primeros candidatos más madrugadores en sus colegios electorales y te vi junto a la gélida bostoniana de tu hija, a la que el título universitario había terminado de elevar sobre el resto de los mortales. Comprendía tu dolor de madre, has parido un cubito de hielo. Ya se derretirá.

Erlinda masajeó mis tobillos con un aceite cremoso, pero yo le sugerí que quizá lo correcto era aplicarles hielo y no calor, dada la hinchazón. Intenté levantarme, pero mis pies no me sostenían, así que tuve que obedecer a su sarta de incompetencias sanitarias y tomarme dos pastillas que no logré identificar. Era adorable esa mujer. Tenía la paciencia de las almas caritativas, necesaria para jorobarte mil veces y que yo se lo agradeciera, al fin y al cabo era la única muestra de cariño en miles de kilómetros a la redonda.

Para la hora de comer, Carlota me regaba de mensajes con las israelitas a pie de urna que confirmaban lo que decían el día anterior los analistas, que andabas dos o tres puntos por delante del segundo, camino de una alianza de gobierno con el Mastuerzo.

Comí sin apetito y luego me llamó mi hermano mayor, para contarme un poco de todos en la familia y preguntarme si iría a votar por mi candidata. Le dije que no, que yo jamás votaba, que les dejaba esa ilusión a mis queridos niños, ellos sí que se lo merecían, porque según mostraba la participación, aunque un poco más baja que en ocasiones anteriores, sacaban a pasear una vez más la fe inmarchitable en que el mundo podía ser mejor si acertaban con sus intuiciones. Es esa potencia la que me supera de ellos, y en lugar de contribuir a mi desprecio lo desautoriza, y me rinde a sus pasiones, porque mis queridos niños al final son la pieza necesaria para que se tenga en pie esa cosa llamada felicidad, plenitud, lo que sea que nos hace alejarnos de las ventanas abiertas, del gatillo engrasado del revólver de la mesilla. Mis queridos niños sostienen la Navidad, la paternidad, el veraneo, las canciones de amor, las chucherías, los besos, las hipotecas, los himnos, los estadios repletos y por lo tanto sostienen el mundo. Yo soy un puñetero lastre.

Quizá mi hermano mayor me notó deprimido, no discutíamos nunca, porque evitábamos el conflicto para prolongar el afecto inviolable de nuestra infancia, pero algo me notaría porque me dijo que había hablado esa mañana con mi otro hermano querido, Gaspar, y que le había dicho, desde su inteligencia generosa, que mi candidata y yo habíamos hecho la mejor campaña de todas. Moderada, elocuente y efectiva. Te parecerá, Amelia, poca cosa, pero tienes que entender que ellos antes de votar a Los Cuervos se cortarían las manos, pues aún creen en la bondad natural y en la *Einfühlung*, esa ternura para con el mundo que predicaban los filósofos germanos mil años atrás y de la que hablé un día contigo. Por eso, que vieran en ti a alguien decente era un triunfo de nuestra puesta en escena. El mayor elogio que me podían regalar a los oídos.

–He hecho lo que he podido, pero esto no es para mí.

–¿Y tienes planes de futuro?

–No. Ya veremos. ¿Sabes que fui a Vitoria y estuve en el mismo sitio donde vimos el concierto aquel de Ella Fitzgerald?

–Aún te acuerdas, ¿eh? Y eso que no querías ir... Tuve que arrastrarte por la fuerza.

Cuando nos despedimos me dijo lo que siempre me decía. Cuídate mucho, Harry Lime.

Me dio asco estar tirado en el sofá en el día de las elecciones, inmovilizado por el chantaje de los tobillos, reducido por la orden terminante del astrágalo y el maléolo de que a ese gordo infame no lo iban a sostener más, por la confabulación de los ligamentos, músculos y tendones contra mí, para castigarme por mi peso excesivo y mi paseo nocturno y final. Me puse a trabajar un poco. Y acepté el encargo de la noche anterior, cuando me dijiste que te preparara el discurso de la victoria y el de la derrota.

Empecé por el de la derrota. Pero todo fue bloqueo y whisky. Hasta Erlinda protestó cuando le pedí más hielo, como esas esposas cansinas que gritan desde la cocina: «¿Otro?»

No iba a emborracharme, pero la incapacidad para escribir algo que dignificara tu derrota me hizo ver con toda claridad que solo confiaba en tu triunfo. Tan sencillo como eso. No iba a trabajar en balde, no lo he hecho jamás. Entonces me presté a escribir el discurso del triunfo, a poner en tu boca la digna aceptación de la victoria, el parlamento soñado por todo ser humano alguna vez, porque todos queremos ganar una noche, cualquier noche, pero ganar una vez, aunque sea una sola vez, y descubrir a qué sabe, aunque vuelva la sed a la mañana siguiente, aunque a todo domingo le clave la estaca en el corazón un lunes cualquiera.

La participación bajaba cinco puntos a las 19 horas respecto a algunas de las convocatorias electorales anteriores, lo que era un dato positivo para ti. En esta ocasión no teníamos una pugna exaltada, ni salíamos de un atentado o de una crisis o de una crispación tan tensa como para que mis queridos niños, los más de 37 millones convocados, volvieran a creer a mansalva en que estaban llamados a decidir el destino del país. Regresábamos a ese sesenta por ciento de fe prudente, al bálsamo de la mesura, a esa mezcla templada entre un poquito de túnel y siempre, siempre, al final un poquito de luz. Mis queridos niños manejan como nadie ese bendito equilibrio y ese hilo de esperanza inquebrantable.

Me vestí con un traje decente y una corbata fina y encontré en el paragüero el viejo bastón que usaba mi abuelo y alguna vez utilizó mi padre. En la empuñadura tomaba la forma de una cabeza de galgo, gastado del roce de las manos. Me ayudó a sostener mis tobillos. Al menos hasta alcanzar el taxi que había pedido y que Erlinda no quería que tomara en mi estado lamentable camino de la sede de Los Cuervos. Pero aunque ella me posara la palma de la mano en la frente y me repitiera que tenía fiebre, yo sabía dónde estaba mi lugar.

No habían cortado el paso aún en los aledaños, aunque estaba montado un pequeño escenario que prolongaba el edificio de dos plantas de la sede. Era una terracita que envolverían la música y las consignas del dj y en la que, si todo iba bien, aparecerías sonriente y aterrada junto a los altos cargos del partido cuando llegara la hora de la verdad a eso de las doce de la noche, vencido el escrutinio. Ese momento en el que los seguidores gritarían presidenta, presidenta, y tú no sabrías bien cómo reaccionar, si reír o llorar.

Conservaba aún la acreditación oficial y me conocían los porteros, aunque se había triplicado la presencia policial y acceder a la sede fue agónico, especialmente porque mis tobillos seguían insultándome por el paseo de la noche anterior. Me decían: ¿adónde creías que ibas, gordo infame, no te has dado cuenta en todos estos años de que el romanticismo no es lo tuyo? Nos gustabas más cuando solo sentías frío en los pies y en el corazón, cuando no creías en nada.

En la mesa de recepción me devolvieron a la realidad con una amable bofetada. No estaba autorizado a subir a los pisos de despachos. Arroba, que se asomó a recoger a algún invitado, se interesó por ampliar mi acceso, pero fue imposible que me dejaran subir. Prometió hablar con los de arriba y conseguirme un pase. No volví a saber de él. También vi pasar a Pili Cañamero, que me informó de que tú aún no habías llegado y de que ella no hacía las listas de paso, bastante tenía ya con lo suyo.

–Hoy va a ser una noche larga, Basilio. Yo que tú me iba a casa.

Hubo un revuelo en la puerta exterior, dos coches negros que reconocí porque en la ciudad los usaban Zunzu, Pacheco y los chicos de seguridad. Tania, Carlota y tú salisteis juntas del segundo de ellos. Aitana Banana te había vestido de ganadora, esa chica era inteligente, definitivamente. Ibas de pantalón y chaqueta verde, con una camisa azul que quizá fuera de hombre, pero te otorgaba un aire de mando y personalidad que tantas veces eché de menos en la campaña. Te rodearon los fotógrafos, en eso que siempre llaman nube los vagos de mis colegas, y accediste por la puerta de cristal donde se habían arracimado tantas personas que de pronto temí que no repararas en mí. Pero de algo sirve ser gordo, llevar un traje bien cortado y un bastón con empuñadura de galgo.

Me sonreíste con los ojos, habías pasado por la peluquería y te brillaba el decolorado arrubiado. Pero recibí tres fogonazos intensos. Uno era la distancia, el otro era la indiferencia y el otro era la prevención. Los tres disparos de tu mirada me hirieron de muerte. El gordo triste no estaba invitado a la fiesta de las sonrisas, al banquete de tu intimidad, al imaginable placer de tu cuerpo desnudo y tu corazón inteligente. Cuando las cosas caen por su propio peso, yo soy el primero en caer. Es lo que tiene ser gordo. Nos dio el tiempo justo para saludarnos por encima del vocerío. Yo llevaba en el bolsillo de la chaqueta el papel plegado con el borrador del discurso. Pero tú ni lo pediste, porque ya no lo necesitabas, ya no me necesitabas.

Quise ver en tus ojos una dicha honrada, una inocencia emotiva. Si era una falsa impresión solo el tiempo nos lo dirá. El papel no contenía nada especial ni inspirado, no vayas a pensar. Tan solo una certeza simple. Que la revolución pendiente consistía en una mujer conservadora y previsible que fuera honesta cuando llegara al poder de manera accidental. Ni cerebral ni visionaria, menos interesada en cambiar el mundo que en regular el tráfico en la calle principal. No más que eso. Ninguna utopía inalcanzable, nada de sangre, nada de héroes, las Bolsas tranquilas a la mañana siguiente con pequeñas ganancias para las rentas fijas. Mis queridos niños y yo soñábamos lo mismo por una vez, un rayo de decencia amistosa depositado sobre el resplandor de tu pelo y las pestañas de niña.

Pero ya no leerías nada de eso. ¿Qué más da lo que ahora pienso? Me niego a ser, como dijiste, un niño falto de cariño al que, como ese cariño no le llega nunca o cuando le llega no le basta, nada le compensa tanto agravio y ya no puede dejar de ser el monstruo cargado de odios en que se ha convertido. No voy a justificarme. Sencillamente se terminó mi trabajo. Nadie es tan importante como para creerse necesario. Y yo soy un lobo sin luna. Volveré a morder, es mi instinto. Puede que hasta muerda tu mano, la mano que durante unas semanas me dio de comer. No te asustes. Como todos los lobos, yo también miro con afilada envidia al rebaño de mis queridos niños cuando regresan a casa sanos y salvos.

NOTAS

1. Y el Señor dijo: / Arraso vuestras ciudades – qué ciegos habéis de estar / Os arrebato a vuestros hijos y aun así os consideráis bendecidos / Debéis de estar locos para depositar vuestra fe en mí / Por eso adoro el género humano / Realmente me necesitáis / Por eso adoro el género humano.

2. Por si quieres aumentar tu conocimiento del personaje, te recomiendo el libro *Core vs Score,* de 1983. Allí Carlton sostiene que la Esencia de un conflicto no se transmite por el Resultado del mismo. Todo lo contrario, si se elimina el componente accidental de todo Resultado, empezaríamos a acercarnos a la verdad de la Esencia, que no suele quedar representada por su consecución, sino por la fuerza que la activa. La Historia es una ciencia que se escribe en función del ganador, pero la batalla es perpetua y por eso el pasado cambia al ritmo con que cambia el presente, en una reescritura inagotable.

3. Si no leíste el periódico, allí decía: «Amelia Tomás ha emprendido una gira de campaña en un autobús enorme, que tiene una oficina trasera y un espacio para duchas y rincón de vestuario en la parte trasera, que termina en un cuarto cerrado donde se supone que hay una cama para que repose la candidata en su prolongado periplo de campaña por España. Es una especie de Air Force One sobre ruedas, aunque Amelia Tomás no transmite poderío ni demasiada seguridad en sí misma. Es más, a los tres minutos de entrevista tienes ganas de liberarla y no someterla más a lo que para ella, evidentemente, es una tortura.»

4. Supongo que has leído lo que dice de ti la Wikipedia: Amelia Tomás Saz (Coágulo, Teruel), tercera de cinco hermanos, es catedrática de Historia Contemporánea y especialista en historia política y cultural del liberalismo europeo. Tiene formación en universidades extranjeras, amplió estudios en Inglaterra y en Alemania. Es autora de siete libros centrados en su especialidad, entre ellos destaca *La España del XIX: un caso sin resolver.* Casada con Diego Perelló Castro, catedrático a su vez de Historia Contemporánea y miembro del patronato del Museo del Prado y de la Fundación Jovellanos. Ambos son padres de una hija...

5. Por si no recuerdas el artículo: «... la profesora vejada no escondía los poderes vengativos de Carrie, sino que aceptó la sangre y la burla de la fiera adolescente con enorme entereza. En ese instante nos representaba a todos los defensores de la democracia, era una diosa, que nadie se burle. Era una heroína, era sencillamente la profesora que todo estudiante necesita...».

6. Como sospechas, el artículo de *Pis&Caca* lo escribí yo. De nada: «... que el vicepresidente del gobierno cobrara bajo cuerda una comisión por emitir películas españolas malas resuelve un misterio. Ahora falta conocer la razón profunda por la que tenemos que aguantar esos aún peores telefilmes alemanes en la sobremesa de los domingos...».

7. Ya sé que soy pesado, pero leer a Roy Carlton, en especial *The Age of Conflict,* es muy estimulante. Los progresistas a menudo son más perezosos que inteligentes y no quieren enfrentarse a las ideas de quien se opone de manera radical a su visión edulcorada de la convivencia...

8. «No necesito una cara bonita / que me cuente mentiras bonitas / todo lo que necesito es alguien en quien creer.» // Billy Joel, «Honesty», del álbum *52nd Street* (1978).

9. No hace falta que lo leas, pero en *La grandeza de España* hago recuento de los episodios que levantaron un imperio e incluso durante largas décadas de decadencia conformaron un país sólido en el apéndice de Europa. Pretendía ser un sutil y emocional acercamiento a la españolidad, ese sentimiento indefinible.

10. Basta leer la contraportada de *La mujer que necesitas. Una vida de servicio público,* para sospechar de su contenido: «Con prosa asequible, la candidata nos cuenta el recorrido vital desde un humilde

pueblo hasta la política nacional. Ideal para desvelar los secretos de la candidata más desconocida.»

11. Por si te apetece leerlo, aquí va un extracto de la necrológica que escribí sobre Carlos Leal: «... mil películas rugían en su cabeza. Cumplió con una vida de cine, plena de aventuras y riesgo. Su mejor virtud la traía de la cuna, cuando le pusieron el apellido paterno y decidió cumplir con ello hasta que el Matador lo llamó a su lado. Carlos Leal fue sobre todas las cosas leal...».

12. *Die Kandidatin, die die Deutschen der Balearen auf einfachste Weise verführt: Sie spricht ihre Sprache.* La candidata que seduce a los alemanes de Baleares de la manera más sencilla: habla su idioma.

13.

14. Prefiero servirlos a mi manera / que mandar con ellos a la suya.

15. Por si quieres recordarlo, en *El hombre en la sombra,* Lolo Prados escribió: «al apartar el telón vimos que detrás de la candidata hablaba un mago de Oz, indomable escritor y articulista, un crítico de costumbres que adoptó hace años la sana perdición de criticarse a sí mismo y criticarlo todo...».

16. No leo demasiado ahora: el tipo / que decepciona a la muchacha antes / de que se aparezca el héroe, o el otro / que es un timorato y lleva el almacén / me son muy familiares. Emborráchate: / los libros son un gran montón de mierda. // Philip Larkin, «A Study of Reading Habits».

17. Por si no tuviste tiempo de leerlo entonces, el reportaje titulado «La piel de los candidatos», de Lolo Prados, comenzaba así: «No ha sido fácil lograrlo, pero hemos obtenido un mapa íntimo de los candidatos al recorrer su piel palmo a palmo hasta poder enumerar los tatuajes que lucen. Detalles familiares, menciones entrañables, fechas, dibujos y hasta el nombre de un regimiento, acaso los tatuajes definen a los candidatos mejor que cualquier detalle...»

18. El título completo de su biografía era *Yo, Claudio. El teatro de mi vida.* Y según la contraportada contenía: «... recuerdos y amarguras de alguien que lo ha dado todo por la escena...».

19. He aquí un extracto: «... y todos y en cualquier lugar, desde el obispo al magistrado, sin olvidar al obrero y el maestro, arrancarían la ropa del objeto de su deseo si no alcanzaran a controlar al hombre de la caverna que llevan dentro...».

ÍNDICE